les Intégrales de philo

Collection dirigée par Denis HUISMAN

MACHIAVEL

Le Prince

Notes et commentaires de
Patrick DUPOUEY
Professeur agrégé de philosophie
en classes préparatoires littéraires
aux lycées Saint-Sernin
et Pierre de Fermat de Toulouse

Préface de
Étienne BALIBAR
Maître-Assistant de philosophie
à l'Université Paris-I

Nathan

Sommaire

ISBN 978-2-09-187303-9

Préface

Deux dangers symétriques peuvent guetter toute présentation du *Prince* : celui de banaliser un texte qui reste dérangeant, d'en faire un « classique de la philosophie » parmi d'autres ; ou celui d'y déceler, pour s'en effrayer fictivement ou pour s'en approprier l'audace à bon compte, des éléments de malédiction, de subversion et de monstruosité dont, après tout, des générations de lecteurs se sont fort bien accommodées, quand elles n'ont pas forcé le trait pour constituer le repoussoir nécessaire à leur propre discours idéologique. C'est le fameux débat du moralisme et de l'immoralisme politiques...

Quels seraient alors les aspects de Machiavel qui lui confèrent une originalité durable, et qui expliquent le problème qu'il ne cesse de poser au philosophe ? Je n'en retiendrai qu'un ici, mais qui me semble essentiel : Machiavel est *penseur de parti*, et n'est que cela ; mais il n'est pas *idéologue de parti*. C'est la complexité réelle (et aussi la remarquable instabilité) de cette « position » intellectuelle que n'ont pu apercevoir ni ceux qui font de lui l'apologiste du pouvoir pour le pouvoir, ni ceux qui, de façon anachronique, recherchent en lui le précurseur d'une « volonté nationale » de puissance, même s'ils lui doivent tous quelque chose.

Peut-être, parmi les interprètes contemporains, Gramsci est-il celui qui a le mieux approché cette singularité lorsque, contre la tentative mussolinienne d'enrôler Machiavel dans l'idéologie officielle du fascisme italien, il a tenté de penser le « parti révolutionnaire » léniniste comme un « prince moderne », héritier de la « vertu » politique du prince machiavélien. Mais il faudrait dire, alors, qu'il l'a présentée de façon inversée.

Machiavel est penseur de parti en ce sens qu'il sait la « société » divisée en camps antagonistes, qui peuvent être contenus pendant plus ou moins longtemps entre certaines limites, dont les forces peuvent être équilibrées, mais non pas réduites à l'unité d'une « paix civile » perpétuelle, qui exprimerait une fin naturelle ou rationnelle. L'ordre politique ne peut être qu'imposé par un parti contre d'autres.

Surtout, Machiavel est penseur de parti en ce sens que, à la différence des théologiens et des juristes, il n'identifie pas l'État à quelque expression ou instance de l'*universel*. Et pas davantage il ne le soumet à l'universalité fictive d'une loi morale ou d'une nature humaine (« bonne » ou « mauvaise »). D'où l'embarras des philosophes qui, tous ou presque tous, pensent dans l'horizon de l'universalité (que ce soit celle des valeurs morales ou celle des principes logiques). Ceci ne fait pas pour autant de Machiavel un irrationaliste. Bien au contraire, c'est parce que Machiavel prend parti et revendique un point de vue de parti – sans lui opposer un idéal civique plus complet ou plus parfait – qu'il peut affirmer, contre la spéculation, la « vérité effective de la chose » et, armé de ce principe de réalité, découvrir dans l'histoire un champ d'analyse rationnelle de la formation, de la transformation et de la crise des gouvernements.

Dès lors, sa réflexion sur la religion, à la fois instrument de pouvoir et ressort de la vertu civique (donc doublement politique, en un temps où l'on considérait plutôt que le politique est, par essence, dans le religieux – on dirait aujourd'hui le sacré, en se croyant peut-être par là beaucoup plus « laïque », ce qui est douteux), acquiert une signification critique supplémentaire : elle désigne le prototype d'une fiction d'universalité (le « divin », le « rationnel », le « social ») qui opère dans tous les États, mais qui ne permet pas de comprendre leur histoire. En adoptant un tel point de vue, Machiavel, presque seul dans la tradition philosophique, arrive à dissocier *objectivité* théorique et *universalité*.

De ce fait même, Machiavel n'est pas idéologue de parti, ce qui aurait permis de le classer lui-même aisément sous un modèle. C'est ici surtout que son étude devient passionnante. Pour son propre parti, Machiavel n'a pas le regard complaisant ni complice. Ce qu'il voit d'abord, ce qu'il cherche à saisir par avance au-delà même de ce qu'il voit, ce sont ses faiblesses, ses contradictions internes : le défaut de ses « forteresses ». Position qui n'est pas d'un sceptique, mais d'un dialecticien.

C'est pourquoi Machiavel ne tombe jamais dans les pièges de l'*identification*. La *distance* qu'il institue entre les princes et les théoriciens qui aspirent à les conseiller (« de même que ceux qui veulent dessiner un paysage descendent dans la plaine... »), c'est aussi bien la distance que le « chef » (ou le « dirigeant ») doit – devrait – conserver par rapport à sa popularité, de même que le théoricien par rapport à la « logique » de ses concepts. Non pas retrait à l'écart de l'action (à moins d'y être forcé), mais conscience que, dans l'action, seule réalité, il n'y a pas de point de vue « synoptique » ou « panoptique ».

D'où la difficulté d'enfermer Machiavel dans sa propre position de parti. Plus que d'un parti préexistant (républicain, monarchique), apparemment fixe, Machiavel a été l'homme d'un parti à prendre, et à constituer, selon la conjoncture, dans une époque de transition qui bouleversait les essences politiques (comme l'est aussi la nôtre ?). La position de parti qu'il définit n'est pas celle de telle ou telle faction qui se dispute l'État, c'est celle qu'il faut adopter et armer pour imprimer une « forme » politique nouvelle dans la « matière » historique. Mais cette matière est rien moins que passive. C'est pourquoi la fameuse « méchanceté » des hommes, qu'il postule, plus qu'un vice moral, désigne l'impossibilité de prévoir, de « planifier » le comportement des hommes. Elle désigne les effets nécessairement « pervers » de leur pratique collective.

Ici réside peut-être la clé des contradictions de Machiavel qui ont sollicité en permanence la postérité de prendre elle-même parti à son égard. Non seulement les philosophes se divisent entre eux à l'égard de Machiavel (comme d'Épicure ou de Marx), mais Machiavel les divise bien souvent contre eux-mêmes, embarrasse leur jugement. Nulle pensée théorique ne semble aussi liée à la personnalité et à la situation historique de son auteur. Et cependant le lien qui les unit demeure insaisissable, en particulier à cause de la distance, à nouveau, qui semble séparer l'auteur des *Discours sur Tite-Live* et celui du *Prince*, et qui le fait soupçonner de duplicité, dans les différents sens du terme.

Mais pourquoi ne pas risquer une hypothèse à la fois plus simple et plus radicale ? En interrompant la rédaction d'un traité de politique somme toute classique, pour tenter d'en utiliser les matières et les concepts dans une intervention directe, qui lui permettrait de s'insérer à nouveau dans le jeu du pouvoir et, peut-être, d'y insérer tout un peuple, Machiavel se trouvait pris dans une forme de rapport entre la théorie et la pratique dont il n'était pas complètement le maître. C'est ce rapport contraignant qui a distordu, consciemment ou non, les intentions initiales de l'auteur, et qui a produit *Le Prince*, l'ouvrage qui fait seul véritablement époque, avec la série de ses lectures, usages, exploitations et réfutations, dans laquelle s'incarne aussi le double effet critique dont j'ai parlé (contre l'idéologie de l'universalité, et cependant autre qu'une idéologie de parti).

À la limite, c'est le texte, articulé aux circonstances, qui a produit son auteur, et a fait de lui un moment incontournable de la formation de la politique moderne. C'est aussi ce qui, loin de toutes les simplifications, peut faire de la lecture de Machiavel une voie d'accès privilégiée à nos propres contradictions politiques.

Étienne Balibar

Biographie de Machiavel

(1469-1527)

« *J'aime ma patrie plus que mon âme.* »
Machiavel, *Lettre à Vettori*, 16 avril 1527.

« L'Italie était au comble de l'infortune ; elle courait tout droit à sa perte ; la guerre y installait ses champs de bataille, les princes étrangers faisaient la loi sur son territoire ; elle offrait le prétexte des guerres et, en même temps, elle en était le prix ; elle confiait sa défense à l'assassinat, au poison, à la trahison ou aux passions d'une racaille étrangère ; les hommes de main indispensables étaient coûteux et ruineux, souvent même dangereux et redoutables ; certains de leurs chefs se hissaient au rang des princes ; l'Italie était pillée par les Allemands, les Espagnols, les Français et les Suisses ; et ce sont des cabinets étrangers qui fixaient le sort de cette nation. C'est alors que, profondément ému par cet état de détresse générale, face à la haine, au désordre, à l'aveuglement, un homme politique italien conçut, dans le calme et la réflexion, l'idée que le salut de l'Italie passait nécessairement par son unification en un seul État. Avec une extrême rigueur, il indiqua la voie que ce salut imposait et que la corruption et les passions aveugles de son temps rendaient nécessaire ; et il exhorta son prince à assumer le rôle sublime de sauveur de l'Italie ainsi que l'honneur de mettre fin aux malheurs de son pays. »

Hegel, *La Constitution de l'Allemagne*,
trad. Michel Jacob, p. 133-134,
Éditions Champ Libre.

Jeunesse de Machiavel (1469-1498)

3 mai 1469 : Naissance de Nicolas Machiavel – en italien : Niccolo Machiavelli – à Florence. La maison Médicis règne sur la ville, où elle protège artistes et philosophes. En France, Louis XI s'acharne – avec succès – à unifier le royaume. En cette année 1469, Léonard de Vinci a 17 ans et Christophe Colomb 18 ; Raphaël et Luther naîtront quatorze ans plus tard.

Les Machiavel, famille noble appauvrie, restent néanmoins des bourgeois aisés, possédant quelques terres. Nicolas apprend le latin, peut-être un

Santi di Tito, *Portrait de Machiavel*, 1541, le vieux palais, Florence.

peu de grec, et se plonge dans les auteurs de l'Antiquité. Au jour du 5 septembre 1481 (le petit Machiavel a 12 ans), son père note dans son journal : « Niccolo peut maintenant rédiger tout seul des textes en latin. » Sa culture l'apparente donc aux humanistes de la Renaissance, mais Machiavel échappera au fatras d'érudition livresque qui encombre souvent les cerveaux de l'époque. Héritier d'une famille de magistrats, il entreprend des études juridiques.

Avril 1478 : Les luttes qui secouent la cité florentine provoquent la chute des Médicis. Ces derniers répriment durement la conspiration ourdie par les Pazzi.

1482 : Depuis la chaire de l'église Saint-Marc, un moine dominicain, Jérôme Savonarole, prêche un retour à des valeurs religieuses plus rigoristes, et annonce l'imminence du châtiment céleste.

1494 : Interprétant dans ce sens l'arrivée des troupes de Charles VIII, les Florentins chassent les Médicis et installent le prêcheur de Saint-Marc au pouvoir. Savonarole, « prophète désarmé » selon le mot de Machiavel, institue à Florence, « Nouvelle Jérusalem », son utopie millénariste. Il réforme la constitution dans un sens plus démocratique et instaure à Florence une théocratie.

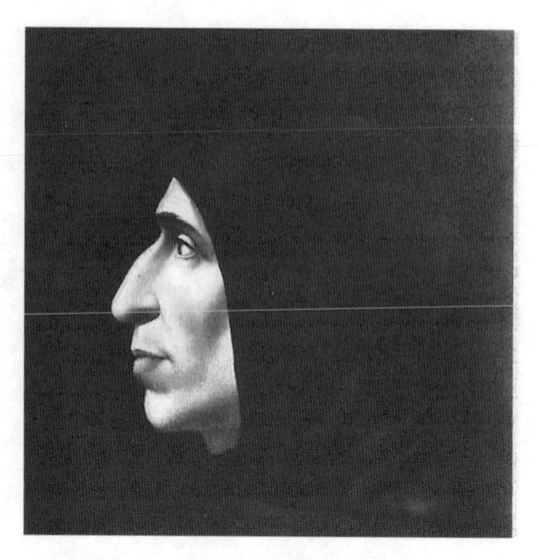

Fra Bartolemeo, *Portrait de Jérôme Savoranole*, 1452-1498, musée Saint-Marc, Florence.

L'homme de confiance de la république (1498-1511)

1498 : Excommunié par Alexandre VI, Savonarole est brûlé sur la grand-place de Florence. La même année, Machiavel est nommé secrétaire de la deuxième chancellerie ; ses responsabilités s'étendent aux questions d'ordre intérieur, de relations extérieures et de défense de la république. Très vite, il sait se montrer efficace et se voit confier les missions les plus délicates.

Celles-ci sont de tous ordres. Tantôt, un condottiere à la solde de Florence manifeste un peu trop d'indépendance ou refuse de se contenter du prix convenu ; tantôt, une ville sujette se révolte. Chaque fois, il s'agit de gagner du temps, de rappeler à l'ordre quelque débiteur, de faire patienter un créancier, d'obtenir le plus en risquant le moins. Passé maître dans l'art de négocier, Machiavel exerce ses talents dans toutes les cours d'Europe : quatre fois en France (alliée traditionnelle de Florence), deux fois en Allemagne, deux fois encore auprès de César Borgia, qui fera sur Machiavel une impression ineffaçable [1]. Comptes rendus, lettres, rapports jalonnent ce travail incessant, qui ne se borne pas aux tâches diplomatiques ; Machiavel s'est fait recruteur d'une milice nationale, projet pour lequel il n'épargnera aucun effort.

1. Une description romancée de ces missions, en particulier auprès de César Borgia, est proposée par un roman fort divertissant de Sommerset Maugham (voir bibliographie, p. 192).

La cathédrale de Florence, Santa Maria del Fiore.
Sa construction fut entreprise en 1296 sur les plans de l'architecte et sculpteur Arnolfo di Cambio.

1500 : Première mission auprès de Louis XII, au sujet de la solde des mercenaires prêtés par la France.

1501 : César Borgia est fait duc de Romagne. En légation à Pistoia, Machiavel tente d'apaiser les luttes entre factions rivales.

1502 : Nouvelles missions auprès de César Borgia, dont Machiavel a l'occasion d'admirer la ruse et la détermination (traquenard de Sinigaglia). Pier Soderini, élu gonfalonier à vie, devient le « patron » de Machiavel.

1503 : Mort d'Alexandre VI Borgia, père de César (et de son successeur, Pie III). Machiavel est en mission à Rome quand le conclave élit Jules II.

1504 : Deuxième légation en France.

1505 : Florence assiège Pise, mais échoue. Machiavel commence à lever des troupes dans le domaine florentin.

1506 : Mission auprès de Jules II.

1507 : Machiavel est nommé chancelier des Neuf de la milice. Première mission auprès de l'empereur Maximilien Ier.

1508 : L'Espagne, la France et l'Empire forment la Ligue de Cambrai contre Venise.

1509 : Conquête de Pise par les armées florentines. Machiavel se trouve au siège. Victoire française d'Agnadel, contre les Vénitiens. Seconde mission de Machiavel auprès de l'empereur Maximilien.

1510 : Troisième légation en France.

1511 : Jules II et Ferdinand d'Aragon forment la Sainte Ligue contre la France. Missions diverses, dont la quatrième légation en France.

L'exil politique (1512-1523)

1512 : La Sainte Ligue, conduite par le pape Jules II, chasse les Français d'Italie ; Florence, qui a eu le malheur de rester neutre, est châtiée par les vainqueurs. La milice, que Machiavel avait patiemment mise sur pied, se débande à Prato, sauvagement pillée par les Espagnols. Les Médicis, ramenés dans les fourgons espagnols, chassent Pier Soderini, le chef de la république florentine. Machiavel le suit dans la disgrâce.

1513 : En dépit de ses efforts pour gagner la confiance des Médicis, Machiavel n'est pas autorisé à conserver son poste. Les nouveaux maîtres de Florence jugent même prudent de le placer en résidence surveillée. Comble de malheur, Machiavel se voit – bien malgré lui – soupçonné d'avoir trempé dans une conspiration. Il est emprisonné et torturé. On ne le libère que pour l'exiler dans ses terres de San Casciano, à une dizaine de kilomètres de Florence. Le pauvre Machiavel, habitué à chevaucher à travers l'Europe, supporte mal cette existence retirée, en compagnie de sa femme et de ses enfants. « Je sens que je m'use », écrit-il à son ami Vettori. Dès lors, Machiavel n'aura de cesse qu'il n'obtienne ici ou là quelque emploi, fût-ce « rouler un rocher ». C'est le temps des missions sans gloire, mal payées, où l'ancien secrétaire florentin se donne l'illusion de servir à quelque chose. Sur cette période, on lira l'admirable lettre de décembre 1513 à Francesco Vettori (voir **Documents**, **Autour de l'œuvre**, p. 172). Mort de Jules II. Jean de Médicis devient Léon X.

Mais le temps de l'inaction est aussi pour Machiavel le temps de réfléchir sur les actions passées – les siennes et celles des autres – ainsi que le temps d'écrire. Machiavel, lisant Tite-Live, pose à l'Antiquité les questions de l'Italie renaissante. D'où la république romaine tenait-elle cette étonnante vigueur, qui a fait défaut à la florentine ? Quelles leçons le républicain d'aujourd'hui peut-il tirer de la réussite des Anciens ? Telles sont les questions auxquelles répondent les *Discours sur la première décade de Tite-Live*. Première grande œuvre politique, dont Machiavel interrompt pourtant très tôt la rédaction afin de se consacrer à un petit opuscule où il compte exposer « ce que c'est que la souveraineté, combien d'espèces il y en a, comment on l'acquiert, comment on la garde, comment on la perd ».

Juillet-décembre 1513 : Rédaction du *De principatibus (Le Prince)*, qui sera achevé en quelques mois, mais ne sera jamais imprimé du vivant de Machiavel.

1515 : Mort de Louis XII. Bataille de Marignan. Julien de Médicis songe à employer Machiavel, mais se heurte au veto du pape.

1515-1516 : Machiavel a-t-il oublié les thèses républicaines des *Discours* (et ses fidélités passées) ? On a beaucoup discuté sur ce point. Toujours est-il qu'il adresse *Le Prince* à Julien II de Médicis, qui meurt en 1516 sans l'avoir reçu. Machiavel dédicace alors son œuvre à l'étoile montante de la famille : Laurent de Médicis, dit le Magnifique. Malheureusement, Laurent le Magnifique n'a cure de devenir prince et Machiavel n'obtient pas le retour en grâce escompté.

1517 : Machiavel fréquente les jardins Oricellari, propriété de Cosimo Rucellai (dédicataire des *Discours*).

1519 : Mort de Maximilien Ier. Naissance de Catherine de Médicis. Mort de Laurent de Médicis, dédicataire définitif du *Prince*. Le cardinal Jules de Médicis prend sa succession.

1519-1521 : Composition de *L'Art de la guerre*.

1520 : Machiavel est engagé comme historiographe officiel de Florence. Il rédige pour le pape les neuf livres des *Histoires florentines*, et achève les *Discours*. Seule l'œuvre militaire de Machiavel, *L'Art de la guerre*, sera publiée de son vivant (1521). Les *Discours* et *Le Prince* ne le seront respectivement qu'en 1531 et 1532.

1522 : Découverte d'un complot contre Jules de Médicis. Les amis de Machiavel (dédicataires des *Discours*) sont inquiétés.

1523 : Clément VII, le commanditaire des *Histoires florentines*, devient pape.

Ultimes tentatives (1525-1527)

1525 : La bataille de Pavie précipite les guerres d'Italie vers leur dénouement. Pour Florence, il s'agit de limiter les dégâts consécutifs au triomphe des Espagnols et à la déroute des Français, leurs alliés de toujours. Exaspéré de voir tous ses projets achopper sur la pingrerie du pape, las de tant d'occasions manquées, Machiavel renonce en même temps que parvient la nouvelle du sac de Rome. Bataille de Pavie. Captivité de François Ier.

1526 : Traité de Madrid. Machiavel tente d'utiliser le capital de confiance qu'il a su recouvrer auprès du pape. Mais Clément VII ne comprend pas que si l'on veut sauver ce qui peut l'être encore, il faut remettre à l'ordre du jour le projet de milice non mercenaire, il faut fortifier Florence, donner la direction des opérations à ce jeune capitaine : Jean des Bandes Noires, fils de Catherine Sforza, le seul qui inspire de la confiance à ses soldats, de la crainte à ses ennemis.

6 mai 1527 : Sac de Rome par les troupes impériales.

Juin 1527 : Florence a pour la troisième fois chassé les Médicis et rétabli un fantôme de république. Espoir pour Machiavel ? Pas même, car l'ancien secrétaire de Soderini est désormais trop compromis pour ne pas susciter la méfiance.

22 juin 1527 : Machiavel meurt, sans avoir vu réussir un seul de ses grands projets politiques pour l'Italie.

L'œuvre de Machiavel

L'œuvre de Machiavel présente une diversité qui va bien au-delà de ses préoccupations essentiellement politiques. On peut classer les textes de Machiavel en quatre grandes catégories :

Les grandes œuvres

Le Prince, les *Discours sur la première décade de Tite-Live*, *L'Art de la guerre* et les *Histoires florentines* contiennent l'essentiel de l'enseignement machiavélien.

1513 Machiavel commence les *Discours sur la première décade de Tite-Live*, qu'il interrompt pour rédiger *Le Prince*.
1519 Machiavel commence *L'Art de la guerre*.
1520 Rédaction des *Histoires florentines* et achèvement des *Discours*.

Les textes politiques de circonstance

La vie de Machiavel ne fut pas celle d'un philosophe, mais d'un homme d'action. « Homme à tout faire » de la république florentine, comme dit Claude Lefort, Machiavel n'a jamais exercé réellement aucun pouvoir sur le destin de Florence, mais le poste qu'il occupait lui offrait un point de vue privilégié sur toutes les affaires de la cité. On trouve des notes de service, rapports, comptes rendus, circulaires, lettres-documents plus ou moins officiels, quelquefois classés « secret défense ».

Il faut lire ces textes sans perdre de vue qu'ils sont toujours écrits pour informer une autorité, rendre compte d'une situation, de l'état d'une négociation. C'est en les rédigeant que Machiavel a appris à écrire, se forgeant un style qui tourne le dos à toute facilité rhétorique. Style dont il est parfaitement conscient, et qu'il revendique dans la dédicace du *Prince*. Des tournures emphatiques, des fioritures seraient peu goûtées par l'autorité de tutelle, qui attend la sobriété d'un rapport objectif. Le caractère scandaleux des écrits de Machiavel trouve là l'une de ses explications : il a conservé ce style à usage interne dans des écrits appelés (sinon destinés) à être lus par un vaste public.

1501 *Rapport sur les actions entreprises par la république de Florence pour pacifier les factions de Pistoia.*
1503 *De la manière de traiter les populations du Val di Chiana révoltées.*
1504 *Description de la manière employée par le duc de Valentinois* [César Borgia] *pour faire tuer Vitellozo Vitelli, Oliverotto da Fermo, le seigneur Pagolo et le duc de Gravina-Orsini* [Machiavel raconte le fameux piège de Sinigaglia].
1510 *Portrait des choses de France.*
1512 *Portrait des choses de l'Allemagne.*
1513 *Lettre à Francesco Vettori.*
1520 *Vie de Castruccio Castracani da Lucca.*

Les écrits à caractère littéraire (poésie et prose)

Machiavel est aussi un écrivain de la langue italienne. Poète de rang très subalterne, il se révèle un prosateur intéressant (très loin de Boccace cependant), un dramaturge peu prolixe mais excellent : d'éminents italianisants tiennent *La Mandragore* pour une pièce majeure du répertoire italien.

Il faut lire certaines de ces œuvres mineures (*Nouvelle très plaisante de l'Archidiable qui prit femme, La Mandragore*), d'abord pour le plaisir, car Machiavel écrit très bien ; ensuite parce qu'on retrouvera partout des échos et des correspondances de l'œuvre politique. Dans les *Capitoli* (*De la fortune, De l'occasion, De l'ambition*), dans *L'Âne d'or*, voire dans ses comédies, Machiavel livre au lecteur des formulations plus naturelles, plus vivantes de certaines de ses idées les plus chères.

1504 *Première Décennale* (récit en tercets des événements d'Italie depuis 1494).
1509 *Deuxième Décennale.*
1512 *Capitoli : De l'occasion ; De la fortune ; De l'ambition* (commencés en 1505).
1517 *L'Âne d'or* (poème politique inachevé).
1520 *La Mandragore* et *La Clizia.*

La correspondance

Machiavel écrivit de nombreuses lettres, privées ou officielles, qui importent à la compréhension de son œuvre. Elles ont été traduites en français et publiées indépendamment (voir **bibliographie**, p. 191).

Destin posthume

1531 Première édition des *Discours*, chez Blado, à Rome.

1532 Première édition du *Prince*, sous le titre d'*Il Principe*, chez le même éditeur.

1538 *Histoire de l'Italie*, de Guichardin.

1548 Première édition française complète des *Discours*, par Gohory.

1553 Premières traductions françaises du *Prince*.

1559 Machiavel est promu à l'Index des livres prohibés par l'Église catholique romaine.

1576 Innocent Gentillet, *Contre Nicolas Machiavel florentin*.

1740 Frédéric II, *Anti-Machiavel*, préface de Voltaire (voir **Documents, Accueil et postérité**, p. 177).

1924 Mussolini rédige une préface pour les œuvres de Machiavel (voir **Documents, Accueil et postérité**, p. 182).

Représentation de La Mandragore *de Machiavel au T.E.P. (octobre 1981) dans une mise en scène de Paolo Magelli.*

Contexte historique et culturel

« L'époque de notre écrivain : c'est là, tout particulièrement, une donnée que, pour le juger, on ne doit jamais perdre de vue. »

Fichte

Le Prince est un traité de politique. Mais Machiavel n'a écrit sur la politique que parce qu'il fut lui-même un homme politique, engagé de par sa fonction – qui était en même temps sa passion – au cœur de tous les conflits que connut l'Italie à son époque. C'est pourquoi on ne comprendra rien au *Prince* (ni au reste de l'œuvre) si l'on n'a pas présents à l'esprit la situation de l'Italie au début des années 1500 et le rôle que joua Machiavel dans les événements dont il était à la fois le témoin et l'acteur.

L'Italie des XVe et XVIe siècles se débat dans une série de douloureuses contradictions issues du contraste flagrant entre son avance économique et culturelle d'une part, et son retard politique et militaire d'autre part.

Puissance économique et Renaissance culturelle

1. L'hégémonie industrielle et commerciale des Italiens en Europe

Nous sommes à l'aube du capitalisme commercial et industriel. Certes, l'économie demeure – comme partout ailleurs en Europe – essentiellement agricole ; mais ce secteur connaît d'importantes transformations, impulsées par la demande de villes en forte croissance démographique : le perfectionnement des techniques (irrigation) permet d'introduire de nouvelles cultures, comme le riz et le mûrier. L'industrie profite aussi des innovations techniques en mécanique, optique, horlogerie. Le textile est déjà organisé, en Italie du Nord, selon les structures capitalistes.

La suprématie italienne s'impose en matière commerciale. L'Italie prend une large part au vaste mouvement de découverte de nouveaux horizons, de nouvelles routes : Christophe Colomb était génois et Amerigo Vespucci – qui donna son nom à l'Amérique – florentin, comme Machiavel. Perturbé en Orient par l'avance turque, le commerce italien conquiert l'Europe occidentale ; les armes de cette conquête sont des techniques commerciales révolutionnaires, que les Italiens maîtrisent déjà parfaitement : comptabilité, assurances, lettres de change. Le premier chèque connu est italien et date de 1374.

L'activité commerciale et bancaire dessine les clivages sociaux des grandes cités italiennes. À Florence, la puissance des Alberti, des Pazzi, des Strozzi et des Médicis procède directement des affaires. Mais cette prééminence économique de l'Italie ne va pas sans heurts et contradictions ; déjà se dessine l'inégalité du Nord et du Sud. Les barons du *Mezzogiorno* apparaissent plus préoccupés de querelles intestines que d'essor économique. Quant au capitalisme naissant du Nord, il est en butte aux premières révoltes d'un prolétariat embryonnaire que seule protège la concurrence ; le tumulte des *ciompi* (ouvriers du textile) causera à la bourgeoisie florentine ses premières frayeurs (1378).

2. La Renaissance

On a donné ce nom à un vaste mouvement culturel qui dépassa largement les frontières italiennes mais dont la péninsule constitua à coup sûr le foyer actif. Renaissance signifie à la fois retour à des sources oubliées et émergence de valeurs radicalement nouvelles.

Il s'agit d'abord – Machiavel a bien vu ce paradoxe et a su le penser – d'aller chercher dans le passé les principes d'un renouveau intellectuel et moral. Par-delà les ténèbres du Moyen Âge, où l'on ne voit qu'une longue nuit intellectuelle, l'Antiquité grecque et latine fournit des modèles dont les princes italiens, en matière politique et militaire, feraient bien de s'inspirer. Car si la fécondité de la veine antique en littérature est prouvée par l'humanisme d'un Dante ou d'un Pétrarque, il ne fait aucun doute pour Machiavel que la *virtù* (« vertu », voir **Concepts clés**, p. 136) et le sens de l'État des Romains mériteraient tout autant qu'on les imite. La référence à l'Antiquité sert aussi à mettre en évidence un lien, une continuité qui ont nom *histoire*. À en croire Machiavel – et nous ne pouvons que lui donner raison –, ce concept n'avait guère été pris au sérieux avant lui.

Mais la Renaissance, c'est aussi la naissance de valeurs inédites. La figure de la créature pécheresse commence à s'estomper au profit de l'individu humain, du sujet. La personne humaine, dont la raison d'être ne se borne plus à contempler dans les cieux la perfection divine, est capable de connaître (scientifiquement), de transformer le monde (techniquement), de vouloir (moralement). Elle refuse de ne voir dans le pouvoir politique qu'une parcelle de l'autorité, dans le prince qu'un délégué de Dieu sur terre.

Cette irruption de la subjectivité se lit par exemple dans la peinture, qui commence à s'intéresser au portrait. Les artistes abandonnent l'expression de la seule religiosité (Fra Angelico) pour un naturalisme réaliste (Piero Della Francesca) et une plus grande sensibilité psychologique (Botticelli).

Machiavel ne semble pas avoir été un témoin très sensible de la Renaissance artistique en Italie. À Florence, à la cour pontificale, il n'a pas pu ne pas rencontrer Léonard de Vinci, Michel-Ange, Raphaël ; mais il se méfiait des souverains plus soucieux de mécénat que de la grandeur de leur État.

3. Une réalité politique instable et divisée

L'arriération politique de la péninsule italienne contraste gravement avec son avance économique et culturelle. Alors que plusieurs pays européens se sont d'ores et déjà engagés dans la constitution d'un État-nation, l'Italie demeure incapable de s'unifier en puissance souveraine. Ce qu'ont réussi un Louis XI, un Ferdinand d'Aragon, aucun prince italien ne parviendra à le réaliser, faute de pouvoir renoncer à ses ambitions territoriales au profit d'un authentique dessein patriotique.

L'Italie n'est donc rien d'autre qu'une multitude bariolée de petits États rivaux, toujours en train de se faire et de se défaire. Monaco et San Marino sont aujourd'hui les fossiles vivants de cette Italie déchirée. Ici, une république moribonde tente de sauvegarder vaille que vaille ce qui lui reste de liberté. Là, un condottiere (voir illustration et légende, p. 19) essaye de se tailler un État à la mesure de ses ambitions. Partout, le pape s'interpose comme arbitre des conflits, songeant surtout à refaire en Italie le terrain perdu pendant le séjour en Avignon (1309-1377). Machiavel aura beau jeu de montrer qu'en dépit des oripeaux « spirituels » dont elle se couvre, la politique pontificale n'obéit pas à d'autres lois que le plus temporel des États : « L'Église et les prêtres nous ont privés de religion et dotés de tous les vices » (*Discours*, I, 12).

Mais il y a pire : des cinq « grands » qui dominent la péninsule (Florence, Milan, Naples, Rome et Venise), la Rome des papes porte dans l'impuissance politique de l'Italie une responsabilité que Machiavel ne cessera jamais de dénoncer : « L'Église n'ayant jamais été assez puissante pour s'emparer de toute l'Italie, mais assez pour empêcher un autre de l'occuper, a été cause que ce pays n'a jamais pu se réunir sous un chef ; il a été divisé entre plusieurs petits princes ou seigneurs » (*Discours*, I, 12).

Enfin, cette division politique s'accompagne d'une impuissance militaire dont *Le Prince* (chap. XII à XIV) désigne clairement les causes : le recours systématique aux armes mercenaires, et l'oubli des principes antiques en matière militaire.

4. Le jeu des puissances étrangères : les guerres d'Italie

Il va de soi qu'une Italie à la fois aussi riche et aussi faible constituait en Europe la proie désignée de tous les expansionnismes. La pénétration étrangère y fut d'autant plus facile que les princes italiens n'hésitaient pas à recourir, les uns contre les autres, aux puissances extérieures.

1494 : C'est une « promenade militaire » qui conduit Charles VIII, roi de France, jusqu'à Naples. Son passage à Florence provoque la chute des Médicis et le rétablissement de la république dont Machiavel sera, à partir de

Le condottiere
Verrochio, statue équestre de Bartolomeo Colleoni, Venise.

Le condottiere est une figure essentielle de l'Italie des XVe et XVIe siècles. Tout à leurs affaires commerciales, les cités italiennes n'entretiennent généralement pas d'armée permanente. Pour assouvir leurs appétits expansionnistes et régler leurs différends, elles achètent les services des condottieres, guerriers professionnels établis à leur compte. Vivant de la guerre, les condottieres cherchent davantage à la faire traîner qu'à obtenir une victoire rapide. À la tête de troupes peu motivées, ils ménagent l'adversaire qui sera peut-être demain leur employeur. Faible, le condottiere est inutile ; fort, il se retournera contre la cité qui le paye pour s'en emparer. Autant dire qu'il est plus dangereux que l'ennemi dont il servait à se protéger. Machiavel a peint l'un de ces condottieres dans *La Vie de Castruccio Castracani da Lucca.*

1498, le secrétaire. Mais une coalition regroupant l'Espagne (Ferdinand II a repris Naples en 1495), Venise, Milan et le pape contraint Charles VIII à repasser en France. Le chevalier Bayard s'illustre à Fornoue, où la *furia francese* permet de forcer la route des Alpes (1495).

1499 : Louis XII, successeur de Charles VIII, prend soin de préparer sa campagne d'Italie par une savante politique d'alliances. Malgré l'appui de Venise et du pape, l'entreprise s'éternise et Louis XII ne parvient pas à reprendre Naples.

1511 : Le pape Jules II s'allie à l'Espagne, aux Suisses et à Venise pour former la Sainte Ligue dont le mot d'ordre sera : « *Fuori i barbari !* » (« Dehors les barbares ! », c'est-à-dire les Français). Les « barbares » sont expulsés d'Italie, et Florence, alliée traditionnelle de la France, est battue par les Espagnols (sac de Prato, 1512). Le retour des Médicis contraint Machiavel à un exil politique de quinze années.

1515 : Nouvelle incursion française dans le Milanais : François Ier triomphe à Marignan.

1519 : Charles Quint, élu empereur d'Allemagne, ne songe qu'à faire la jonction avec les possessions méridionales. Il s'ensuivra trente années de guerres sur le sol italien.

1525 : François Ier est fait prisonnier à Pavie. En dépit du traité de Madrid (1526), il prépare sa revanche mais échoue.

1527 : Les armées impériales pillent Rome. Florence chasse à nouveau les Médicis.

Le premier perdant des guerres d'Italie n'est autre que l'Italie elle-même, toujours enjeu et terrain des batailles, sans jamais en avoir été le bénéficiaire. « L'Italie a été courue par Charles, pillée par Louis, violée par Ferdinand et déshonorée par les Suisses » *(Le Prince,* chap. XII).

5. Florence : une république « politiquement morte »

Machiavel était florentin et toute son activité fut consacrée à la république de Florence. Le mot de « république » ne doit entretenir aucune illusion sur la chose. L'État au service duquel entre Machiavel en 1498 n'a rien de nos « démocraties » modernes. Ouvriers, artisans, petits commerçants se trouvent expressément écartés de l'exercice du pouvoir ; seule une fraction minoritaire de la population, fraction issue de l'ancienne noblesse et de la nouvelle bourgeoisie, jouit de droits politiques. Environ un millier de familles sont concernées, sur les 80 000 habitants que compte Florence à l'époque. Le système politique, assez complexe, est organisé avec le souci constant d'éviter qu'un individu puisse concentrer le pouvoir entre ses mains. Mais il y a beau temps que les Médicis, première famille de Florence, ont colonisé les institutions de la cité.

Socialement, les clivages s'opèrent selon l'appartenance aux corporations. Les *arti maggiori* (arts majeurs) comprennent la banque, le gros commerce et l'industrie, tandis que petit commerce et artisanat sont regroupés sous le nom de *arti minori* (arts mineurs). Machiavel prend place, de par sa situation dans le jeu des familles florentines, au bas de l'échelle des « arts majeurs ».

Florence, qui administre un territoire grand comme deux départements français (le *contado*), est une république riche – mais pas autant que Milan et Rome –, puissante – mais moins que Venise –, admirée dans toute l'Italie pour la magnificence de sa culture et de ses arts. Le dôme de la cathédrale, dessiné par Filippo Brunelleschi, symbolise cette splendeur de la cité toscane.

Ses faiblesses ? Les séditions permanentes des villes sujettes, Pise, Arezzo, Pistoia ; la débilité chronique de ses armées. Deux difficultés parmi les innombrables que Machiavel aura pour fonction d'aplanir.

6. Les Médicis

La destinée de Florence – et par conséquent celle de l'Italie – est étroitement liée à celle des Médicis. Cette puissante famille du commerce et de la banque exerça du XVe au XVIIIe siècle un rôle dans la vie politique et culturelle de la cité de Machiavel. C'est à un Médicis, Laurent II dit le Magnifique, que Machiavel dédicaça *Le Prince.*

Généalogie des Médicis

La généalogie représentée ci-dessous concerne l'époque où vécut Machiavel.

COSIMO DE MÉDICIS (COSME L'ANCIEN)
1389-1464 (surnom : *Il Vecchio*, « le Vieux »)
Régna sur Florence et utilisa son immense fortune à protéger les artistes et les philosophes. Machiavel nous en a laissé un portrait (*Histoires florentines*, livre VII, 5 et 6).

PIERRE I dit « le Goutteux »
1414-1469
Dirigea Florence avec son fils Laurent.

LAURENT LE MAGNIFIQUE
1449-1492
Lutta contre Sixte IV et gouverna Florence en mécène. Mauvais banquier, il fit de nombreuses faillites.

JULIEN DE MÉDICIS
1453-1478
Frère de Laurent, assassiné lors de la conjuration des Pazzi, que le pape Sixte IV avait favorisée.

PIERRE II
1471-1503
Fut chassé par Savonarole pour avoir soutenu le roi de France, Charles VIII. Mort au Garigliano.

JULIEN II
1478-1516
Duc de Nemours, il fut ramené au pouvoir en 1512 par la Sainte Ligue de Jules II. C'est à lui que Machiavel avait d'abord voulu dédicacer *Le Prince*

JEAN DE MÉDICIS
1475-1521
Pape sous le nom de Léon X. Protecteur de Michel-Ange. Artisan du schisme avec Luther.

LAURENT II
LE MAGNIFIQUE
1492-1519
Succéda en 1513 à son oncle Julien et gouverna Florence pour le compte du pape Léon X. Duc d'Urbino, père de Catherine de Médicis, reine de France. Dédicataire définitif du *Prince.*

HYPPOLITE
DE MÉDICIS
1511-1535
Gouverna Florence de 1531 à 1535 pour le compte du pape Clément VII, son frère.

JULES DE MÉDICIS
1478-1534
Pape sous le nom de Clément VII. Forma avec François Ier la Sainte Ligue de Cognac mais réchappa de peu du sac de Rome et dut couronner Charles Quint empereur. Il excommunia Henri VIII pour avoir répudié Catherine d'Aragon (origine du schisme anglican).

Avant de commencer la lecture

Brève histoire de l'œuvre

1. *Le Prince* et la tradition

Quelque lecture qu'on fasse du *Prince*, force est de constater que ce genre de littérature avait largement cours avant Machiavel. *Le Prince* comme les *Discours sur la première décade de Tite-Live* sont coulés dans un moule très classique dès l'époque de Machiavel, pétrie de culture humaniste et de rhétorique.

De Platon et d'Aristote, d'abord, tout citoyen lettré de cette époque possède dans sa bibliothèque la *République* et la *Politique.* Au nom du refus de l'utopie, Machiavel récuse les imposantes constructions théoriques de la cité idéale qu'imagine Platon. Mais il doit beaucoup aux analyses – plus positives – qu'Aristote fait du pouvoir.

D'autre part, les « conseils aux souverains » constituent un genre littéraire très ancien et déjà riche ; la tradition remonte à la *Cyropédie* de Xénophon : l'art de conquérir et de commander un empire, à l'usage du futur roi. Cette tradition s'est perpétuée tout au long du Moyen Âge par des éloges, chansons de geste, histoires édifiantes destinées à informer le nouveau souverain de ses devoirs. Toute cette littérature insiste davantage sur les aspects moraux du pouvoir que sur les problèmes de stratégie ou de tactique politique. En 1516 et 1519 – presque en même temps que *Le Prince* – sont écrites deux œuvres qui perpétuent cette tradition édifiante : *L'Institution du prince chrétien,* d'Érasme, et *L'Instruction du prince,* de Guillaume Budé.

Le Prince répond au genre conventionnel du « miroir des princes », très répandu au Quattrocento. Machiavel n'épargne au lecteur aucune des étapes obligées : de la dédicace initiale à l'exhortation finale, en passant par la typologie des systèmes de gouvernement, le portrait du souverain idéal, l'inventaire de ses vertus, etc. *Le Prince* est doublement conventionnel : par rapport à la forme classique du « miroir » présenté sous l'aspect d'un traité, et aussi par rapport au genre, fréquent dans la littérature humaniste, de la poésie patriotique. Dans les *Discours,* c'est un genre également fort conventionnel que cultive Machiavel, celui du commentaire historique d'une grande œuvre classique.

Mais on verra que Machiavel n'use de formes d'expression conventionnelles que pour délivrer une pensée qui ne l'est pas : « Le noyau révolutionnaire, dit Léo Strauss, doit être soigneusement protégé par une enveloppe traditionnelle. »

2. La singularité du *Prince* dans l'œuvre de Machiavel

La postérité a enfermé Machiavel dans une légende, qui consiste à le représenter comme l'auteur d'un seul livre : *Le Prince*.

Or, quiconque a un peu lu Machiavel sait que *Le Prince* n'est pas un condensé de sa pensée. *Le Prince* n'est pas même un foyer, un centre, d'où rayonnerait le reste de l'œuvre, comme c'est le cas, par exemple, pour les *Méditations métaphysiques* de Descartes ou *L'Éthique* de Spinoza. *Le Prince* occupe certes une place centrale dans l'œuvre du secrétaire florentin, mais cette situation privilégiée pourrait bien n'être qu'un effet de perspective, dû au jugement de la postérité.

La postérité de Machiavel, ce sont ses lecteurs. Machiavel en eut beaucoup, et de fort divers, à la fois par leur origine (des politiques, des religieux, des historiens, des philosophes), leurs intentions (avouées ou pas), leurs présupposés (favorables ou hostiles). Du vivant de l'auteur, le machiavélisme est déjà perçu comme une scandaleuse apologie de la tyrannie. Il est donc très rare qu'on le lise sans songer à le condamner, ou sans tenter de le réhabiliter. Or, c'est par *Le Prince*, ce manuel à l'usage du tyran, que le scandale est arrivé. Les *Discours sur la première décade de Tite-Live*, livre moins favorable aux monarchies, sont donc souvent lus dans une perspective de réhabilitation.

La question essentielle est celle-ci : comment comprendre que Machiavel, après s'être fait l'apôtre du gouvernement républicain, se compromette dans une apologie de la tyrannie ? Ou encore : pourquoi Machiavel a-t-il écrit *Le Prince* ? Le problème est que Machiavel ne s'est jamais expliqué sur le rapport entre *Le Prince* et les *Discours*. Il ne nous a laissé que quelques rares indices ; on lit dans *Le Prince*, au commencement du chapitre II : « Je laisserai de côté les républiques, sur lesquelles j'ai raisonné une autre fois tout au long[1]. » Machiavel lui-même désigne ainsi les *Discours* comme le « livre des républiques », et autorise du même coup à lire *Le Prince* comme un traité des institutions monarchiques. Mais pour l'essentiel, on en est réduit aux hypothèses.

En voici quelques-unes.

3. Machiavel opportuniste

Parmi les maigres indices qu'a laissés Machiavel, la Dédicace des *Discours* (À Zanobi Buondelmonti et Cosimo Rucellai). Nous sommes en 1520, cinq années ont passé depuis la Dédicace du *Prince* :

> « Je crois rompre de la sorte avec l'usage courant de tous les écrivains : ils ne manquent jamais d'adresser leurs ouvrages à quelque

1. Il est désormais établi que cette allusion aux *Discours* est postérieure à la première rédaction du *Prince* (1516, au plus tôt).

prince, et de lui décerner, aveuglés comme ils le sont par l'ambition et la cupidité, le mérite de toutes les vertus, quand ils devraient le blâmer de toutes les plus honteuses faiblesses. C'est pourquoi, ne voulant pas commettre cette erreur, j'ai choisi non pas ceux qui sont princes, mais ceux qui, de par tant de qualités, mériteraient de l'être ; non pas ceux qui pourraient me combler de charges, d'honneurs et de richesses, mais ceux qui ne le pouvant pas, voudraient le faire. »

On a du mal à croire que Machiavel ait écrit ces lignes sans penser à lui-même. On est donc tenté de se représenter Machiavel interrompant la rédaction des *Discours* pour attirer sur lui l'attention des Médicis, à l'aide du *Prince*.

Machiavel n'écrirait *Le Prince* que pour rentrer en grâce auprès des nouveaux maîtres de Florence, dissimulant les options républicaines qu'il avait franchement défendues dans les *Discours*. Sa fascination pour César Borgia n'aurait de motifs que psychologiques, et s'apparenterait à une espèce d'esthétisme de la force.

Ce qui n'est pas niable, c'est que Machiavel a offert, après la chute de Soderini, ses services aux Médicis. Un passage du *Prince* semble ici décisif : dans le chapitre XX, Machiavel conseille au futur prince de s'entourer plutôt de ministres et de conseillers issus de l'ancien régime, d'hommes tombés en disgrâce, parce que, dit-il :

> « [...] pour les hommes qui, au commencement d'une principauté nouvelle, étaient ennemis, et qui se trouvent dans une position telle, qu'ils ont besoin d'appui pour se maintenir, le prince pourra toujours très aisément les gagner, et que, de leur côté, ils seront forcés de le servir avec d'autant plus de zèle et de fidélité, qu'ils sentiront qu'ils ont à effacer, par leurs services, la mauvaise idée qu'ils lui avaient donné lieu de prendre d'eux. » Machiavel, *Le Prince*, chap. XX, pp. 108-109.

Bref : vous devez m'employer parce que je vous ai combattus. Une telle virtuosité à manier le paradoxe laisse admiratif !

La psychologie trouve ici à s'exercer. On fait en général grâce à Machiavel de l'accusation d'arrivisme. On conjecture plutôt qu'il voudrait, en adressant aux Médicis cet opuscule, faire pièce à sa propre impuissance politique. Mettre fin à un désœuvrement qui lui est insupportable. Sa passion de servir Florence ne trouvant pas à s'employer, il s'offre un succédané volontariste et fantasmé des projets républicains, une espèce de sublimation littéraire du désir de voir le modèle des *Discours* s'emparer de la réalité italienne. La fameuse lettre à Vettori (du 10 décembre 1513) vient appuyer ce diagnostic (voir **Documents, Autour de l'œuvre**, p. 172). Machiavel a peut-être aussi des raisons matérielles : les revenus du domaine de San Casciano sont maigres !

Pour autant, il n'est pas admissible de soutenir que seule l'ambition ou la détresse de son auteur l'ait déterminé à rédiger *Le Prince*.

4. Machiavel machiavélique

Une autre thèse assez séduisante consiste à faire du *Prince* l'instrument d'une entreprise parfaitement machiavélique. Machiavel serait le premier à avoir mis en pratique les préceptes exposés dans le célèbre opuscule.

Antonio Gramsci exprime, dans ses *Notes sur Machiavel*, un doute et un malaise qui saisissent tout lecteur attentif du *Prince*. Si vraiment la politique exige que soient mis en œuvre des moyens tels que ceux qu'il décrit, quel sens y a-t-il à en étaler le texte aux yeux de tous ?

> « On dit souvent des lois énoncées par Machiavel, concernant l'action politique, qu'"elles s'appliquent mais ne se disent pas" ; les grands politiciens, dit-on, commencent par maudire Machiavel, en se déclarant anti-machiavéliques, précisément pour pouvoir appliquer ses lois "saintement". Est-ce que Machiavel n'aurait pas été somme toute très peu machiavélique, un de ceux qui "savent le truc" et stupidement le révèlent, alors que le machiavélisme vulgaire apprend à faire le contraire ? »
>
> Antonio Gramsci, « Notes sur Machiavel », in *Gramsci dans le texte*, Éditions sociales, 1975, p. 432-434

Les *Discours* exprimeraient le vrai choix politique (démocratique) de leur auteur, qui n'écrirait alors *Le Prince* que pour montrer au peuple le dessous des cartes. *Le Prince* mettrait en pratique les choix populaires des *Discours*, en délivrant aux peuples un message secret. Cette interprétation est devenue classique à l'époque des Lumières. C'est la lecture de Diderot (*Encyclopédie*, article « Machiavélisme ») :

> « Lorsque Machiavel écrivit son traité du *Prince*, c'est comme s'il eût dit à ses concitoyens, *lisez bien cet ouvrage. Si vous acceptez jamais un maître, il sera tel que je vous le peins : voilà la bête féroce à laquelle vous vous abandonnerez*. Ainsi ce fut la faute de ses contemporains, s'ils méconnurent son but : ils prirent une satire pour un éloge. Bacon le chancelier ne s'y est pas trompé, lui, lorsqu'il a dit : cet homme n'apprend rien aux tyrans, ils ne savent que trop bien ce qu'ils ont à faire, mais il instruit les peuples de ce qu'ils ont à redouter. »

Pour Rousseau, *Le Prince* est une « satire » des tyrans.

> « En feignant de donner des leçons aux rois, il en a donné de grandes aux peuples. *Le Prince* de Machiavel est le livre des républicains [...] »
>
> Rousseau, *Du contrat social*, III, 6

En publiant Machiavel en 1532, l'éditeur florentin Giunta déclare ne pas ignorer l'hostilité que rencontre l'ouvrage. Mais il ajoute que « ceux qui enseignent les simples et les remèdes, enseignent aussi les poisons, afin que les connaissant, d'eux nous puissions nous garder ».

5. Machiavel théoricien scientifique du pouvoir

On peut aussi soutenir que Machiavel ne préfère ni ne choisit entre *Le Prince* et les *Discours*, entre monarchie et république. Son vrai point de vue est au-delà, dans une neutralité sociologique qui débouche sur un relativisme politique. Machiavel professe un seul et même machiavélisme, comme seul moyen adapté à des fins politiques, que celles-ci soient dirigées vers la tyrannie ou vers la liberté, par une politique monarchique ou bien populaire. C'est à peu près la thèse d'Ernst Cassirer : le machiavélisme est un art de l'État qui élimine les problèmes de finalité. L'usage qu'on fait de cet art est une question qui n'intéresse pas l'auteur du *Prince*. Léo Strauss expose en termes ironiques cette lecture « technicienne » de Machiavel :

> « Il serait le technicien politique suprême, celui qui peut, indifféremment et sans conviction, conseiller les princes et les républicains, enseignant aux uns l'art de préserver et d'accroître leur pouvoir princier, aux autres la manière d'établir, d'assurer et d'encourager les mœurs républicaines. Dédiant ainsi chacun de ses deux ouvrages, Machiavel préfigurerait un personnage qu'annonce le monde contemporain ; le technocrate politique, capable de dédicacer d'une main son traité sur la démocratie libérale à un successeur d'Einsenhower et de l'autre ses écrits sur le communisme à l'héritier désigné de Boulganine. »
>
> Léo Strauss, « La double dimension de l'enseignement de Machiavel », in *Pensées sur Machiavel*, Payot, 1982

Pour ne prendre qu'un exemple, la théorie de l'image du pouvoir est la même du *Prince* aux *Discours*. Le souci du paraître n'est pas l'apanage du monarque. Machiavel ne conseille pas aux républiques de fonder sur une réalité plus substantielle, plus réelle, l'image qu'elles donnent d'elles-mêmes.

Augustin Renaudet propose une comparaison scientifique : Machiavel examine son objet « de même que le naturaliste suit le développement de tels organes ou de telles fonctions selon les lois de la physiologie [1] ». D'où vient qu'on lui ait tenu rigueur d'avoir mis à nu les ressorts cachés de la politique ? « Machiavel, explique Alain, a compris et expliqué ces sentiments inavouables ; et l'opinion a moins pardonné à celui qui les expliqua qu'à ceux qui les éprouvèrent [2]. »

L'esprit de Machiavel n'est pourtant guère celui d'un pur théoricien. Il ne cesse de prendre parti et son œuvre abonde en jugements de valeur. Il est difficile de le lire en excluant le point de vue politique.

1. Augustin Renaudet, *Machiavel*, Gallimard, 1942, I, chap. II.
2. Alain, *Propos* du 10 août 1910.

6. Machiavel politique

• Aux grands maux les grands remèdes

La clef du *Prince* se trouve peut-être dans les *Discours* :

> « Il faut établir comme règle générale que jamais, ou bien rarement du moins, on n'a vu une république ni une monarchie être bien constituées dès l'origine, ou totalement réformées depuis, si ce n'est par un seul individu ; il lui est même nécessaire que celui qui a conçu le plan fournisse lui seul les moyens d'exécution. »
>
> Machiavel, *Discours*, I, 9

> « Dans les pays où la corruption est si forte que les lois ne peuvent l'arrêter, il faut établir en même temps une force majeure, c'est-à-dire une main royale qui puisse brider l'ambition d'une noblesse corrompue. »
>
> Machiavel, *Discours*, I, 55

Cette situation de corruption est exactement celle de l'Italie en 1513 : mosaïque de petits États, aux mains de tyranneaux dévorés d'ambition et dépourvus de visée nationale ; invasions étrangères permanentes ; politique pontificale calamiteuse, etc.

Machiavel préfère la république, et il aimerait autant que l'Italie fasse l'économie d'un sauveur suprême, qui ne pourrait être qu'un arriviste sans scrupule. Mais la dureté des temps appelle des remèdes énergiques. On pense au *Galilée* de Brecht (scène 13) : « Malheureux le pays qui a besoin de héros ! »

Les *Discours* proposent la théorie du bon fonctionnement d'un État sain, tandis que *Le Prince* est une ordonnance prescrite pour un État malade. Il y a, des *Discours* au *Prince*, la distance qui sépare le normal du pathologique. Dans les *Discours*, le modèle du fonctionnement sain d'une république est offert par Rome. Mais il faut se souvenir que Rome a été fondée par des rois. Et lorsqu'il est question de Romulus fratricide, le Machiavel des *Discours* nous offre l'une des expressions les plus éblouissantes du machiavélisme, au sens parfaitement trivial du terme :

> « Un esprit sage ne condamnera jamais quelqu'un pour avoir usé d'un moyen hors des règles ordinaires pour régler une monarchie ou fonder une république. Ce qui est à désirer, c'est que si le fait l'accuse, le résultat l'excuse ; si le résultat est bon, il est acquitté ; tel est le cas de Romulus. Ce n'est pas la violence qui restaure, mais la violence qui ruine qu'il faut condamner. »
>
> Machiavel, *Discours*, I, 9

La dualité *Prince*/*Discours* n'a donc pas pour principe l'opposition république/monarchie, mais les points de vue différents du commencement et de la durée. La fondation de l'État requiert la solitude d'un individu tout puissant *(Discours*, I, 9 : « Qu'il faut être seul pour fonder une république ou la réformer totalement »). Cet individu donne des lois à l'État. À la fondation par des moyens extraordinaires succède l'existence ordinaire, dans la durée. « Ces deux moments, dit Althusser, peuvent servir à penser la différence du *Prince* et des *Discours* : c'est-à-dire leur non-différence, leur unité profonde. » À la distinction république/tyrannie, chargée de valeur, il faut substituer une différence purement technique et méthodologique, entre princes anciens et nouveaux. Et Althusser de conclure : « Machiavel n'a pas double figure. »

Le Prince condense donc les modèles de réflexion des *Discours* en modèles pour l'action. En écrivant *Le Prince*, Machiavel a choisi de s'adresser à un politique énergique, capable de rendre à l'Italie la *virtù* (voir **Concepts clés** : vertu, p. 136) qui lui fait défaut. Trois siècles plus tard, à la veille de l'unité italienne, d'autres renonceront (comme Verdi) à leurs convictions républicaines, pour se rallier à la monarchie piémontaise et à Cavour.

On comprend par là la différence de longueur entre les deux œuvres. La brièveté s'impose pour un ouvrage destiné à un politique aux affaires, qu'il faut persuader et qui n'a guère de temps à consacrer à la lecture. Les *Discours* sont écrits pour un cercle d'amis, des intellectuels qui ont du loisir. S'expliquerait également, de cette manière, l'inflexion du patriotisme, des *Discours* au *Prince*. Dans les premiers, Machiavel exalte un patriotisme républicain, civique, qui n'a aucune teinture nationaliste. On ne peut pas en dire autant du *Prince*, dont les derniers chapitres sont beaucoup plus « italiens » que ceux des *Discours* n'étaient « romains ». On remarque aussi que les *Discours* reposent essentiellement sur des exemples anciens, ceux sur lesquels s'est élaborée la théorie, alors que les exemples du *Prince* sont choisis dans le temps présent.

• Une nouvelle donne géopolitique

Il faut ici, enfin, prendre en compte la dimension géographique de la réflexion machiavélienne.

En février et mars 1513 se sont produits deux changements importants. Premièrement, la conjuration Boscoli (qui a valu à Machiavel d'être emprisonné et torturé) l'éloigne pour longtemps (peut-être définitivement) de la vie politique. Ensuite, Jean de Médicis vient d'accéder au pontificat, sous le nom de Léon X. Machiavel voit très bien le centre de gravité de la politique florentine se déplacer vers Rome. Or, pour la Toscane, on pouvait peut-être encore espérer un rétablissement assez facile :

> « Dans un petit espace, on a vu subsister longtemps trois républiques : Florence, Sienne et Lucques. Les autres villes de la Toscane, quoique dans la dépendance de celles-ci, existent cependant avec des formes, une constitution et des lois qui maintiennent leur liberté, ou du moins qui y entretiennent le désir de la maintenir ; et tout cela ne vient que de ce que dans cette province il y a très peu

de gentilshommes et qu'aucun n'y possède de châteaux. Il y règne au contraire tant d'égalité qu'il serait fort aisé à un homme sage et qui connaîtrait la constitution des anciennes républiques d'y établir un gouvernement libre. Mais tel a été le malheur de ce pays qu'il ne s'est rencontré jusqu'à présent aucun homme qui ait eu le pouvoir ou l'habileté de le faire. »

Machiavel, *Discours*, I, 55

Pour l'Italie, c'est une autre affaire ! Ce qui eût été à la rigueur envisageable à l'échelle limitée du domaine florentin, ne l'est plus au niveau de la péninsule. La corruption y est telle que seul un régime autoritaire aurait quelques chances de rétablir la situation.

Au dernier chapitre du *Prince*, Machiavel exhorte les Médicis à prendre en main le destin de l'Italie et énumère les atouts dont disposent les maîtres de Florence. Mais que faut-il penser de ces atouts ? Les vertus héréditaires ? L'histoire de Florence a montré assez de Médicis incapables (Pierre II, par exemple) et le chapitre II du *Prince* insiste sur la médiocrité des monarchies héréditaires. La fortune ? Mais sa nature est de changer : si elle est bonne aujourd'hui, c'est qu'elle sera mauvaise demain. Dieu ? On sait le cas qu'en faisait Machiavel. L'Église ? Elle porte quasiment seule la responsabilité de tous les malheurs de l'Italie. Tant d'incohérences laissent perplexe. Elles autorisent une lecture « au second degré » du dernier chapitre : Machiavel, qui ne croit pas du tout aux capacités de Laurent de Médicis, userait d'ironie pour lui proposer un défi qu'il est bien trop médiocre pour relever. L'intention du texte serait une nouvelle fois « machiavélique ».

7. Les illusions de Machiavel

Quelque hypothèse qu'on choisisse, et sans doute on n'en peut écarter aucune, il faut se demander si l'entreprise du *Prince* ne reposait pas sur quelques illusions. Machiavel sacrifie dans *Le Prince* à une tradition bien italienne d'attente de l'homme providentiel. La *Divine Comédie*, deux siècles plus tôt, annonçait la venue du lévrier divin qui donnera la chasse à la louve, symbole de l'avidité des biens terrestres et de la cour de Rome, pour la faire rentrer en Enfer d'où elle était sortie (Chant I, 91-111).

Ni Julien, ni Laurent de Médicis n'avaient l'étoffe de dictateurs à l'antique. Comment Machiavel pouvait-il croire qu'un Médicis, une fois « chassés les barbares » et restaurée la dignité de l'Italie, retournerait sagement à ses affaires privées ? Comment, après avoir dit pis que pendre de la politique des papes, pouvait-il s'imaginer que Léon X collaborerait à une entreprise de salut public ?

Renaudet porte sur *Le Prince* le verdict suivant : « étude scientifique et durement positive d'une hypothèse désespérée ». Il n'est même pas exclu que les illusions de Machiavel aient été assez fortes pour le faire inconsciemment collaborer à sa propre chute : c'est pour le compromettre auprès de son propre parti que les Médicis lui confient quelques missions sans intérêt et l'attellent à la rédaction d'une histoire de Florence. Machiavel se serait en somme trouvé devant plus machiavélique que lui ! Et Renaudet de résumer ainsi l'existence de l'auteur du *Prince* : après quatorze ans de missions diplomatiques et d'action gouvernementale, quinze années « de regrets, de rancune, d'ennui et de méditations solitaires » débouchant sur *Le Prince*, ce « paradoxe désespéré ».

Problématiques essentielles

Le Prince n'est pas un traité systématique, comme la philosophie en offre tant d'exemples, qui examinerait la question du politique « selon l'ordre des raisons ». Les problématiques n'y sont pas exposées pour elles-mêmes, mais à l'occasion d'une réflexion sur des questions concrètes liées à la conquête et à l'exercice du pouvoir. Une lecture du *Prince* doit donc dégager ces problématiques de la gangue où elles sont prises, sans pour autant céder à la tentation de les isoler de leur contexte, pour en faire autant de chapitres d'une « philosophie politique » que Machiavel n'a jamais écrite.

Politique et histoire : les leçons du passé

L'action politique présente peut-elle s'appuyer sur les leçons du passé ? Jusqu'à quel point l'histoire peut-elle fournir des exemples ou des modèles à imiter ? Sans poser explicitement ces questions, Machiavel ne cesse d'y réfléchir et d'articuler la théorie politique et l'étude historique. (Voir **Exposés de synthèse** : Politique et histoire : peut-on tirer des enseignements du passé ?, p. 143.)

Politique et religion : une politique sans transcendance

La théorie machiavélienne des institutions et de l'action politiques repose sur une conception laïque du pouvoir. Le fondement de l'autorité politique n'est plus la puissance divine, mais la capacité à s'inscrire comme force efficace au sein d'un système de forces antagonistes. La religion n'est pour l'auteur du *Prince* qu'une idéologie, que les gouvernants doivent apprendre à manipuler à leur avantage. Cette évacuation de toute transcendance s'accompagne chez Machiavel d'une critique sévère du rôle politique de l'Église. (Voir **Exposés de synthèse** : Morale et politique : la fin justifie-t-elle les moyens ?, p. 147. Voir aussi **Documents, Autour de l'œuvre**, p. 174.)

Morale et politique : la question du machiavélisme

La politique doit-elle se plier à la morale ? C'est le problème principal qui se profile derrière la notion de *machiavélisme*. Contre une conception traditionnelle qui voyait dans le gouvernement des hommes le moyen de réaliser le bien moral, Machiavel établit l'autonomie du politique. Régie par le rapport des forces, la politique ne connaît d'autre loi que l'efficacité. Celle-ci peut exiger qu'on sacrifie les principes éthiques sur l'autel de la raison d'État. (Voir **Exposés de synthèse** : Morale et politique : la fin justifie-t-elle les moyens ?, p. 147.)

Être et paraître : l'image du pouvoir

S'il n'est pas tenu, dans sa fonction, de se plier aux normes du bien et du juste, le prince n'est en revanche nullement dispensé de donner l'apparence de la vertu. Machiavel est le premier grand théoricien de l'image du pouvoir. La fabrication de cette image passe par un art de la dissimulation et du paraître dont le prince doit apprendre à se rendre maître. (Voir **Commentaire d'extraits** : Ruse et force : le double visage du politique, p. 158.)

Le réalisme : rejet de l'utopie et acceptation de la violence

Machiavel construit sa réflexion politique sur une implacable critique de l'utopie, et inaugure une tradition réaliste dont la postérité, de Hobbes et Spinoza à Hegel et Marx, sera féconde. Rejeter l'utopie, c'est laisser ce qui devrait être pour étudier ce qui est. Or, la réalité du politique est premièrement celle de la force, ou plutôt de l'affrontement des forces. La guerre n'est donc pas tant la « continuation de la politique par d'autres moyens » (comme dira Clausewitz) que la vérité même de la politique. (Voir **Exposés de synthèse** : Morale et politique : la fin justifie-t-elle les moyens ?, p. 147.)

Nécessité et contingence : la liberté humaine dans l'histoire

De quelle liberté les hommes disposent-ils face à la contingence des événements et à la nécessité de leur enchaînement ? Théoricien et praticien de l'action politique, Machiavel pose le problème du rôle de l'homme dans l'histoire. Cette question est traitée par Machiavel à travers l'opposition fortune/vertu. Machiavel lui consacre l'une des pages les plus célèbres du *Prince*, au début du chapitre XXV, pp. 118-119. (Voir **Commentaire d'extraits** : Fortune et vertu : la liberté humaine dans l'histoire, p. 166.)

République ou monarchie : la question du meilleur régime

La question du meilleur régime était classique dans la philosophie politique. Machiavel ne disserte jamais, dans l'absolu, sur les mérites respectifs des différents types d'institutions. La valeur des systèmes politiques est toujours référée à une conjoncture particulière, où interviennent des facteurs internes, essentiellement sociologiques et historiques, ainsi que des données externes : l'environnement international. La question de savoir si le régime républicain est en soi préférable à un État monarchique n'est jamais examinée pour elle-même. En revanche, elle traverse toute l'œuvre de Machiavel et se reflète dans le principal problème que pose cette œuvre au lecteur : l'articulation du *Prince* aux *Discours sur la première décade de Tite-Live*. (Voir **Brève histoire de l'œuvre**, p. 23.)

La corruption des institutions : la régénération permanente

C'est une loi fondamentale de la conception machiavélienne de l'histoire : rien ne dure éternellement :

> « [...] Toutes les choses de ce monde ont un terme à leur existence ; mais celles-là seules accomplissent toute la carrière que le ciel leur a généralement destinée dont l'organisme ne se dérègle pas, mais demeure si bien réglé qu'il ne s'altère pas, ou du moins ne s'altère que pour survivre, non pour périr. »
>
> Machiavel, *Discours,* III, 1

Cette loi impose au prince machiavélien une tâche particulière de régénération permanente :

> « Il est inévitable que le corps succombe si rien n'intervient pour le ranimer [...]. Rien n'importe plus à une religion, à une république, à une monarchie que de reprendre l'autorité qu'elles avaient à leur origine ; il faut faire en sorte que cet heureux effet soit plutôt le produit d'une bonne loi ou l'ouvrage d'un bon citoyen, que d'une intervention étrangère. »
>
> Machiavel, *Discours,* III, 1

Un peu plus loin, Machiavel indique les moyens d'une telle régénération :

> « Les magistrats qui ont gouverné Florence depuis 1434 jusqu'en 1494, disaient à ce propos qu'il fallait tous les cinq ans se "réemparer du pouvoir" ; qu'autrement il serait très difficile de se maintenir. Or, se réemparer du pouvoir voulait dire, selon eux, renouveler cette terreur et cette crainte qu'ils avaient su inspirer à tous les

esprits au moment où ils s'en étaient emparés, et où ils avaient frappé avec la dernière rigueur ceux qui, d'après leurs principes, s'étaient conduits en mauvais citoyens. Mais comme le souvenir de ces châtiments s'efface bientôt, que les hommes s'enhardissent à faire des tentatives contre l'ordre établi et à en médire, il faut y remédier en ramenant le gouvernement à ses principes. »

Machiavel, *Discours*, III, 1

L'État ne peut se maintenir que par la vertu d'une création continuée, qui requiert l'intervention personnelle d'individus. Le prince a beaucoup fait s'il a seulement empêché l'État de glisser sur la pente de la corruption.

Les grands et le peuple : les conflits de classes

Machiavel ne sépare pas la politique d'une réflexion sur les clivages qui divisent la société civile. Avant Hegel et Marx, Machiavel pense l'État comme instance de régulation des conflits sociaux, entre le « peuple » et les « grands ». Il montre ce que le prince peut attendre des uns et des autres, et la manière dont il doit jouer sur leurs intérêts respectifs pour se maintenir. La balance n'est d'ailleurs pas égale : les grands tendent toujours à déstabiliser le pouvoir du prince, que le peuple est au contraire prêt à accepter pourvu qu'on le laisse jouir de la tranquillité. (Voir **Concepts clés** : grands/peuple, p. 129.)

Résumé – Guide de lecture

Le Prince est d'abord un livre assez court. Ses 26 chapitres, dont certains fort brefs, contrastent avec l'étendue des autres œuvres politiques de Machiavel : trois livres contenant 142 chapitres pour les *Discours sur la première décade de Tite-Live*, sept livres pour *L'Art de la guerre*, neuf pour les *Histoires florentines*.

La composition du *Prince* semble à première vue assez simple.

Après la Dédicace, Machiavel entre d'emblée dans le vif du sujet, sans s'attarder sur les considérations générales concernant le bien, la fonction de la cité, le rôle du souverain, qui ouvraient habituellement les traités politiques.

Chapitres I à XI : différents types de principautés

- **Chap. I** Classification des différents types d'États.
- **Chap. II à VI** Examen de la façon dont chacun d'entre eux peut être acquis et conservé, éventuellement perdu.

– Les monarchies héréditaires (chap. II).
– Les monarchies nouvelles (chap. III à VI).
– Principautés mixtes, c'est-à-dire rattachées par conquête à un royaume existant (chap. III à V).
– Principautés entièrement nouvelles (chap. VI).

- **Chap. VII à XI** Étude de cas différents selon le mode d'acquisition des États conquis.

– Par ses propres forces (chap. VI).
– Par les forces d'autrui (chap. VII).
– Par des scélératesses (exemple : César Borgia) (chap. VIII).
– Manière dont un prince nouveau doit traiter les grands et le peuple (chap. IX).
– Nécessité pour le prince d'assurer ses propres forces (chap. X).
– « Principautés ecclésiastiques », c'est-à-dire États religieux (théocratie). Ce n'est qu'en apparence que leur statut religieux leur confère un caractère exceptionnel ; ils sont en réalité soumis aux mêmes contraintes que n'importe quel État (chap. XI).

Chapitres XII à XIV : la question militaire

- **Chap. XII** Critique de l'idée de troupe mercenaire au profit de la milice populaire.

- **Chap. XIII** Mise en garde contre les troupes auxiliaires, c'est-à-dire obtenues par des alliances.
- **Chap. XIV** Nécessité pour le prince de se préparer sans cesse à la guerre.

Chapitres XV à XXIII : « comment un prince doit se conduire envers ses sujets et envers ses amis »

Ici, et plus particulièrement dans le chapitre XV, se trouve inscrit l'essentiel de ce que la tradition a retenu sous le vocable infamant de « machiavélisme ».

- **Chap. XV** Conduite à tenir à l'égard des qualités « morales », dont les principales seront examinées dans les chapitres qui suivent.
- **Chap. XVI** Le prince doit-il être généreux ?
- **Chap. XVII** Doit-il être cruel ou clément ? Doit-il chercher à se faire craindre ou aimer ?
- **Chap. XVIII** Doit-il être fidèle à sa parole ?
- **Chap. XIX** Comment évitera-t-il de se faire haïr ou mépriser ?
- **Chap. XX à XXIII** Examen de quelques questions stratégiques et tactiques de conduite de pouvoir.

– Les forteresses et leur utilité (chap. XX).
– Comment le prince peut-il gagner l'estime de ses sujets ? (chap. XXI)
– Choix et rôle des ministres et des conseillers du prince (chap. XXII et XXIII).

Chapitres XXIV à XXVI : Manifeste pour la libération et l'unification de l'Italie

Le chapitre XXIV introduit une rupture brutale dans l'ordre de l'ouvrage. Les questions posées au niveau de la généralité font place à une analyse du cas particulier de l'Italie. Le traité scolastique s'achève sur une véritable proclamation.

- **Chap. XXIV** Examen des causes qui ont conduit à l'affaiblissement de l'Italie
- **Chap. XXV** Analyse des rôles respectifs de la fortune et de la volonté humaine dans l'histoire.
- **Chap. XXVI** Appel aux Médicis pour la libération de l'Italie.

Assez simple en première lecture, ce plan se complique dès qu'on lit *Le Prince* d'un peu plus près. La pensée de Machiavel suit en effet un cheminement plus tortueux. Répétitions, digressions, retours en arrière et même contradictions, brisent fréquemment le rythme du texte.

Afin de bien lire *Le Prince*, il faut rendre raison de ces anomalies de composition. Léo Strauss propose de comprendre les contradictions du texte comme un moyen de faire passer des thèses en désaccord avec l'idéologie dominante. Machiavel utilise la technique de la « double assertion » ; ainsi, l'apologie de la monarchie héréditaire et l'éloge de la politique pontificale seront, dans la suite du texte, explicitement récusées. Claude Lefort ne retient pas l'idée d'un Machiavel manipulant ainsi la structure de son texte. Pour lui, c'est la matière même du Prince – le politique – qui impose à Machiavel un cheminement tortueux. La « vérité effective de la chose » résiste à la forme du traité scolastique et oblige à des détours que Machiavel lui-même n'avait pas prévus, comme l'explorateur d'une terre nouvelle est contraint de régler sa marche sur la géographie du pays qu'il découvre.

Quoi qu'il en soit, *Le Prince* exige davantage qu'une simple lecture linéaire. La première nécessité sera de répéter cette lecture.

IL PRENCIPE DI
NICOLO MACHIAVELLI,
al Magnifico Lorenzo de Medici.

LA VITA DI CASTRVCCIO
Castracani da Lucca.

IL MODO, CHE TENNE IL DVCA
Valentino per ammazzare Vitellozzo Vitelli, Oliuerotto da Fermo, il S. Paulo, & il Duca di Grauina.

I RITRATTI DELLE COSE
della Francia, & dell'Alamagna.

IN VENETIA
Per Comin de Trino
M D XLI.

Frontispice d'une édition de 1541.

Le Prince

MACHIAVEL

Traduction
L'œuvre est traduite de l'italien.
La traduction utilisée dans cette édition
est celle de Jean-Vincent Périès (1851).

LE PRINCE[1]

Nicolas Machiavel
au
Magnifique[2] Laurent[3]
fils de Pierre de Médicis[4]

Ceux qui ambitionnent d'acquérir les bonnes grâces d'un prince ont ordinairement coutume de lui offrir, en l'abordant, quelques-unes des choses qu'ils estiment le plus entre celles qu'ils possèdent, ou auxquelles ils le voient se plaire davantage. Ainsi on lui offre souvent des chevaux, des armes, des pièces de drap d'or, des pierres précieuses, et d'autres objets semblables, dignes de sa grandeur.

Désirant donc me présenter à Votre Magnificence avec quelque témoignage de mon dévouement, je n'ai trouvé, dans tout ce qui m'appartient, rien qui me soit plus cher ni plus précieux que la connaissance des actions des hommes élevés en pouvoir, que j'ai acquise, soit par une longue expérience des affaires des temps modernes, soit par une étude assidue de celle des temps anciens, que j'ai longuement roulée dans ma pensée et très attentivement examinée, et qu'enfin j'ai rédigée dans un petit volume que j'ose adresser aujourd'hui à Votre Magnificence.

Quoique je regarde cet ouvrage comme indigne de paraître devant vous, j'ai la confiance que votre indulgence daignera l'agréer, lorsque vous voudrez bien songer que le plus grand présent que je pusse vous faire était de vous donner le moyen de connaître en très peu de temps ce que je n'ai appris que dans un long cours d'années, et au prix de beaucoup de peines et de dangers.

Je n'ai orné cet ouvrage ni de grands raisonnements, ni de phrases ampoulées et magnifiques, ni, en un mot, de toutes ces parures étrangères dont la plupart des auteurs ont coutume d'embellir leurs écrits, j'ai voulu que mon livre tirât tout son lustre de son propre fond, et que la variété de la matière et l'importance du sujet en fissent le seul agrément.

Je demande d'ailleurs que l'on ne me taxe point de présomption si, simple particulier, et même d'un rang inférieur, j'ai osé discourir du gouvernement des princes et en

1. Sur la notion de prince, **voir concepts clés**, p. 132. Bien que *Le Prince* fût écrit en italien, Machiavel lui a donné un titre latin : *De principatibus*, ce qui signifie « Des monarchies ». On traduit en italien : *Il Principe* (en français *Le Prince*) ; Machiavel lui-même dans les *Discours* parle du *De Principe*, attestant ainsi de la valeur de la traduction habituelle.
Que faut-il entendre par « prince » ? D'abord, bien entendu, l'individu qui exerce le pouvoir dans une monarchie. Mais aussi, par extension, l'autorité qui détient la réalité du pouvoir dans n'importe quel type d'État. Le vocabulaire politique moderne a retenu cette dernière acception.

2. Être qualifié de « Magnifique » était un droit pour les Très Hauts Seigneurs florentins. Machiavel a joui un temps (1506-1512) de ce privilège, comme secrétaire des « Neuf de la milice ».

3. Machiavel voyait dans Laurent II de Médicis (1492-1519) la « main royale » capable de sauver l'Italie.

4. Ce Pierre, le deuxième du nom Médicis, avait été chassé en 1498 par l'arrivée des Français et remplacé à la tête de Florence par le moine Savonarole.

donner des règles. De même que ceux qui veulent dessiner un paysage descendent dans la plaine pour obtenir la structure et l'aspect des montagnes et des lieux élevés, et montent au contraire sur les hauteurs lorsqu'ils ont à peindre les plaines : de même, pour bien connaître le naturel des peuples, il est nécessaire d'être prince ; et pour bien connaître les princes, il faut être peuple.

Que Votre Magnificence accepte donc ce modique présent dans le même esprit que je le lui adresse. Si elle l'examine et le lit avec quelque attention, elle y verra éclater partout l'extrême désir que j'ai de la voir parvenir à cette grandeur que lui promettent la fortune[1] *et ses autres qualités. Et si Votre Magnificence, du faîte de son élévation, abaisse quelquefois ses regards sur ce qui est si au-dessous d'elle, elle verra combien peu j'ai mérité d'être la victime continuelle d'une fortune injuste et rigoureuse.*

CHAPITRE PREMIER

Combien il y a de sortes de principautés, et par quels moyens on peut les acquérir.

Tous les États, toutes les dominations qui ont tenu et tiennent encore les hommes sous leur empire, ont été et sont ou des républiques ou des principautés[2].

Les principautés sont ou héréditaires ou nouvelles.

Les héréditaires sont celles qui ont été longtemps possédées par la famille de leur prince.

Les nouvelles, ou le sont tout à fait, comme Milan le fut pour Francesco Sforza[3], ou elles sont comme membres ajoutés aux États héréditaires du prince qui les a acquises ; et tel a été le royaume de Naples à l'égard du roi d'Espagne[4].

D'ailleurs, les États acquis de cette manière étaient accoutumés ou à vivre sous un prince ou à être libres[5] : l'acquisition en a été faite avec les armes d'autrui, ou par celles de l'acquéreur lui-même, ou par la faveur de la fortune, ou par l'ascendant de la vertu[6].

1. Notion centrale chez Machiavel : elle n'est ni une providence, ni un destin implacable qui inclinerait au fatalisme, ni un déterminisme historique. **Voir concepts clés** : fortune, p. 128 ; voir aussi chap. XXV, p. 118, et **documents, autour de l'œuvre**, p. 175.

2. a) *Monarchie.* Désigne, sous la plume de Machiavel, tout État où le pouvoir est détenu par un individu, le prince (*principe*).
b) La tradition classique, issue de Platon et Aristote, distinguait six formes de gouvernement : monarchie et tyrannie, aristocratie et oligarchie, démocratie et démagogie ; dans chacun de ces couples, le second élément représente une dégénérescence du premier.
c) Machiavel, attentif à l'aspect historique, classe les États selon leur origine et non leur nature ou leurs fins morales.

3. Prototype du *condottiere* devenu maître de l'État qui l'avait pris à son service.

4. Ferdinand II, dit le Catholique (1452-1516).

5. Machiavel appelle libre tout État qui se donne lui-même ses lois, sans les recevoir d'un prince.

6 *Virtù*, en italien. Du latin *vir*, « homme » : comprendre « vaillance ». La vertu, telle que la définit Machiavel, n'a pas un sens moral. **Voir concepts clés** : vertu, p. 136.

CHAPITRE II

Des principautés héréditaires.

Je ne traiterai point ici des républiques, car j'en ai parlé amplement ailleurs[1], je ne m'occuperai que des principautés ; et, reprenant le fil des distinctions que je viens d'établir, j'examinerai comment, dans ces diverses hypothèses, les princes peuvent se conduire et se maintenir.

Je dis donc que, pour les États héréditaires et façonnés à l'obéissance envers la famille du prince, il y a bien moins de difficultés à les maintenir que les États nouveaux : il suffit au prince de ne point outrepasser les bornes posées par ses ancêtres et de temporiser avec les événements. Aussi, ne fût-il doué que d'une capacité ordinaire, il saura se maintenir sur le trône, à moins qu'une force irrésistible et hors de toute prévoyance ne l'en renverse ; mais alors même qu'il l'aura perdu, le moindre revers éprouvé par l'usurpateur le lui fera aisément recouvrer. L'Italie nous en offre un exemple dans le duc de Ferrare : s'il a résisté, en 1484, aux attaques des Vénitiens, et, en 1510, à celles du pape Jules II, c'est uniquement parce que sa famille était établie depuis longtemps dans son duché.

En effet, un prince héréditaire a bien moins de motifs et se trouve bien moins dans la nécessité de déplaire à ses sujets : il en est par cela même bien plus aimé ; et, à moins que des vices extraordinaires ne le fassent haïr[2], ils doivent naturellement lui être affectionnés. D'ailleurs, dans l'ancienneté et dans la longue continuation d'une puissance, la mémoire des précédentes innovations s'efface ; les causes qui les avaient produites s'évanouissent : il n'y a donc plus de ces sortes de pierres d'attente qu'une révolution laisse toujours pour en appuyer une seconde.

1. Dans les *Discours sur la première décade de Tite-Live*, que Machiavel rédigea après *Le Prince* ; ce qui prouve que cette précision fut ajoutée longtemps après 1513.

2. Le chapitre XIX, p. 97, reviendra sur l'importance, pour un prince, de n'être point haï. Cette affection qui surgit « naturellement » pour le monarque héréditaire n'est rien de positif ; elle procède de la passivité des sujets. Ils sont bien loin, les sentiments chevaleresques que cultivait le Moyen Âge.

CHAPITRE III

Des principautés mixtes.

C'est dans une principauté nouvelle que toutes les difficultés se rencontrent.

D'abord, si elle n'est pas entièrement nouvelle, mais ajoutée comme un membre à une autre, en sorte qu'elles forment ensemble un corps qu'on peut appeler mixte, il y a une première source de changement dans une difficulté naturelle inhérente à toutes les principautés nouvelles : c'est que les hommes aiment à changer de maître dans l'espoir d'améliorer leur sort, que cette espérance leur met les armes à la main contre le gouvernement actuel ; mais qu'ensuite l'expérience leur fait voir qu'ils se sont trompés et qu'ils n'ont fait qu'empirer leur situation : conséquence inévitable d'une autre nécessité naturelle où se trouve ordinairement le nouveau prince d'accabler ses sujets, et par l'entretien de ses armées, et par une infinité d'autres charges qu'entraînent à leur suite les nouvelles conquêtes[1].

La position de ce prince est telle que, d'une part, il a pour ennemis tous ceux dont il a blessé les intérêts en s'emparant de cette principauté ; et que, de l'autre, il ne peut conserver l'amitié et la fidélité de ceux qui lui en ont facilité l'entrée, soit par l'impuissance où il se trouve de les satisfaire autant qu'ils se l'étaient promis, soit parce qu'il ne lui convient pas d'employer contre eux ces remèdes héroïques dont la reconnaissance le force de s'abstenir, car, quelque puissance qu'un prince ait par ses armées, il a toujours besoin, pour entrer dans un pays, d'être aidé par la faveur des habitants.

Voilà pourquoi Louis XII, roi de France, se rendit maître en un instant du Milanais, qu'il perdit de même, et que d'abord les seules forces de Lodovico Sforza suffirent pour le lui arracher. En effet, les habitants qui lui avaient ouvert les portes, se voyant trompés dans leur espoir, et frustrés des avantages qu'ils avaient attendus, ne purent supporter les dégoûts d'une nouvelle domination.

Il est bien vrai que lorsqu'on reconquiert des pays qui se sont ainsi rebellés, on les perd plus difficilement : le conquérant, se prévalant de cette rébellion, procède avec moins de mesure dans les moyens d'assurer sa conquête, soit en punissant les coupables, soit en recherchant les suspects, soit en fortifiant toutes les parties faibles de ses États.

Voilà pourquoi aussi il suffit, pour enlever une première fois Milan à la France, d'un duc Lodovico excitant quelques rumeurs sur les confins de cette province. Il fallut, pour la lui faire perdre une seconde, que tout le

1. Dans l'Italie de la Renaissance, l'annexion avait souvent pour but de mettre fin à la concurrence économique d'une cité rivale. Celle-ci se retrouvait donc du jour au lendemain privée de ses ressources industrielles, commerciales et bancaires.

monde se réunît contre elle, que ses armées fussent entièrement dispersées, et qu'on les chassât de l'Italie ; ce qui ne put avoir lieu que par les causes que j'ai développées précédemment : néanmoins, il perdit cette province et la première et la seconde fois.

Du reste, c'est assez pour la première expulsion d'en avoir indiqué les causes générales, mais, quant à la seconde, il est bon de s'y arrêter un peu plus, et d'examiner les moyens que Louis XII pouvait employer, et dont tout autre prince pourrait se servir en pareille circonstance, pour se maintenir un peu mieux dans ses nouvelles conquêtes que ne fit le roi de France.

Je dis donc que les États conquis pour être réunis à ceux qui appartiennent depuis longtemps au conquérant, sont ou ne sont pas dans la même contrée que ces derniers, et qu'ils ont ou n'ont pas la même langue.

Dans le premier cas, il est facile de les conserver, surtout lorsqu'ils ne sont point accoutumés à vivre libres[1] : pour les posséder en sûreté, il suffit d'avoir éteint la race du prince qui était le maître[2] ; et si, dans tout le reste, on leur laisse leur ancienne manière d'être, comme les mœurs y sont les mêmes, les sujets vivent bientôt tranquillement. C'est ainsi que la Bretagne, la Bourgogne, la Gascogne et la Normandie, sont restées unies à la France depuis tant d'années ; et quand même il y aurait quelques différences dans le langage, comme les habitudes et les mœurs se ressemblent, ces États réunis pourront aisément s'accorder. Il faut seulement que celui qui s'en rend possesseur soit attentif à deux choses, s'il veut les conserver : l'une est, comme je viens de le dire, d'éteindre la race de l'ancien prince ; l'autre, de n'altérer ni les lois ni le mode des impositions : de cette manière, l'ancienne principauté et la nouvelle ne seront, en bien peu de temps, qu'un seul corps.

Mais, dans le second cas, c'est-à-dire quand les États acquis sont dans une autre contrée que celui auquel on les réunit, quand ils n'ont ni la même langue, ni les mêmes mœurs, ni les mêmes institutions, alors les difficultés sont excessives, et il faut un grand bonheur et une grande habileté pour les conserver. Un des moyens les meilleurs et les plus efficaces serait que le vainqueur vînt y fixer sa demeure personnelle : rien n'en rendrait la possession plus sûre et plus durable. C'est aussi le parti qu'a pris le Turc à l'égard de la Grèce, que certainement, mal-

1. Sur la difficulté d'annexer une république libre, voir chapitre V, p. 53.

2. En marge de cette phrase, la censure française avait exigé, en 1533, que figure la précision suivante : « cruel procédé des Turcs ».

gré toutes les autres mesures, il n'aurait jamais pu conserver s'il ne s'était déterminé à venir l'habiter.

Quand il habite le pays, le nouveau prince voit les désordres à leur naissance, et peut les réprimer sur-le-champ. S'il en est éloigné, il ne les connaît que lorsqu'ils sont déjà grands, et qu'il ne lui est plus possible d'y remédier.

D'ailleurs, sa présence empêche ses officiers de dévorer la province ; et, en tout cas, c'est une satisfaction pour les habitants d'avoir pour ainsi dire sous la main leur recours au prince lui-même. Ils ont aussi plus de raisons, soit de l'aimer, s'ils veulent être de bons et fidèles sujets, soit de le craindre, s'ils veulent être mauvais[1]. Enfin, l'étranger qui voudrait assaillir cet État s'y hasarde bien moins aisément ; d'autant que le prince y résidant, il est très difficile de le lui enlever.

Le meilleur moyen qui se présente ensuite est d'établir des colonies[2] dans un ou deux endroits qui soient comme les clefs du pays : sans cela, on est obligé d'y entretenir un grand nombre de gens d'armes et d'infanterie. L'établissement des colonies est peu dispendieux pour le prince ; il peut, sans frais ou du moins presque sans dépense, les envoyer et les entretenir ; il ne blesse que ceux auxquels il enlève leurs champs et leurs maisons pour les donner aux nouveaux habitants. Or les hommes ainsi offensés n'étant qu'une très faible partie de la population, et demeurant dispersés et pauvres, ne peuvent jamais devenir nuisibles ; tandis que tous ceux que sa rigueur n'a pas atteints demeurent tranquilles par cette seule raison ; ils n'osent d'ailleurs se mal conduire, dans la crainte qu'il ne leur arrive aussi d'être dépouillés. En un mot, ces colonies, si peu coûteuses, sont plus fidèles et moins à charge aux sujets ; et, comme je l'ai dit précédemment, ceux qui en souffrent étant pauvres et dispersés, sont incapables de nuire. Sur quoi il faut remarquer que les hommes doivent être ou caressés ou écrasés[3] : ils se vengent des injures légères ; ils ne le peuvent quand elles sont très grandes ; d'où il suit que, quand il s'agit d'offenser un homme, il faut le faire de telle manière qu'on ne puisse redouter sa vengeance.

Mais si, au lieu d'envoyer des colonies, on se détermine à entretenir des troupes, la dépense qui en résulte s'accroît sans bornes, et tous les revenus de l'État sont consommés pour le garder. Aussi l'acquisition

1. La discussion de ces deux éventualités fera l'objet du chapitre XVII, p. 91.

2. À l'aide d'exemples pris dans l'Antiquité romaine, Machiavel explique ailleurs, dans le détail, les avantages des colonies (*Histoires florentines*, livre II, 1).

3. Ici encore, l'histoire nous livre une maxime générale, que Machiavel reprendra dans les *Histoires florentines* : « Les grands hommes, il convient ou de n'y pas toucher, ou, touchés, de les abattre » (livre IV, 30).

devient une véritable perte, qui blesse d'autant plus que les habitants se trouvent plus lésés ; car ils ont tous à souffrir, ainsi que l'État, et des logements et des déplacements des troupes. Or, chacun se trouvant exposé à cette charge, tous deviennent ennemis du prince, et ennemis capables de nuire, puisqu'ils demeurent injuriés dans leurs foyers. Une telle garde est donc de toute manière aussi inutile que celle des colonies serait profitable.

Mais ce n'est pas tout. Quand l'État conquis se trouve dans une autre contrée que l'État héréditaire du conquérant, il est beaucoup d'autres soins que celui-ci ne saurait négliger : il doit se faire chef et protecteur des princes voisins les moins puissants de la contrée, travailler à affaiblir ceux d'entre eux qui sont les plus forts, et empêcher que, sous un prétexte quelconque, un étranger aussi puissant que lui ne s'y introduise ; introduction qui sera certainement favorisée ; car cet étranger ne peut manquer d'être appelé par tous ceux que l'ambition ou la crainte rend mécontents. C'est ainsi, en effet, que les Romains furent introduits dans la Grèce par les Étoliens, et que l'entrée de tous les autres pays où ils pénétrèrent leur fut ouverte par les habitants.

À cet égard, voici quelle est la marche des choses : aussitôt qu'un étranger puissant est entré dans une contrée, tous les princes moins puissants qui s'y trouvent s'attachent à lui et favorisent son entreprise, excités par l'envie qu'ils fournissent contre ceux dont la puissance était supérieure à la leur. Il n'a donc point de peine à gagner ces princes moins puissants, qui tous se hâtent de ne faire qu'une seule masse avec l'État qu'il vient de conquérir[1]. Il doit seulement veiller à ce qu'ils ne prennent trop de force ou trop d'autorité : avec leur aide et ses propres moyens, il viendra sans peine à bout d'abaisser les plus puissants, de se rendre seul arbitre de la contrée. S'il néglige, en ces circonstances, de se bien conduire, il perdra bientôt le fruit de sa conquête ; et tant qu'il le gardera, il y éprouvera toute espèce de difficultés et de dégoûts.

Les Romains, dans les pays dont ils se rendirent les maîtres, ne négligèrent jamais rien de ce qu'il y avait à faire. Ils y envoyaient des colonies, ils y protégeaient les plus faibles, sans toutefois accroître leur puissance ; ils y abaissaient les grands ; ils ne souffraient pas que les étrangers puissants y acquissent le moindre crédit. Je n'en veux

1. C'est de cette façon – et pour les mêmes raisons – que s'est déroulée l'entrée de Charles VIII, roi de France, en Italie.

pour preuve qu'un seul exemple. Qu'on voie ce qu'ils firent dans la Grèce : ils y soutinrent les Achéens et les Étoliens ; ils y abaissèrent le royaume de Macédoine, ils en chassèrent Antiochus ; mais quelques services qu'ils eussent reçus des Achéens et des Étoliens, ils ne permirent pas que ces deux peuples accrussent leurs États ; toutes les sollicitations de Philippe ne purent obtenir d'eux qu'ils fussent ses amis, sans qu'il y perdît quelque chose ; et toute la puissance d'Antiochus ne put jamais les faire consentir à ce qu'il possédât le moindre État dans ces contrées.

Les Romains, en ces circonstances, agirent comme doivent le faire des princes sages, dont le devoir est de penser non seulement aux désordres présents, mais encore à ceux qui peuvent survenir, afin d'y remédier par tous les moyens que peut leur indiquer la prudence. C'est, en effet, en les prévoyant de loin, qu'il est bien plus facile d'y porter remède ; au lieu que si on les a laissés s'élever, il n'en est plus temps, et le mal devient incurable. Il en est alors comme de l'étisie, dont les médecins disent que, dans le principe, c'est une maladie facile à guérir, mais difficile à connaître[1], et qui, lorsqu'elle a fait des progrès, devient facile à connaître, mais difficile à guérir. C'est ce qui arrive dans toutes les affaires d'État : lorsqu'on prévoit le mal de loin, ce qui n'est donné qu'aux hommes doués d'une grande sagacité, on le guérit bientôt ; mais lorsque, par défaut de lumière, on n'a su le voir que lorsqu'il frappe tous les yeux, la cure se trouve impossible. Aussi les Romains, qui savaient prévoir de loin tous les inconvénients, y remédièrent toujours à temps, et ne les laissèrent jamais suivre leur cours pour éviter une guerre : ils savaient bien qu'on ne l'évite jamais, et que, si on la diffère, c'est à l'avantage de l'ennemi. C'est ainsi que, quoiqu'ils pussent alors s'en abstenir, ils voulurent la faire à Philippe et à Antiochus, au sein de la Grèce même, pour ne pas avoir à la soutenir contre eux en Italie. Ils ne goûtèrent jamais ces paroles que l'on entend sans cesse sortir de la bouche des sages de nos jours : *Jouis du bénéfice du temps*[2] ; ils préférèrent celui de la valeur et de la prudence ; car le temps chasse également toute chose devant lui, et il apporte à sa suite le bien comme le mal, le mal comme le bien[3].

Mais revenons à la France, et examinons si elle a fait aucune des choses que je viens d'exposer. Je parlerai seulement du roi Louis XII, et non de Charles VIII, parce

1. « Connaître » signifie ici reconnaître, c'est-à-dire diagnostiquer.

2. Sévère condamnation de la politique attentiste de Florence, politique que Machiavel a toute sa vie essayé d'infléchir, sans d'ailleurs y parvenir.

3. J.-Y. Goffi a défini cette belle formule de Machiavel : « loi de la fortune ». **Voir concepts clés** : fortune, p. 128.

que le premier ayant plus longtemps gardé ses conquêtes en Italie, on a pu mieux connaître ses manières de procéder. Or on a dû voir qu'il fit tout le contraire de ce qu'il faut pour conserver un État tout différent de celui auquel on a dessein de l'ajouter.

Le roi Louis XII fut introduit en Italie par l'ambition des Vénitiens, qui voulaient, par sa venue, acquérir la moitié du duché de Lombardie[1]. Je ne prétends point blâmer le parti qu'embrassa le roi : puisqu'il voulait commencer à mettre un pied en Italie, où il ne possédait aucun ami, et dont la conduite de Charles VIII lui avait même fermé toutes les portes, il était forcé d'embrasser les premières amitiés qu'il pût trouver ; et le parti qu'il prit pouvait même être heureux, si d'ailleurs, dans le surplus de ses expéditions, il n'eût commis aucune autre erreur. Ainsi, après avoir conquis la Lombardie, il regagna bientôt la réputation que Charles lui avait fait perdre : Gênes se soumit ; les Florentins devinrent ses alliés ; le marquis de Mantoue, le duc de Ferrare, les Bentivogli, la dame de Forli, les seigneurs de Faenza, de Pesaro, de Rimini, de Camerino, de Piombino, les Lucquois, les Pisans, les Siennois, tous coururent au-devant de son amitié. Aussi les Vénitiens durent-ils reconnaître quelle avait été leur imprudence lorsque, pour acquérir deux villes[2] dans la Lombardie, ils avaient rendu le roi de France souverain des deux tiers de l'Italie.

Dans de telles circonstances, il eût été sans doute facile à Louis XII de conserver dans cette contrée tout son ascendant, s'il eût su mettre en pratique les règles de conduite exposées ci-dessus ; s'il avait protégé et défendu ces nombreux amis, qui, faibles et tremblant les uns devant l'Église[3], les autres devant les Vénitiens, étaient obligés de lui rester fidèles, et au moyen desquels il pouvait aisément s'assurer de tous ceux auxquels il restait encore quelque puissance.

Mais il était à peine arrivé dans Milan, qu'il fit tout le contraire, en aidant le pape Alexandre VI à s'emparer de la Romagne. Il ne comprit pas qu'il s'affaiblissait lui-même, en se privant de ses amis qui s'étaient jetés dans ses bras, et qu'il agrandissait l'Église, en ajoutant au pouvoir spirituel, qui lui donne déjà tant d'autorité, un pouvoir temporel aussi considérable.

Cette première erreur en entraîna tant d'autres, qu'il fallut que le roi vînt lui-même en Italie pour mettre

1. Scénario italien typique : un prince dévoré d'ambitions territoriales joue une puissance étrangère contre sa proie.

2. Crémone et Vérone.

3. Par « Église », Machiavel ne désigne jamais la chrétienté catholique en tant que communauté religieuse mais l'État – un des plus forts de l'Italie – dont le pape est le souverain élu.

une borne à l'ambition d'Alexandre, et l'empêcher de se rendre maître de la Toscane.

Ce ne fut pas tout. Non content d'avoir ainsi agrandi l'Église, et de s'être privé de ses amis, Louis, brûlant de posséder le royaume de Naples, se détermina à le partager avec le roi d'Espagne : de sorte que, tandis qu'il était seul arbitre de l'Italie, il y introduisit lui-même un rival auquel purent recourir tous les ambitieux et tous les mécontents, et lorsqu'il pouvait laisser sur le trône un roi qui s'estimait heureux d'être son tributaire, il l'en renversa pour y placer un prince qui était en état de l'en chasser lui-même.

Le désir d'acquérir est sans doute une chose ordinaire et naturelle, et quiconque s'y livre, quand il en a les moyens, en est plutôt loué que blâmé : mais en former le dessein sans pouvoir l'exécuter, c'est encourir le blâme et commettre une erreur. Si donc la France avait des forces suffisantes pour attaquer le royaume de Naples, elle devait le faire ; si elle ne les avait pas, elle ne devait point le partager.

Si le partage de la Lombardie avec les Vénitiens pouvait être exécuté, c'est parce qu'il donna à la France le moyen de mettre le pied en Italie, mais celui du royaume de Naples, n'ayant pas été pareillement déterminé par la nécessité, demeure sans excuse. Ainsi Louis XII avait fait cinq fautes en Italie : il y avait ruiné les faibles, il y avait augmenté la puissance d'un puissant[1], il y avait introduit un prince étranger très puissant[2], il n'était point venu y demeurer, et n'y avait pas envoyé des colonies.

Cependant, tant qu'il vécut, ces cinq fautes auraient pu ne pas lui devenir funestes, s'il n'en eût commis une sixième, celle de vouloir dépouiller les Vénitiens de leurs États. En effet, il eût été bon et nécessaire de les affaiblir, si d'ailleurs il n'avait pas agrandi l'Église et appelé l'Espagne en Italie ; mais ayant fait l'un et l'autre, il ne devait jamais consentir à leur ruine, parce que, tant qu'ils seraient restés puissants, ils auraient empêché les ennemis du roi d'attaquer la Lombardie. En effet, d'une part, ils n'y auraient consenti qu'à condition de devenir les maîtres de ce pays, de l'autre, personne n'aurait voulu l'enlever à la France pour le leur donner ; et enfin il eût paru trop dangereux d'attaquer les Français et les Vénitiens réunis[3].

Si l'on me disait que Louis n'avait abandonné la Romagne au pape Alexandre, et partagé le royaume de

1. Le pape Alexandre VI.

2. Ferdinand le Catholique, roi d'Espagne.

3. Louis XII a donc imparfaitement évalué les poids respectifs ainsi que le jeu des princes en présence. Son expérience nous enseigne qu'un échec (ou un succès) est toujours la résultante d'une multitude de causes dont l'accumulation seule fait la décision. Machiavel a pris soin de préciser que les cinq premières erreurs auraient pardonné si une sixième n'était venue s'y ajouter.

Naples avec l'Espagne, que pour éviter la guerre, je répondrais ce que j'ai déjà dit, qu'il ne faut jamais, pour un pareil motif, laisser subsister un désordre ; car on n'évite point la guerre, on ne fait que la retarder à son propre désavantage.

Si l'on alléguait encore la promesse que le roi avait faite au pape de conquérir cette province pour lui, afin d'en obtenir la dissolution de son mariage et le chapeau de cardinal pour l'archevêque de Rouen[1] (appelé ensuite le cardinal d'Amboise), je répondrais par ce qui sera dit dans la suite, touchant les promesses des princes, et la manière dont ils doivent les garder[2].

Louis XII a donc perdu la Lombardie pour ne s'être conformé à aucune des règles que suivent tous ceux qui, ayant acquis un État, veulent le conserver. Il n'y a là aucun miracle ; c'est une chose toute simple et toute naturelle[3].

Je me trouvais à Nantes à l'époque où le Valentinois (c'est ainsi qu'on appelait alors César Borgia, fils du pape Alexandre VI) se rendait maître de la Romagne : le cardinal d'Amboise, avec lequel je m'entretenais de cet événement, m'ayant dit que les Italiens ne comprenaient rien aux affaires de guerre, je lui répondis que les Français n'entendaient rien aux affaires d'État, parce que, s'ils y avaient compris quelque chose, ils n'auraient pas laissé l'Église s'agrandir à ce point. L'expérience, en effet, a fait voir que la grandeur de l'Église et celle de l'Espagne en Italie ont été l'ouvrage de la France, et ensuite la cause de sa ruine dans cette contrée. De là aussi on peut tirer cette règle générale qui trompe rarement, si même elle trompe jamais : c'est que le prince qui en rend un autre puissant travaille à sa propre ruine ; car cette puissance est produite ou par l'adresse ou par la force : or l'une et l'autre de ces deux causes rendent quiconque les emploie suspect à celui pour qui elles sont employées.

CHAPITRE IV

Pourquoi les États de Darius, conquis par Alexandre, ne se révoltèrent point contre les successeurs du conquérant après sa mort.

Lorsque l'on considère combien il est difficile de conserver un État nouvellement conquis, on peut s'éton-

1. Louis XII avait ainsi acheté à Alexandre VI la bulle (décision papale) l'autorisant à répudier sa première femme pour épouser Anne de Bretagne ; pour son ministre l'archevêque de Rouen, il avait obtenu le « chapeau de cardinal ».

2. Voir chap. XVIII : « Comment les princes doivent tenir leur parole », p. 94. Machiavel y établit pour le prince la nécessité de savoir violer ses serments.

3. Cette insistance sur le caractère naturel, non miraculeux de l'échec français en Italie vise peut-être ceux qui seraient tentés d'y voir une sanction divine. N'oublions pas que c'est une Sainte Ligue, emmenée par le pape Jules II, qui expulsa les Français d'Italie.

ner de ce qui se passa après la mort d'Alexandre le Grand. Ce prince s'était rendu maître en peu d'années de toute l'Asie, et mourut presque aussitôt. Il était probable que l'empire profiterait de son trépas pour se révolter ; néanmoins ses successeurs s'y maintinrent, et ils n'éprouvèrent aucune difficulté que celle qui naquit entre eux de leur propre ambition.

Je répondrai à cela que toutes les principautés que l'on connaît, et dont il est resté quelque souvenir, sont gouvernées de deux manières différentes : ou par un prince et des esclaves, qui ne l'aident à gouverner, comme ministres, que par une grâce et une concession qu'il veut bien leur faire ; ou par un prince et des barons, qui tiennent leur rang non de la faveur du souverain, mais de l'ancienneté de leur race ; qui ont des États et des sujets qui leur appartiennent et les reconnaissent pour seigneurs, et qui ont pour eux une affection naturelle.

Dans les principautés gouvernées par un prince et par des esclaves, le prince possède une bien plus grande autorité, puisque, dans toute l'étendue de ses États, lui seul est reconnu pour supérieur, et que si les sujets obéissent à quelque autre, ils ne le regardent que comme son ministre ou son officier, pour lequel ils ne ressentent aucun attachement personnel.

On peut de nos jours citer, comme exemple de l'une ou de l'autre sorte de gouvernement, la Turquie et le royaume de France.

Toute la Turquie est gouvernée par un seul maître, dont tous les autres Turcs sont esclaves, et qui, ayant divisé son empire en plusieurs *sangiacs*[1], y envoie des gouverneurs qu'il révoque et qu'il change au gré de son caprice.

En France, au contraire, le roi se trouve au milieu d'une foule de seigneurs de race antique, reconnus pour tels par leurs sujets, qui en sont aimés, et qui jouissent de prérogatives que le roi ne pourrait leur enlever sans danger pour lui.

Si l'on réfléchit sur la nature de ces formes de gouvernement, on verra qu'il est difficile de conquérir l'empire des Turcs ; mais qu'une fois conquis, il est très aisé de le conserver.

La difficulté de conquérir l'empire turc vient de ce que le conquérant ne peut jamais être appelé par les grands de cette monarchie, ni espérer d'être aidé dans

1. Sangiacs : districts militaires.

son entreprise par la rébellion de quelques-uns de ceux qui entourent le monarque. J'en ai déjà indiqué les raisons. Tous, en effet, étant également ses esclaves, tous lui devant également leur fortune, il est bien difficile de les corrompre ; et quand même on y parviendrait, il faudrait en attendre peu d'avantages, parce qu'ils ne peuvent pas entraîner les peuples dans leur révolte. Celui donc qui voudrait attaquer les Turcs doit s'attendre à les trouver réunis contre lui, espérer peu d'être favorisé par des désordres intérieurs, et ne compter guère que sur ses propres forces.

Mais la conquête une fois faite et le monarque vaincu en bataille rangée, de manière à ne pouvoir plus refaire ses armées, on n'a plus à craindre que sa race, qui, une fois éteinte, ne laisse plus personne à redouter, parce qu'il n'y a plus personne qui conserve quelque ascendant sur le peuple ; de sorte que si, avant la victoire, il n'y avait rien à espérer des sujets, de même, après l'avoir remportée, il n'y a plus rien à appréhender de leur part.

Il en est tout autrement des États gouvernés comme la France[1]. Il peut être facile d'y entrer en gagnant quelques-uns des grands du royaume ; et il s'en trouve toujours de mécontents, qui sont avides de nouveautés et de changements, et qui d'ailleurs peuvent effectivement, par les raisons que j'ai déjà dites, ouvrir les chemins du royaume et faciliter la victoire[2], mais, s'agit-il ensuite de se maintenir, c'est alors que le conquérant éprouve toutes sortes de difficultés, et de la part de ceux qui l'ont aidé, et de la part de ceux qu'il a dû opprimer.

Là, il ne lui suffit pas d'éteindre la race du prince, car il reste toujours une foule de seigneurs qui se mettront à la tête de nouveaux mouvements ; et comme il ne lui est possible ni de les contenter tous ni de les détruire, il perdra sa conquête dès que l'occasion se présentera.

Maintenant, si nous considérons la nature du gouvernement de Darius, nous trouverons qu'il ressemblait à celui de la Turquie : aussi Alexandre eut-il à combattre contre toutes les forces de l'empire, et dut-il d'abord défaire le monarque en pleine campagne[3], mais, après sa victoire et la mort de Darius, le vainqueur, par les motifs que j'ai exposés, demeura tranquille possesseur de sa conquête. Et si ses successeurs étaient restés unis, ils en auraient joui également au sein du repos et des voluptés ;

1. La France était l'alliée traditionnelle de Florence et Machiavel s'y rendit quatre fois en mission. Il connaissait donc bien notre pays, sur lequel il a laissé un petit écrit, rédigé en 1510 au retour d'une mission : *Rapport sur les choses de la France*.

2 Machiavel ébauche ici une analyse qu'il développera au chap. IX, p. 68.

3. Batailles d'Issos et Gaugamèles (333 et 331 avant J.-C.).

car on ne vit s'élever dans tout l'empire que les troubles qu'eux-mêmes y excitèrent.

Mais, quant aux États gouvernés comme la France, il s'en faut bien qu'il soit possible de s'y maintenir avec autant de tranquillité. Nous en avons la preuve dans les fréquents soulèvements qui se formèrent contre les Romains, soit dans l'Espagne, soit dans les Gaules, soit dans la Grèce. Ces rébellions eurent pour cause les nombreuses principautés qui se trouvaient dans ces contrées, et dont le seul souvenir, tant qu'il subsista, fut pour les vainqueurs une source de troubles et d'inquiétudes. Il fallut que la puissance et la durée de la domination romaine en eussent éteint la mémoire, pour que les possesseurs fussent enfin tranquilles.

Il y a même plus. Lorsque, dans la suite, les Romains furent en guerre les uns contre les autres, chacun des partis put gagner et avoir pour soi celles de ses anciennes principautés où il avait le plus d'influence, et qui, après l'extinction de la race de leurs princes, ne connaissaient plus d'autre domination que celle de Rome.

Quiconque aura réfléchi sur toutes ces considérations, ne s'étonnera plus sans doute de la facilité avec laquelle Alexandre se maintint en Asie, et de la peine, au contraire, que d'autres, tels que Pyrrhus, eurent à conserver leurs conquêtes. Cela ne tint point à l'habileté plus ou moins grande du conquérant, mais à la différente nature des États conquis.

CHAPITRE V

Comment on doit gouverner les États ou principautés qui, avant la conquête, vivaient sous leurs propres lois.

Quand les États conquis sont, comme je l'ai dit, accoutumés à vivre libres sous leurs propres lois, le conquérant peut s'y prendre de trois manières pour s'y maintenir : la première est de les détruire ; la seconde, d'aller y résider en personne ; la troisième, de leur laisser leurs lois, se bornant à exiger un tribut, et à y établir un gouvernement peu nombreux qui les contiendra dans l'obéissance et la fidélité : ce qu'un tel gouvernement fera sans doute ; car, tenant toute son existence du conquérant, il sait qu'il ne peut la conserver sans son appui et sans sa protection ; d'ailleurs, un État accoutumé à la liberté est plus aisément gouverné par ses propres citoyens que par d'autres.

Les Spartiates et les Romains peuvent ici nous servir d'exemple.

Les Spartiates se maintinrent dans Athènes et dans Thèbes[1], en n'y confiant le pouvoir qu'à un petit nombre de personnes ; néanmoins ils les perdirent par la suite. Les Romains, pour rester maîtres de Capoue, de Carthage et de Numance, les détruisirent et ne les perdirent point.

Ils voulurent en user dans la Grèce comme les Spartiates : ils lui rendirent la liberté, et lui laissèrent ses propres lois ; mais cela ne leur réussit point. Il fallut, pour conserver cette contrée, qu'ils y détruisissent un grand nombre de cités ; ce qui était le seul moyen sûr de posséder. Et, au fait, quiconque, ayant conquis un État accoutumé à vivre libre, ne le détruit point, doit s'attendre à en être détruit[2]. Dans un tel État, la rébellion est sans cesse excitée par le nom de la liberté et par le souvenir des anciennes institutions, que ne peuvent jamais effacer de sa mémoire ni la longueur du temps ni les bienfaits d'un nouveau maître. Quelque précaution que l'on prenne, quelque chose que l'on fasse, si l'on ne dissout point l'État, si l'on n'en disperse les habitants, on les verra, à la première occasion, rappeler, invoquer leur liberté, leurs institutions perdues, et s'efforcer de les ressaisir[3]. C'est ainsi qu'après plus de cent années d'esclavage Pise brisa le joug des Florentins.

Mais il en est bien autrement pour les pays accoutumés à vivre sous un prince. Si la race de ce prince est une fois éteinte, les habitants, déjà façonnés à l'obéissance, ne pouvant s'accorder dans le choix d'un nouveau maître, et ne sachant point vivre libres[4], sont peu empressés de prendre les armes ; en sorte que le conquérant peut sans difficulté ou les gagner ou s'assurer d'eux. Dans les républiques, au contraire, il existe un principe de vie bien plus actif, une haine bien plus profonde, un désir de vengeance bien plus ardent, qui ne laisse ni ne peut laisser un moment en repos le souvenir de l'antique liberté : il ne reste alors au conquérant d'autre parti que de détruire ces États ou de venir les habiter.

1. Allusion aux Trente Tyrans d'Athènes (404-403 avant J.-C.) et au gouvernement de Thèbes, abattu par Épaminondas en 379 avant J.-C.

2. Sur ce conseil de « tout renouveler », voir les *Discours* (I, 26). Le prince, qui convoite un pays libre, engage une lutte à mort. Risquant toute sa fortune, il devra investir toutes ses forces (*Discours*, I, 23).

3. Il est donc proprement impossible de s'emparer d'une république vivant librement sous ses propres lois. (Voir Machiavel, *Histoires florentines*, livre II, 34).

4. Machiavel fait sienne l'idée que la liberté s'apprend, et expose en détail dans les *Discours* les multiples raisons qui rendent très difficile le passage de la servitude à la liberté (I, 16 et 49). Kant reprendra cette idée d'une maturité pour la liberté, et montrera que le peuple ne peut l'acquérir que dans l'exercice même de cette liberté (*La Religion dans les limites de la simple raison*, Doctrine, IVe partie, IIe section, § 4, note).

CHAPITRE VI

Des principautés nouvelles acquises par les armes et par l'habileté de l'acquéreur.

Qu'on ne s'étonne point si, en parlant de principautés tout à fait nouvelles de princes et d'État, j'allègue de très grands exemples. Les hommes marchent presque toujours dans des sentiers déjà battus ; presque toujours ils agissent par imitation ; mais il ne leur est guère possible de suivre bien exactement les traces de celui qui les a précédés, ou d'égaler la vertu de celui qu'ils ont entrepris d'imiter. Ils doivent donc prendre pour guides et pour modèles les plus grands personnages, afin que, même en ne s'élevant pas au même degré de grandeur et de gloire, ils puissent en reproduire au moins le parfum. Ils doivent faire comme ces archers prudents, qui, jugeant que le but proposé est au-delà de la portée de leur arc et de leurs forces, visent encore plus loin, pour que leur flèche arrive au point qu'ils désirent atteindre[1].

Je dis d'abord que, pour les principautés tout à fait nouvelles, le plus ou le moins de difficulté de s'y maintenir dépend du plus ou du moins d'habileté qui se trouve dans celui qui les a acquises : aussi peut-on croire que communément la difficulté ne doit pas être très grande. Il y a lieu de penser que celui qui, de simple particulier, s'est élevé au rang de prince, est un homme habile ou bien secondé par la fortune : sur quoi j'ajouterai, que moins il devra à la fortune, mieux il saura se maintenir. D'ailleurs, un tel prince n'ayant point d'autres États, est obligé de venir vivre dans son acquisition ; ce qui diminue encore la difficulté.

Mais, quoi qu'il en soit, pour parler d'abord de ceux qui sont devenus princes par leur propre vertu[2] et non par la fortune, les plus remarquables sont : Moïse, Cyrus, Romulus, Thésée, et quelques autres semblables.

Que si l'on doit peu raisonner sur Moïse, parce qu'il ne fut qu'un simple exécuteur des ordres de Dieu, il y a toujours lieu de l'admirer, ne fût-ce qu'à cause de la grâce qui le rendait digne de s'entretenir avec la Divinité. Mais en considérant les actions et la conduite, soit de Cyrus, soit des autres conquérants et fondateurs de royaumes, on les admirera également tous, et on trouvera

1. Machiavel n'écrit pas « plus loin » mais « plus haut » (*piú alto*). La correction d'un tir porte effectivement sur la hauteur.

2. *Virtù* en italien. Chez Machiavel, la notion de vertu forme avec fortune un couple indissociable. La traduction par « vertu » ne doit pas être comprise dans un sens moral. Certes, la *virtù* est inséparable de qualités morales, mais elle désigne avant tout la capacité d'imposer sa loi à la fortune (*fortuna*). **Voir concepts clés** : vertu p. 136.

une grande conformité entre eux et Moïse, bien que ce dernier eût été conduit par un si grand maître.

On verra d'abord que tout ce qu'ils durent à la fortune, ce fut l'occasion[1] qui leur fournit une matière à laquelle ils purent donner la forme qu'ils jugèrent convenable. Sans cette occasion, les grandes qualités de leur âme seraient demeurées inutiles ; mais aussi, sans ces grandes qualités, l'occasion se serait vainement présentée. Il fallut que Moïse trouvât les Israélites esclaves et opprimés en Égypte, pour que le désir de sortir de l'esclavage les déterminât à le suivre. Pour que Romulus devînt le fondateur et le roi de Rome, il fallut qu'il fût mis hors d'Albe et exposé aussitôt après sa naissance. Cyrus eut besoin de trouver les Perses mécontents de la domination des Mèdes, et les Mèdes amollis et efféminés par les délices d'une longue paix. Enfin, Thésée n'aurait point fait éclater sa valeur si les Athéniens n'avaient pas été dispersés. Le bonheur de ces grands hommes naquit donc des occasions ; mais ce fut par leur habileté qu'ils surent les connaître et les mettre à profit pour la grande prospérité et la gloire de leur patrie. Ceux qui, comme eux et par les mêmes moyens, deviendront princes n'acquerront leur principauté qu'avec beaucoup de difficultés, mais ils la maintiendront aisément.

En cela, leurs difficultés viendront surtout des nouvelles institutions, des nouvelles formes qu'ils seront obligés d'introduire pour fonder leur gouvernement et pour leur sûreté ; et l'on croit remarquer qu'en effet il n'y a point d'entreprise plus difficile à conduire, plus incertaine quant au succès, et plus dangereuse que celle d'introduire de nouvelles institutions. Celui qui s'y engage a pour ennemis tous ceux qui profitaient des institutions anciennes, et il ne trouve que de tièdes défenseurs dans ceux pour qui les nouvelles seraient utiles. Cette tiédeur, au reste, leur vient de deux causes : la première est la peur qu'ils ont de leurs adversaires, lesquels ont en leur faveur les lois existantes ; la seconde est l'incrédulité commune à tous les hommes, qui ne veulent croire à la bonté des choses naturelles que lorsqu'ils en ont été bien convaincus par l'expérience. De là vient aussi que si ceux qui sont ennemis trouvent l'occasion d'attaquer, ils le font avec toute la chaleur de l'esprit de parti, et que les autres se défendent avec froideur, en sorte qu'il y a du danger à combattre avec eux.

Afin de bien raisonner sur ce sujet, il faut considérer si les innovateurs sont puissants par eux-mêmes, ou

1. Comme la fortune, Machiavel personnifie l'occasion dans l'un de ses *Capitoli* (épîtres en vers) : « Je suis l'Occasion… Je ramène devant moi tous mes cheveux flottants, et je dérobe sous eux ma gorge et mon visage pour qu'ils ne me reconnaissent pas quand je me présente. Derrière ma tête, pas un cheveu ne flotte, et celui qui m'aurait laissée passer, ou devant lequel je me serais détournée, se fatiguerait en vain à me rattraper » (*Capitolo de l'Occasion*).

s'ils dépendent d'autrui, c'est-à-dire si, pour conduire leur entreprise, ils en sont réduits à prier, ou s'ils ont les moyens de contraindre.

Dans le premier cas, il leur arrive toujours malheur, et ils ne viennent à bout de rien ; mais dans le second, au contraire, c'est-à-dire quand ils ne dépendent que d'eux-mêmes, et qu'ils sont en état de forcer, ils courent bien rarement le risque de succomber. C'est pour cela qu'on a vu réussir tous les prophètes armés, et finir malheureusement ceux qui étaient désarmés[1]. Sur quoi l'on doit ajouter que les peuples sont naturellement inconstants, et que, s'il est aisé de leur persuader quelque chose, il est difficile de les affermir dans cette persuasion : il faut donc que les choses soient disposées de manière que, lorsqu'ils ne croient plus, on puisse les faire croire par force.

1. Allusion à l'échec du moine Savonarole, brûlé à Florence le 23 mai 1498. **Voir biographie**, pp. 7-8.

Certainement Moïse, Cyrus, Thésée et Romulus n'auraient pu faire longtemps garder leurs institutions, s'ils avaient été désarmés ; et ils auraient eu le sort qu'a éprouvé de nos jours le frère Jérôme Savonarole, dont toutes les institutions périrent aussitôt que le grand nombre eut commencé de ne plus croire en lui, attendu qu'il n'avait pas le moyen d'affermir dans leur croyance ceux qui croyaient encore, ni de forcer les mécréants à croire.

Toutefois, répétons que les grands hommes tels que ceux dont il s'agit rencontrent d'extrêmes difficultés ; que tous les dangers sont sur leur route ; que c'est là qu'ils ont à les surmonter ; et que lorsqu'une fois ils ont traversé ces obstacles, qu'ils ont commencé à être en vénération, et qu'ils se sont délivrés de ceux de même rang qui leur portaient envie, ils demeurent puissants, tranquilles, honorés et heureux.

À ces grands exemples que j'ai cités, j'en veux joindre quelque autre d'un ordre inférieur, mais qui ne soit point trop disproportionné ; et j'en choisis un seul qui suffira : c'est celui de Hiéron de Syracuse. Simple particulier, il devint prince de sa patrie, sans rien devoir de plus à la fortune que la seule occasion. En effet, les Syracusains opprimés l'élurent pour leur général, et ce fut par ses services en cette qualité qu'il mérita d'être encore élevé au pouvoir suprême. D'ailleurs, dans son premier état de citoyen, il avait montré tant de vertus, qu'il a été dit de lui que pour bien régner il ne lui manquait que d'avoir un royaume. Au surplus, Hiéron détruisit l'ancienne milice et en établit une nouvelle ; il abandonna les anciennes alliances pour en contracter d'autres : ayant alors et des soldats et des alliés entièrement à lui, il put, sur de pareils fondements, élever l'édifice qu'il voulut ; de sorte que, s'il n'acquit qu'avec beaucoup de peine, il n'en trouva point à conserver.

CHAPITRE VII

Des principautés nouvelles qu'on acquiert par les armes d'autrui et par la fortune[1].

1. La fortune n'est pas ici synonyme d'argent. Voir note 1, p. 41 et **concepts clés** : fortune, p. 128.

Ceux qui, de simples particuliers, deviennent princes par la seule faveur de la fortune, le deviennent avec peu de peine ; mais ils en ont beaucoup à se maintenir. Aucune difficulté ne les arrête dans leur chemin : ils y volent ; mais elles se montrent lorsqu'ils sont arrivés.

Tels sont ceux à qui un État est concédé, soit moyennant une somme d'argent, soit par le bon plaisir du concédant. C'est ainsi qu'une foule de concessions eurent lieu dans l'Ionie et sur les bords de l'Hellespont, où Darius établit divers princes, afin qu'ils gouvernassent ces États pour sa sûreté et pour sa gloire. C'est encore ainsi que furent créés ceux des empereurs qui, du rang de simples citoyens, furent élevés à l'empire par la corruption des soldats. L'existence de tels princes dépend entièrement de deux choses très incertaines, très variables : de la volonté et de la fortune de ceux qui les ont créés ; et ils ne savent ni ne peuvent se maintenir dans leur élévation. Ils ne le savent, parce qu'à moins qu'un homme ne soit doué d'un grand esprit et d'une grande valeur, il est peu probable qu'ayant toujours vécu simple particulier, il sache commander ; ils ne le peuvent, parce qu'ils n'ont point de forces qui leur soient attachées et fidèles.

De plus, les États subitement formés sont comme toutes les choses qui, dans l'ordre de la nature, naissent et croissent promptement : ils ne peuvent avoir des racines assez profondes et des adhérences assez fortes pour que le premier orage ne les renverse point ; à moins, comme je viens de le dire, que ceux qui en sont devenus princes n'aient assez d'habileté pour savoir se préparer sur-le-champ à conserver ce que la fortune a mis dans leurs mains, et pour fonder, après l'élévation de leur puissance, les bases qui auraient dû être établies auparavant.

Relativement à ces deux manières de devenir prince, c'est-à-dire par habileté ou par fortune, je veux alléguer deux exemples qui vivent encore dans la mémoire des hommes de nos jours : ce sont ceux de Francesco Sforza et de César Borgia[1].

Francesco Sforza, par une grande valeur et par le seul emploi des moyens convenables, devint, de simple particulier, duc de Milan ; et ce qui lui avait coûté tant de travaux à acquérir, il eut peu de peine à le conserver.

Au contraire, César Borgia, vulgairement appelé le duc de Valentinois, devenu prince par la fortune de son père[2], perdit sa principauté aussitôt que cette même fortune ne le soutint plus, et cela quoiqu'il n'eût rien négligé de tout ce qu'un homme prudent et habile devait faire pour s'enraciner profondément dans les États que les armes d'autrui et la fortune lui avaient donnés. Il n'est pas impossible, en effet, comme je l'ai déjà dit, qu'un homme extrêmement habile pose, après l'élévation de son pouvoir, les bases qu'il n'aurait point fondées auparavant ; mais un tel travail est toujours très pénible pour l'architecte, et dangereux pour l'édifice.

Au surplus, si l'on examine attentivement la marche du duc, on verra tout ce qu'il avait fait pour consolider sa grandeur future ; et c'est sur quoi il ne paraît pas inutile de m'arrêter un peu ; car l'exemple de ses actions présente sans doute les meilleures leçons qu'on puisse donner à un prince nouveau, et si toutes ses mesures n'eurent en définitive aucun succès pour lui, ce ne fut point par sa faute, mais par une contrariété extraordinaire et sans borne de la fortune.

Alexandre VI, voulant agrandir le duc son fils[3], y trouva pour le présent et pour l'avenir beaucoup de difficultés. D'abord, il voyait qu'il ne pouvait le rentre maître que de quelque État qui fût du domaine de l'Église ; et il savait que les ducs de Milan et Venise n'y consentiraient point, d'autant plus que Faenza et Rimini étaient déjà sous la protection des Vénitiens. Il voyait de plus toutes les forces d'Italie, et spécialement celles dont il aurait pu se servir, dans les mains de ceux qui devaient redouter le plus l'agrandissement du pape ; de sorte qu'il ne pouvait compter nullement sur leur fidélité, car elles étaient sous

1. Deux condottieres types. César Borgia (1475-1507) est une vieille connaissance de Machiavel, deux fois chargé de mission auprès de cet ambitieux fils de pape. Sa seconde mission (1502-1503) lui valut d'assister en direct au magistral traquenard de Sinigaglia, évoqué plus loin. Sur Sforza voir note 3, p. 41.

2. Le pape Alexandre VI. Il n'était pas considéré comme choquant, à l'époque, que les papes eussent plusieurs enfants naturels reconnus.

3. Voulant surtout récupérer un territoire que la papauté, de son séjour en Avignon, avait quelque peu laissé s'effriter.

la dépendance des Orsini, des Colonna[1], et de leurs partisans. Il ne lui restait donc d'autre parti à prendre que celui de tout brouiller et de semer le désordre entre tous les États de l'Italie, afin de pouvoir en saisir quelques-uns à la faveur des troubles. Cela ne lui fut point difficile. Les Vénitiens, en effet, s'étant déterminés, pour d'autres motifs, à rappeler les Français en Italie, non seulement il ne s'opposa point à ce dessein, mais encore il en facilita l'exécution par la dissolution du mariage déjà bien ancien du roi Louis XII avec Jeanne de France[2]. Ce prince vint donc en Italie avec l'aide des Vénitiens et le consentement du pape ; à peine fut-il arrivé à Milan, qu'Alexandre en obtint des troupes pour une expédition dans la Romagne, qui lui fut aussitôt abandonnée par l'effet seul de la réputation du roi. Le duc de Valentinois, ayant ainsi acquis cette province, trouva son dessein de s'affermir et de faire des progrès ultérieurs contrarié par deux difficultés : l'une venait de ce que les troupes qu'il avait ne lui paraissaient pas bien fidèles ; l'autre tenait à la volonté du roi, c'est-à-dire que, d'un côté, il craignait que les troupes des Orsini, dont il s'était servi, ne lui manquassent au besoin, et non seulement ne l'empêchent de faire de nouvelles acquisitions mais ne lui fissent même perdre celles qu'il avait déjà faites ; de l'autre, il appréhendait que le roi n'en fît tout autant. Quant aux troupes des Orsini, il avait déjà fait quelque épreuve de leurs dispositions lorsque, après la prise de Faenza, étant allé attaquer Bologne, il les avait vues se conduire très froidement[3], et, pour ce qui est du roi, il avait pu lire le fond de sa pensée, lorsque, ayant voulu, après s'être emparé du duché d'Urbin, tourner ses armes contre la Toscane, ce prince l'avait obligé à se désister de son entreprise.

Dans ces circonstances, le duc forma le dessein de se rendre indépendant des armes et de la volonté d'autrui. Pour cela, il commença par affaiblir dans Rome les partis des Orsini et des Colonna, en gagnant tous ceux de leurs adhérents qui étaient nobles, les faisant ses gentilshommes, leur donnant, selon leur qualité, de riches traitements, des honneurs, des commandements de troupes, des gouvernements de places : aussi arriva-t-il qu'en peu de mois l'affection de tous les partis se tourna vers le duc.

Ensuite, lorsqu'il eut dispersé les partisans de la maison Colonna, il attendit l'occasion de détruire ceux des Orsini ; et cette occasion s'étant heureusement pré-

1. Grandes familles romaines dont Machiavel raconte la rivalité ancestrale au chap. XI, p. 74. (Voir aussi : *Histoires florentines*, livre VIII, 27.)

2. En contrepartie de cette dissolution, Louis XII donna au fils du pape le titre de duc de Valentinois.

3. César Borgia fait à ses dépens l'expérience des armées mercenaires : « Dans ces armées, sans affection pour celui qui les fait combattre et qui les attache à lui, il ne peut pas y avoir assez de courage pour résister à un ennemi tant soit peu courageux » (*Discours*, I, 43).

sentée pour lui, il sut en profiter plus heureusement encore. En effet, les Orsini, ayant reconnu un peu tard que l'agrandissement du duc et de l'Église serait la cause de leur ruine, tinrent une sorte de diète dans un endroit des États de Pérouse, appelé *la Magione ;* et de cette assemblée s'ensuivirent la révolte d'Urbin, les troubles de la Romagne, et une infinité de dangers que le duc surmonta avec l'aide des Français. Ayant par là rétabli sa réputation, et ne se fiant plus ni à la France ni à aucune autre force étrangère, il eut recours à la ruse, et il sut si bien dissimuler ses sentiments, que les Orsini se réconcilièrent avec lui par l'entremise du seigneur Pagolo, dont il s'était assuré par toutes les marques d'amitié possibles, en lui donnant des habits, de l'argent, des chevaux. Après cette réconciliation, ils eurent la simplicité d'aller se mettre entre ses mains à Sinigaglia[1].

Ces chefs une fois détruits, et leurs partisans gagnés par le duc, il avait d'autant mieux fondé sa puissance, que, d'ailleurs, maître de la Romagne et du duché d'Urbin, il s'était attaché les habitants en leur faisant goûter un commencement de bien-être. Sur quoi sa conduite pouvant encore servir d'exemple, il n'est pas inutile de la faire connaître.

La Romagne, acquise par le duc, avait eu précédemment pour seigneurs des hommes faibles, qui avaient plutôt dépouillé que gouverné, plutôt divisé que réuni leurs sujets ; de sorte que tout ce pays était en proie aux vols, aux brigandages, aux violences de tous les genres. Le duc jugea que, pour y rétablir la paix et l'obéissance envers le prince, il était nécessaire d'y former un bon gouvernement : c'est pourquoi il y commit messer Ramiro d'Orco, homme cruel et expéditif, auquel il donna les plus amples pouvoirs. Bientôt, en effet, ce gouvernement fit naître l'ordre et la tranquillité ; et il acquit par là une très grande réputation. Mais ensuite le duc, pensant qu'une telle autorité n'était plus nécessaire, et que même elle pourrait devenir odieuse, établit au centre de la province un tribunal civil, auquel il donna un très bon président, et où chaque commune avait son avocat. Il fit bien davantage : sachant que la rigueur d'abord exercée avait excité quelque haine, et désirant éteindre ce sentiment dans les cœurs, pour qu'ils lui fussent entièrement dévoués, il voulut faire voir que si quelques cruautés avaient été commises, elles étaient venues, non de lui,

1. Le guet-apens de Sinigaglia, que Machiavel tenait pour un chef-d'œuvre de rouerie politique, fait l'objet d'un compte rendu circonstancié, qu'on trouvera dans l'édition de la Pléiade.

mais de la méchanceté de son ministre. Dans cette vue, saisissant l'occasion, il le fit exposer un matin sur la place publique de Césène, coupé en quartiers, avec un billot et un coutelas sanglant à côté. Cet horrible spectacle satisfit le ressentiment des habitants, et les frappa en même temps de terreur. Mais revenons.

Après s'être donné des forces telles qu'il les voulait, et avoir détruit en grande partie celles de son voisinage qui pouvaient lui nuire, le duc, se trouvant très puissant, se croyait presque entièrement assuré contre les dangers actuels ; et voulant poursuivre ses conquêtes, il était encore retenu par la considération de la France : car il savait que le roi, qui enfin s'était aperçu de son erreur, ne lui permettrait point de telles entreprises. En conséquence, il commença à rechercher des amitiés nouvelles et à tergiverser avec les Français, lorsqu'ils marchaient vers le royaume de Naples contre les Espagnols, qui faisaient le siège de Gaëte ; il projetait même de les mettre hors d'état de le contrarier ; et il en serait venu bientôt à bout, si Alexandre avait vécu plus longtemps.

Telles furent ses mesures par rapport à l'état présent des choses. Pour l'avenir, il avait d'abord à craindre qu'un nouveau pape ne fût mal disposé à son égard, et ne cherchât à lui enlever ce qu'Alexandre, son père, lui avait donné. C'est à quoi aussi il voulut pourvoir par les quatre moyens suivants : premièrement, en éteignant complètement les races des seigneurs qu'il avait dépouillés, et ne laissant point ainsi au pape les occasions que l'existence de ces races lui aurait fournies ; secondement, en gagnant les gentilshommes de Rome, afin de tenir par eux le pontife en respect ; troisièmement, en s'attachant, autant qu'il le pouvait, le sacré collège[1] ; quatrièmement, en se rendant, avant la mort du pape qui vivait alors, assez puissant pour se trouver en état de résister par lui-même à un premier choc. Au moment où Alexandre mourut, trois de ces choses étaient consommées, et il regardait la quatrième comme l'étant à peu près. Il avait effectivement fait périr tous ceux des seigneurs dépouillés qu'il avait pu atteindre ; et fort peu d'entre eux lui avaient échappé : il avait gagné les gentilshommes romains ; il s'était fait un très grand parti dans le sacré collège ; et enfin, quant à l'accroissement de sa puissance, il projetait de se rendre maître de la Toscane : ce qui lui semblait facile, puisqu'il l'était

1. Le collège des cardinaux électeurs du pape subissait ainsi les multiples pressions des clans, désireux de faire élire le pontife de leur choix.

déjà de Pérouse et de Piombino, et qu'il avait pris sous sa protection la ville de Pise, sur laquelle il allait se jeter, sans être retenu par la considération de la France, qui ne lui imposait plus ; car déjà les Français avaient été dépouillés du royaume de Naples par les Espagnols ; en sorte que tous les partis se trouvaient dans la nécessité de rechercher l'amitié du duc. Après cela, Lucques et Sienne devaient aussitôt se soumettre, soit par crainte, soit par envie contre les Florentins ; et ceux-ci demeuraient alors sans ressources. S'il avait mis tout ce plan à exécution (et il en serait venu à bout dans le courant de l'année où le pape mourut), il se serait trouvé assez de forces et assez de réputation pour se soutenir par lui-même et ne plus dépendre que de sa propre puissance et de sa propre valeur. Mais la mort d'Alexandre survint lorsqu'il n'y avait encore que cinq ans que le duc avait tiré l'épée ; et, en ce moment, ce dernier se trouva n'avoir que le seul État de la Romagne bien établi : dans tous les autres, son pouvoir était encore chancelant, il était placé entre deux armées ennemies, et attaqué d'une maladie mortelle.

Cependant, il était doué d'une telle résolution et d'un si grand courage, il savait si bien l'art de gagner les hommes et de les détruire, et les bases qu'il avait données à sa puissance étaient si solides, que s'il n'avait pas eu deux armées sur le dos, ou s'il n'avait pas été malade, il eût surmonté toutes les difficultés. Et ce qui prouve bien la solidité des bases qu'il avait posées, c'est que la Romagne attendit plus d'un mois pour se décider contre lui, c'est que, bien qu'à demi mort, il demeura en sûreté dans Rome, et que les Baglioni, les Vitelli, les Orsini, accourus dans cette ville, ne purent s'y faire un parti contre lui ; c'est qu'il put, sinon faire nommer pape qui il voulait, du moins empêcher qu'on ne nommât qui il ne voulait pas. Si sa santé n'eût point éprouvé d'atteinte au moment de la mort d'Alexandre, tout lui aurait été facile. Aussi, me disait-il, lors de la nomination de Jules II, qu'il avait pensé à tout ce qui pouvait arriver si son père venait à mourir, et qu'il avait trouvé remède à tout ; mais que seulement il n'avait jamais imaginé qu'en ce moment il se trouverait lui-même en danger de mort.

En résumant donc toute la conduite du duc, non seulement je n'y trouve rien à critiquer, mais il me semble qu'on peut la proposer pour modèle à tous ceux qui sont parvenus au pouvoir souverain par la faveur de la fortune et par les armes d'autrui. Doué d'un grand courage et d'une haute ambition, il ne pouvait se conduire autrement ; et l'exécution de ses desseins ne put être arrêtée que par la brièveté de la vie de son père Alexandre, et par sa propre maladie. Quiconque, dans une principauté nouvelle, jugera qu'il lui est nécessaire de s'assurer contre ses ennemis, de se faire des amis, de vaincre par force ou par ruse, de se faire aimer et craindre des peuples, suivre et respecter par les soldats, de détruire ceux qui peuvent et doivent lui nuire, de remplacer les anciennes institutions par de nouvelles, d'être à la fois sévère et gracieux, magnanime et libéral, de former une milice nouvelle et dissoudre l'ancienne, de ménager l'amitié des rois et des princes, de telle manière que tous doivent aimer à l'obliger et craindre de lui faire injure : celui-là, dis-je, ne peut trouver des exemples plus récents que ceux que présente la vie politique du duc de Valentinois.

La seule chose qu'on ait à reprendre dans sa conduite, c'est la nomination de Jules II, qui fut un choix funeste pour lui. Puisqu'il ne pouvait pas, comme je l'ai dit, faire élire pape qui il voulait, mais empêcher qu'on n'élût qui il ne voulait pas, il ne devait jamais consentir qu'on élevât à la papauté quelqu'un des cardinaux qu'il avait offensés, et qui, devenu souverain pontife, aurait eu sujet de le craindre[1] ; car le ressentiment et la crainte sont surtout ce qui rend les hommes ennemis.

Ceux que le duc avait offensés étaient, entre autres, les cardinaux de Saint-Pierre-ès-liens[2], Colonna, Saint-Georges et Ascanio Sforza, et tous les autres avaient lieu de le craindre, excepté le cardinal d'Amboise, et les Espagnols : ceux-ci, à cause de certaines relations et obligations réciproques, et d'Amboise, parce qu'il avait pour lui la France, ce qui lui donnait un grand pouvoir. Le duc devait donc de préférence faire nommer un Espagnol ; et s'il ne le pouvait pas, consentir plutôt à l'élection de d'Amboise qu'à celle du cardinal de Saint-Pierre-ès-liens. C'est une erreur d'imaginer que, chez les grands personnages, les services récents fassent oublier les anciennes injures. Le duc, en consentant à cette élection de Jules II, fit donc une faute qui fut la cause de sa ruine totale.

1. Erreur de Borgia : s'être fié à la parole du *papabile* et lui avoir donné les voix de ses cardinaux, en l'échange de promesses que Julien de la Rovere (Saint-Pierre-ès-Liens) ne tint jamais.

2. Julien de la Rovere : ce cardinal, élu pape sous le nom de Jules II, est ici désigné sous le nom de l'Église de Rome dont il était prêtre.

CHAPITRE VIII

De ceux qui sont devenus princes par des scélératesses.

On peut encore devenir prince de deux manières qui ne tiennent entièrement ni à la fortune ni à la valeur, et que par conséquent il ne faut point passer sous silence ; il en est même une dont on pourrait parler plus longuement, s'il s'agissait ici de républiques.

Ces deux manières sont, ou de s'élever au pouvoir souverain par la scélératesse et les forfaits, ou d'y être porté par la faveur de ses concitoyens.

Pour faire connaître la première, qu'il n'est pas question d'examiner ici sous les rapports de la justice et de la morale, je me bornerai à citer deux exemples, l'un ancien, l'autre moderne, car il me semble qu'ils peuvent suffire pour quiconque se trouverait dans la nécessité de les imiter.

Agathocle, sicilien, parvint non seulement du rang de simple particulier, mais de l'état le plus abject, à être roi de Syracuse. Fils d'un potier, il se montra scélérat dans tous les degrés que parcourut sa fortune ; mais il joignit à sa scélératesse tant de force d'âme et de corps, que, s'étant engagé dans la carrière militaire, il s'éleva de grade en grade jusqu'à la dignité de préteur de Syracuse. Parvenu à cette élévation, il voulut être prince, et même posséder par violence, et sans en avoir obligation à personne, le pouvoir souverain qu'on avait consenti à lui accorder[1]. Pour atteindre ce but, s'étant concerté avec Amilcar, général carthaginois qui commandait une armée en Sicile, il convoqua un matin le peuple et le sénat de Syracuse, comme pour délibérer sur des affaires qui concernaient la république ; et, à un signal donné, il fit massacrer par ses soldats tous les sénateurs et les citoyens les plus riches, après quoi il s'empara de la principauté, qu'il conserva sans aucune contestation. Dans la suite, battu deux fois par les Carthaginois, et enfin assiégé par eux dans Syracuse, non seulement il put la défendre, mais encore, laissant une partie de ses troupes pour soutenir le siège, il alla avec l'autre porter la guerre en Afrique ; de sorte qu'en peu de temps il sut forcer les Carthaginois à lever le siège, et les réduire aux dernières extrémités : aussi furent-ils contraints à faire la paix avec lui, à lui

1. Figure typique du militaire de carrière qui, pour trouver, en temps de paix, un débouché à ses velléités guerrières, s'en prend au pouvoir d'État. (Voir *L'Art de la guerre*, livres Ier, 2 et 3 : « Comment une république ne doit permettre à ses citoyens de faire métier des armes ».)

abandonner la possession de la Sicile, et à se contenter pour eux de celle de l'Afrique.

Quiconque réfléchira sur la marche et les actions d'Agathocle n'y trouvera presque rien, si même il y trouve quelque chose, qu'on puisse attribuer à la fortune[1]. En effet, comme je viens de le dire, il s'éleva au pouvoir suprême, non par la faveur, mais en passant par tous les grades militaires, qu'il gagna successivement à force de travaux et de dangers ; et quand il eut atteint ce pouvoir, il sut s'y maintenir par les résolutions les plus hardies et les plus périlleuses.

Véritablement, on ne peut pas dire qu'il y ait de la valeur à massacrer ses concitoyens, à trahir ses amis, à être sans foi, sans pitié, sans religion : on peut, par de tels moyens, acquérir du pouvoir, mais non de la gloire. Mais si l'on considère avec quel courage Agathocle sut se précipiter dans les dangers et en sortir, avec quelle force d'âme il sut et souffrir et surmonter l'adversité, on ne voit pas pourquoi il devrait être placé au-dessous des meilleurs capitaines. On doit reconnaître seulement que sa cruauté, son inhumanité et ses nombreuses scélératesses, ne permettent pas de le compter au nombre des grands hommes. Bornons-nous donc à conclure qu'on ne saurait attribuer à la fortune ni à la vertu l'élévation qu'il obtint sans l'une et sans l'autre.

De notre temps, et pendant le règne d'Alexandre VI, Oliverotto da Fermo[2], demeuré plusieurs années auparavant orphelin en bas âge, fut élevé par un oncle maternel nommé Jean Fogliani, et appliqué, dès sa première jeunesse, au métier des armes, sous la discipline de Paolo Vitelli, afin que, formé à une aussi bonne école, il pût parvenir à un haut rang militaire. Après la mort de Paolo, il continua de servir sous Vitelozzo, frère de son premier maître. Bientôt, par son talent, sa force corporelle et son courage intrépide, il devint un des officiers les plus distingués de l'armée. Mais, comme il lui semblait qu'il y avait de la servilité à être sous les ordres et à la solde d'autrui, il forma le projet de se rendre maître de Fermo, tant avec l'aide de quelques citoyens qui préféraient l'esclavage à la liberté de leur patrie, qu'avec l'appui de Vitelozzo. Dans ce dessein, il écrivit à Jean Fogliani, qu'éloigné depuis bien des années de lui et de sa patrie, il voulait aller les revoir, et en même temps reconnaître un peu son patrimoine, que d'ailleurs tous ses travaux n'ayant pour objet que l'honneur, et désirant que ses conci-

1. Contrairement à César Borgia, qui tenait de son père la possession initiale de ses États.

2. Un rapport de 1503 raconte dans le détail le forfait décrit ci-après (Machiavel, *Toutes les lettres*, Gallimard, p. 302-306).

toyens pussent voir qu'il n'avait pas employé le temps inutilement, il se proposait d'aller se montrer à eux avec une certaine pompe, et accompagné de cent hommes de ses amis et de ses domestiques, à cheval ; qu'en conséquence il le priait de vouloir bien faire en sorte que les habitants de Fermo lui fissent une réception honorable, d'autant que cela tournerait non seulement à sa propre gloire, mais encore à celle de lui, son oncle, dont il était l'élève. Jean Fogliani ne manqua point de faire tout ce qu'il put pour obliger son neveu. Il le fit recevoir honorablement par les habitants, il le logea dans sa maison, où, après quelques jours employés à faire les préparatifs nécessaires pour l'accomplissement des forfaits, Oliverotto donna un magnifique festin, auquel il invita et Jean Fogliani et les citoyens les plus distingués de Fermo. Après tous les services et les divertissements qui ont lieu dans de pareilles fêtes, il mit adroitement la conversation sur des sujets graves, parlant de la grandeur du pape Alexandre, de César, de son fils, ainsi que de leurs entreprises. Jean Fogliani et les autres ayant manifesté leur opinion sur ce sujet, il se leva tout à coup, en disant que c'était là des objets à traiter dans un lieu plus retiré ; et il passa dans une autre chambre, où les convives le suivirent. Mais à peine furent-ils assis, que des soldats, sortant de divers lieux secrets, les tuèrent tous, ainsi que Jean Fogliani. Aussitôt après ce meurtre, Oliverotto monta à cheval, parcourut le pays, et alla assiéger le magistrat suprême dans son palais ; en sorte que la peur contraignit tout le monde à lui obéir et à former un gouvernement dont il se fit le prince. Du reste, tous ceux qui, par mécontentement, auraient pu lui nuire ayant été mis à mort, il consolida tellement son pouvoir par de nouvelles institutions civiles et militaires, que, dans le cours de l'année durant laquelle il le conserva, non seulement il vécut en sûreté chez lui, mais encore il se rendit formidable à ses voisins ; et il n'eût pas été moins difficile à vaincre qu'Agathocle, s'il ne se fût pas laissé tromper par César Borgia, et attirer à Sinigaglia, où, un an après le parricide qu'il avait commis, il fut pris avec les Orsini et les Vitelli, comme je l'ai dit ci-dessus, et étranglé ainsi que Vitelozzo, son maître de guerre et de scélératesse.

Quelqu'un pourra demander pourquoi Agathocle, ou quelque autre tyran semblable, put, malgré une infinité de trahisons et de cruautés, vivre longtemps en sûreté dans sa patrie, se défendre contre ses ennemis extérieurs, et n'avoir à combattre aucune conjuration formée par ses concitoyens ; tandis que plusieurs autres, pour avoir été cruels, n'ont pu se maintenir ni en temps de guerre ni en temps de paix. Je crois que la raison de cela est dans l'emploi bon ou mauvais des cruautés. Les cruautés sont bien employées (si toutefois le mot bien peut être jamais appliqué à ce qui est mal), lorsqu'on les commet toutes à la fois, par le besoin de pourvoir à sa sûreté, lorsqu'on n'y persiste pas, et qu'on les fait tourner, autant qu'il est possible, à l'avantage des sujets. Elles sont mal employées, au contraire, lorsque peu nombreuses dans le principe, elles se multiplient avec le temps au lieu de cesser.

Ceux qui en usent bien peuvent, comme Agathocle, avec l'aide de Dieu et des hommes, remédier aux conséquences ; mais, pour ceux qui en usent mal, il leur est impossible de se maintenir.

Sur cela, il est à observer que celui qui usurpe un État doit déterminer et exécuter tout d'un coup toutes les cruautés qu'il doit commettre, pour qu'il n'ait pas à y revenir tous les jours, et qu'il puisse, en évitant de les renouveler, rassurer les esprits et les gagner par des bienfaits. Celui qui, par timidité ou par de mauvais conseils, se conduit autrement, se trouve dans l'obligation d'avoir toujours le glaive en main, et il ne peut jamais compter sur ses sujets, tenus sans cesse dans l'inquiétude par des injures continuelles et récentes. Les cruautés doivent être commises toutes à la fois, pour que leur amertume se faisant moins sentir, elles irritent moins ; les bienfaits, au contraire, doivent se succéder lentement, pour qu'ils soient savourés davantage.

Sur toutes choses, le prince doit se conduire envers ses sujets de telle manière qu'on ne le voie point varier selon les circonstances bonnes ou mauvaises. S'il attend d'être contraint par la nécessité à faire le mal ou le bien, il arrivera, ou qu'il ne sera plus à temps de faire le mal, ou que le bien qu'il fera ne lui profitera point ; car on le croira fait par force, et on ne lui en saura aucun gré.

CHAPITRE IX

De la principauté civile.

Parlons maintenant du particulier devenu prince de sa patrie, non par la scélératesse ou par quelque violence atroce, mais par la faveur de ses concitoyens : c'est ce qu'on peut appeler principauté civile, à laquelle on parvient, non par la seule habileté, non par la seule vertu, mais plutôt par une adresse heureuse.

À cet égard, je dis qu'on est élevé à cette sorte de principauté, ou par la faveur du peuple, ou par celle des grands. Dans tous les pays, en effet, on trouve deux dispositions d'esprit opposées[1] : d'une part, le peuple ne veut être ni commandé ni opprimé par les grands ; de l'autre, les grands désirent de commander et opprimer le peuple ; et ces dispositions contraires produisent un de ces trois effets : ou la principauté, ou la liberté, ou la licence.

La principauté peut être également l'ouvrage soit des grands, soit du peuple, selon ce que fait l'occasion. Quand les grands voient qu'ils ne peuvent résister au peuple, ils recourent au crédit, à l'ascendant de l'un d'entre eux, et ils le font prince, pour pouvoir, à l'ombre de son autorité, satisfaire leurs désirs ambitieux, et pareillement, quand le peuple ne peut résister aux grands, il porte toute sa confiance vers un particulier, et il le fait prince, pour être défendu par sa puissance.

Le prince élevé par les grands a plus de peine à se maintenir que celui qui a dû son élévation au peuple. Le premier, effectivement, se trouve entouré d'hommes qui se croient ses égaux, et qu'en conséquence il ne peut ni commander ni manier à son gré ; le second, au contraire, se trouve seul à son rang, et il n'a personne autour de lui, ou presque personne, qui ne soit disposé à lui obéir. De plus, il n'est guère possible de satisfaire les grands sans quelque injustice, sans quelque injure pour les autres ; mais il n'en est pas de même du peuple, dont le but est plus équitable que celui des grands. Ceux-ci veulent opprimer, et le peuple veut seulement n'être point opprimé. Il est vrai que si le peuple devient ennemi, le prince ne peut s'en assurer, parce qu'il s'agit d'une trop grande multitude ; tandis qu'au contraire la chose lui est très aisée à l'égard des grands, qui sont toujours en petit nombre. Mais, au pis aller, tout ce qu'il peut appréhender de la part du peuple, c'est d'en être abandonné, au lieu qu'il doit craindre encore que les grands n'agissent contre lui[2] ; car, ayant plus de prévoyance et d'adresse, ils savent toujours se ménager de loin des moyens de salut, et ils cherchent à se mettre en faveur auprès du parti auquel

1. Deux dispositions d'esprits opposées : Machiavel écrit « deux humeurs » (*duoi umori*, en italien).

2. Des grands, le prince doit redouter qu'ils ne conspirent. Dans les *Discours*, III, 6, Machiavel consacre un long chapitre aux conspirations : « Elles ont toutes pour auteurs les grands de l'État, ou des familiers du prince. » (Voir aussi *Discours*, I, V.)

ils comptent que demeurera la victoire. Observons, au surplus, que le peuple avec lequel le prince doit vivre est toujours le même, et qu'il ne peut le changer ; mais que, quant aux grands, le changement est facile ; qu'il peut chaque jour en faire, en défaire ; qu'il peut, à son gré, ou accroître ou faire tomber leur crédit : sur quoi il peut être utile de donner ici quelques éclaircissements.

Je dis donc que, par rapport aux grands, il y a une première et principale distinction à faire entre ceux dont la conduite fait voir qu'ils attachent entièrement leur fortune à celle du prince, et ceux qui agissent différemment.

Les premiers doivent être honorés et chéris, pourvu qu'ils ne soient point enclins à la rapine ; quant aux autres, il faut distinguer encore. S'il en est qui agissent ainsi par faiblesse et manque naturel de courage, on peut les employer, surtout si, d'ailleurs, ils sont hommes de bon conseil, parce que le prince s'en fait honneur dans les temps prospères, et n'a rien à craindre dans l'adversité. Mais pour ceux qui savent bien ce qu'ils font, et qui sont déterminés par des vues ambitieuses, il est visible qu'ils pensent à eux plutôt qu'au prince. Il doit donc s'en défier et les regarder comme s'ils étaient ennemis déclarés ; car, en cas d'adversité, ils aident infailliblement à sa ruine.

Pour conclure, voici la conséquence de tout ce qui vient d'être dit. Celui qui devient prince par la faveur du peuple doit travailler à conserver son amitié, ce qui est facile, puisque le peuple ne demande rien de plus que de n'être point opprimé. Quant à celui qui le devient par la faveur des grands, contre la volonté du peuple, il doit, avant toutes choses, chercher à se l'attacher, et cela est facile encore, puisqu'il lui suffit de le prendre sous sa protection. Alors même le peuple lui deviendra plus soumis et plus dévoué que si la principauté avait été obtenue par sa faveur ; car, lorsque les hommes reçoivent quelque bien de la part de celui dont ils n'attendaient que du mal, ils en sont beaucoup plus reconnaissants. Du reste, le prince a plusieurs moyens de gagner l'affection du peuple ; mais, comme ces moyens varient suivant les circonstances, je ne m'y arrêterai point ici : je répéterai seulement qu'il est d'une absolue nécessité qu'un prince possède l'amitié de son peuple, et que, s'il ne l'a pas, toute ressource lui manque dans l'adversité.

Nabis, prince de Sparte, étant assiégé par toute la Grèce et par une armée romaine qui avait déjà remporté plusieurs victoires, pour résister et défendre sa patrie et son pouvoir contre de telles forces, n'eut à s'assurer, dans un si grand danger, que d'un bien petit nombre de personnes ; ce qui, sans doute, eût été loin de lui suffire, s'il avait eu contre lui l'inimitié du peuple.

Qu'on ne m'objecte point le commun proverbe : *Qui se fonde sur le peuple se fonde sur la boue.* Cela est vrai pour un particulier qui compterait sur une telle base, et qui se persuaderait que, s'il était opprimé par ses ennemis ou par ses magistrats, le peuple embrasserait sa défense ; son espoir serait souvent déçu, comme le fut celui des Gracques à Rome[1], et de messer Giorgio Scali[2] à Florence. Mais, s'il s'agit d'un prince qui ait le droit de commander, qui soit homme de cœur, qui ne se décourage point dans l'adversité ; qui, d'ailleurs, n'ait point manqué de prendre les autres mesures convenables, et qui sache, par sa fermeté, dominer ses sujets, celui-là ne se trouvera point déçu, et il verra qu'en comptant sur le peuple, il s'était fondé sur une base très solide.

Les princes dont il est question ne sont véritablement en danger que lorsque, d'un pouvoir civil, ils veulent faire un pouvoir absolu, soit qu'ils l'exercent par eux-mêmes, soit qu'ils l'exercent par l'organe des magistrats. Mais, dans ce dernier cas, ils se trouvent plus faibles et en plus grand péril, parce qu'ils dépendent de la volonté des citoyens à qui les magistratures sont confiées, et qui, surtout dans les temps d'adversité, peuvent très aisément détruire l'autorité du prince, soit en agissant contre lui, soit seulement en ne lui obéissant point. En vain, ce prince voudrait-il alors reprendre pour lui seul l'exercice de son pouvoir, il ne serait plus temps, parce que les citoyens et les sujets, accoutumés à recevoir les ordres de la bouche des magistrats, ne seraient pas disposés, dans des moments critiques, à obéir à ceux qu'il donnerait lui-même. Aussi, dans ces temps incertains, aura-t-il toujours beaucoup de peine à trouver des amis auxquels il puisse se confier.

Un tel prince, en effet, ne doit point se régler sur ce qui se passe dans les temps où règne la tranquillité, et lorsque les citoyens ont besoin de son autorité : alors tout le monde s'empresse, tout le monde se précipite et jure de mourir pour lui, tant que la mort ne se fait voir que

1. Dans les années 130-120 avant J.-C., les frères Gracchus tentèrent de faire passer à Rome une réforme agraire favorable à la plèbe. Abandonnés du peuple, ils furent massacrés.

2. L'un des chefs de la première révolte du prolétariat florentin des cardeurs de laine (Tumulte des *ciompi*, 1378). Il fut finalement pris et exécuté.

dans l'éloignement ; mais dans le moment de l'adversité, et lorsqu'il a besoin de tous les citoyens, il n'en trouve que bien peu qui soient disposés à le défendre : c'est ce que lui montrerait l'expérience ; mais cette expérience est d'autant plus dangereuse à tenter qu'elle ne peut être faite qu'une fois. Le prince doit donc, s'il est doué de quelque sagesse, imaginer et établir un système de gouvernement tel, qu'en quelque temps que ce soit, et malgré toutes les circonstances, les citoyens aient besoin de lui : alors il sera toujours certain de les trouver fidèles.

CHAPITRE X

Comment, dans toute espèce de principauté, on doit mesurer ses forces.

En parlant des diverses sortes de principautés, il y a encore une autre chose à considérer : c'est de savoir si le prince a un État assez puissant pour pouvoir au besoin se défendre par lui-même, ou s'il se trouve toujours dans la nécessité d'être défendu par un autre.

Pour rendre ma pensée plus claire, je regarde comme étant capables de se défendre par eux-mêmes les princes qui ont assez d'hommes et assez d'argent à leur disposition pour former une armée complète et livrer bataille à quiconque viendrait les attaquer ; et au contraire, je regarde comme ayant toujours besoin du secours d'autrui ceux qui n'ont point les moyens de se mettre en campagne contre l'ennemi, et qui sont obligés de se réfugier dans l'enceinte de leurs murailles et de s'y défendre.

J'ai déjà parlé des premiers, et dans la suite je dirai encore quelques mots de ce qui doit leur arriver.

Quant aux autres, tout ce que je puis avoir à leur dire, c'est de les exhorter à bien munir, à bien fortifier la ville où est établi le siège de leur puissance, et à ne faire aucun compte du reste du pays[1]. Toutes les fois que le prince aura pourvu d'une manière vigoureuse à la défense de sa capitale, et aura su gagner, par les autres actes de son gouvernement, l'affection de ses sujets, ainsi que je l'ai dit et que je le dirai encore, on ne l'attaquera qu'avec une grande circonspection ; car les hommes, en général, n'aiment point les entreprises qui présentent de

1. Tous ces conseils sont repris et approfondis au livre VII de *L'Art de la guerre* (chap. I à XIII).

grandes difficultés ; et il y en a sans doute beaucoup à attaquer un prince dont la ville est dans un état de défense respectable, et qui n'est point haï de ses sujets.

Les villes d'Allemagne jouissent d'une liberté très étendue, quoiqu'elles ne possèdent qu'un territoire très borné ; cependant elles n'obéissent à l'empereur qu'autant qu'il leur plaît, et ne craignent ni sa puissance ni celle d'aucun des autres États qui les entourent : c'est qu'elles sont fortifiées de manière que le siège qu'il faudrait en entreprendre serait une opération difficile et dangereuse ; c'est qu'elles sont toutes entourées de fossés et de bonnes murailles, et qu'elles ont une artillerie suffisante ; c'est qu'elles renferment toujours, dans les magasins publics, des provisions d'aliments, de boissons, de combustibles, pour une année ; elles ont même encore, pour faire subsister les gens du menu peuple, sans perte pour le public, des matières en assez grande quantité pour leur fournir du travail pendant toute une année dans le genre d'industrie et de métier dont ils s'occupent ordinairement, et qui fait la richesse et la vie du pays ; de plus, elles maintiennent les exercices militaires en honneur, et elles ont sur cet article un grand nombre de règlements.

Ainsi donc, un prince dont la ville est bien fortifiée, et qui ne se fait point haïr de ses sujets, ne doit pas craindre d'être attaqué ; et s'il l'était jamais, l'assaillant s'en retournerait avec honte : car les choses de ce monde sont variables ; et il n'est guère possible qu'un ennemi demeure campé toute une année avec ses troupes autour d'une place.

Si l'on m'objectait que les habitants qui ont leurs propriétés au-dehors ne les verraient point livrer aux flammes d'un œil tranquille ; que l'ennui du siège et leur intérêt personnel ne les laisseraient pas beaucoup songer au prince, je répondrais qu'un prince puissant et courageux saura toujours surmonter ces difficultés, soit en faisant espérer à ces sujets que le mal ne sera pas de longue durée, soit en leur faisant craindre la cruauté de l'ennemi, soit en s'assurant avec prudence de ceux qu'il jugerait trop hardis.

D'ailleurs, si l'ennemi brûle et ravage le pays, ce doit être naturellement au moment de son arrivée, c'est-à-dire dans le temps où les esprits sont encore tout échauffés et disposés à la défense : le prince doit donc s'alarmer d'autant moins dans cette circonstance, que, lorsque ces mêmes esprits auront commencé à se refroidir, il se trouvera que le dommage a déjà été fait et souffert, qu'il n'y a plus de remède, et que les habitants n'en deviendront que plus attachés à leur prince, par la pensée qu'il leur est redevable de ce que leurs maisons ont été incendiées et leurs campagnes ravagées pour sa défense. Telle est, en effet, la nature des hommes, qu'ils s'attachent autant par les services qu'ils rendent, que par ceux qu'ils reçoivent. Aussi, tout bien considéré, on voit qu'il ne doit pas être difficile à un prince prudent, assiégé dans sa ville, d'inspirer de la fermeté aux habitants, et de les maintenir dans cette disposition tant que les moyens de se nourrir et de se défendre ne leur manqueront pas.

CHAPITRE XI

Des principautés ecclésiastiques.

Il reste maintenant à parler des principautés ecclésiastiques, par rapport auxquelles il n'y a de difficultés qu'à s'en mettre en possession. En effet, on les acquiert, ou par la faveur de la fortune, ou par l'ascendant de la vertu ; mais ensuite on n'a besoin, pour les conserver, ni de l'une ni de l'autre : car les princes sont soutenus par les anciennes institutions religieuses, dont la puissance est si grande, et la nature telle, qu'elles les maintiennent en pouvoir, de quelque manière qu'ils gouvernent et qu'ils se conduisent.

Ces princes seuls ont des États, et ils ne les défendent point ; ils ont des sujets, et ils ne les gouvernent point. Cependant leurs États, quoique non défendus, ne leur sont pas enlevés, et leurs sujets, quoique non gouvernés, ne s'en mettent point en peine, et ne désirent ni ne peuvent se détacher d'eux. Ces principautés sont donc exemptes de péril et heureuses[1]. Mais, comme cela tient à des causes supérieures, auxquelles l'esprit humain ne peut s'élever, je n'en parlerai point. C'est Dieu qui les élève et les maintient ; et l'homme qui entreprendrait d'en discourir serait coupable de présomption et de témérité.

Cependant, si quelqu'un demande d'où vient que l'Église s'est élevée à tant de grandeur temporelle, et que, tandis qu'avant Alexandre VI, et jusqu'à lui, tous

1. Cette vision idyllique des principautés ecclésiastiques n'est pas conforme à la réalité historique et Machiavel le sait ; il ne se prive d'ailleurs pas de le dire dans d'autres chapitres. C'est donc de sa part un procédé ironique, qui disqualifie la référence aux « causes supérieures » (divines) de la phrase suivante.

ceux qui avaient quelque puissance en Italie, et non seulement les princes, mais les moindres barons, les moindres seigneurs, redoutaient si peu son pouvoir, quant au temporel, elle en est maintenant venue à faire trembler le roi de France, à le chasser d'Italie, et à ruiner les Vénitiens[1] ; bien que tout le monde en soit instruit, il ne me paraît pas inutile d'en rappeler ici jusqu'à un certain point le souvenir.

Avant que le roi de France Charles VIII vînt en Italie, cette contrée se trouvait soumise à la domination du pape, des Vénitiens, du roi de Naples, du duc de Milan, et des Florentins. Chacune de ces puissances avait à s'occuper de deux soins principaux : l'un était de mettre obstacle à ce que quelque étranger portât ses armes dans l'Italie ; l'autre d'empêcher qu'aucune d'entre elles agrandît ses États[2]. Quant à ce second point, c'était surtout au pape et aux Vénitiens qu'on devait faire attention. Pour contenir ces derniers, il fallait que toutes les autres puissances demeurassent unies, comme il arriva lors de la défense de Ferrare ; et, pour ce qui regarde le pape, on se servait des barons de Rome, qui, divisés en deux factions, savoir, celle des Orsini et celle des Colonna, excitaient continuellement des tumultes, avaient toujours les armes en main, sous les yeux mêmes du pontife, et tenaient sans cesse son pouvoir faible et vacillant. Il y eut bien de temps en temps quelques papes résolus et courageux, tels que Sixte IV ; mais ils ne furent jamais ni assez habiles ni assez heureux pour se délivrer du fâcheux embarras qu'ils avaient à souffrir. D'ailleurs, ils trouvaient un nouvel obstacle dans la brièveté de leur règne : car, dans un intervalle de dix ans, qui est le terme moyen de la durée des règnes des papes, il était à peine possible d'abattre entièrement l'une des factions qui divisaient Rome ; et si, par exemple, un pape avait abattu les Colonna, il survenait un autre pape qui les faisait revivre, parce qu'il était ennemi des Orsini ; mais celui-ci, à son tour, n'avait pas le temps nécessaire pour détruire ces derniers. Voilà pourquoi l'Italie respectait si peu les forces temporelles du pape.

Vint enfin Alexandre VI, qui, de tous les souverains pontifes qui aient jamais été, est celui qui a le mieux fait tout ce qu'un pape pouvait entreprendre pour s'agrandir avec les trésors et les armes de l'Église. Profitant de l'invasion des Français, et se servant d'un instrument tel que le duc de Valentinois, il fit tout ce que j'ai

1. Allusion à la Sainte Ligue formée en 1511 par Jules II contre les Français.

2. Description de l'équilibre instable sur lequel reposent la politique et la diplomatie italienne de l'époque.

raconté ci-dessus en parlant des actions de ce dernier[1]. Il n'avait point sans doute en vue l'agrandissement de l'Église, mais bien celui du duc ; cependant ses entreprises tournèrent au profit de l'Église, qui, après sa mort et la ruine du duc, hérita du fruit de leurs travaux.

Bientôt après régna Jules II, qui, trouvant que l'Église était puissante et maîtresse de toute la Romagne ; que les barons avaient été détruits, et leurs factions anéanties par les rigueurs d'Alexandre ; que d'ailleurs des moyens d'accumuler des richesses jusqu'alors inconnus avaient été introduits, non seulement voulut suivre ces traces, mais encore aller plus loin, et se proposa d'acquérir Bologne, d'abattre les Vénitiens, et de chasser les Français de l'Italie ; entreprises dans lesquelles il réussit avec d'autant plus de gloire, qu'il s'y était livré, non pour son intérêt personnel, mais pour celui de l'Église.

Du reste, il sut contenir les partis des Colonna et des Orsini dans les bornes où Alexandre était parvenu à les réduire ; et, bien qu'il restât encore entre eux quelques ferments de discorde, néanmoins, ils durent demeurer tranquilles, d'abord parce que la grandeur de l'Église leur imposait ; et, en second lieu, parce qu'ils n'avaient point de cardinaux parmi eux. C'est aux cardinaux, en effet, qu'il faut attribuer les tumultes ; et les partis ne seront jamais tranquilles tant que les cardinaux y seront engagés : ce sont eux qui fomentent les factions, soit dans Rome, soit au-dehors, et qui forcent les barons à les soutenir ; de sorte que les dissensions et les troubles qui éclatent entre ces derniers sont l'ouvrage de l'ambition des prélats.

Voilà donc comment il est arrivé que le pape Léon X a trouvé la papauté toute-puissante ; et l'on doit espérer que si ses prédécesseurs l'ont agrandie par les armes, il la rendra encore par sa bonté, et par toutes ses autres vertus[2], beaucoup plus grande et plus vénérable.

1. César Borgia. Voir chap. VII, pp. 59-64.

2. *Vertus* : sens classique de qualités morales. Léon X fut pape de 1513 à 1521 ; il était l'oncle de Laurent II de Médicis, à qui est dédié *Le Prince*.

CHAPITRE XII

Combien il y a de sortes de milices et de troupes mercenaires.

J'ai parlé des qualités propres aux diverses sortes de principautés sur lesquelles je m'étais proposé de discourir ; j'ai examiné quelques-unes des causes de leur mal ou de leur bien-être ; j'ai montré les moyens dont plusieurs se sont servis, soit pour les acquérir, soit pour les conserver : il reste maintenant à les considérer sous le rapport de l'attaque et de la défense.

J'ai dit ci-dessus combien il est nécessaire à un prince que son pouvoir soit établi sur de bonnes bases, sans lesquelles il ne peut manquer de s'écrouler. Or, pour tout État, soit ancien, soit nouveau, soit mixte, les principales bases sont de bonnes lois et de bonnes armes. Mais, comme là où il n'y a point de bonnes armes, il ne peut y avoir de bonnes lois, et qu'au contraire il y a de bonnes lois là où il y a de bonnes armes, ce n'est que des armes que j'ai ici dessein de parler[1].

Je dis donc que les armes qu'un prince peut employer pour la défense de son État lui sont propres, ou sont mercenaires, auxiliaires, ou mixtes[2], et que les mercenaires et les auxiliaires sont non seulement inutiles, mais même dangereuses[3].

Le prince dont le pouvoir n'a pour appui que des troupes mercenaires, ne sera jamais ni assuré ni tranquille ; car de telles troupes sont désunies, ambitieuses, sans discipline, infidèles, hardies envers les amis, lâches contre les ennemis ; et elles n'ont ni crainte de Dieu ni probité à l'égard des hommes[4]. Le prince ne tardera d'être ruiné qu'autant qu'on différera de l'attaquer. Pendant la paix, il sera dépouillé par ces mêmes troupes ; pendant la guerre, il le sera par l'ennemi.

La raison en est que de pareils soldats servent sans aucune affection, et ne sont engagés à porter les armes que par une légère solde ; motif sans doute incapable de les déterminer à mourir pour celui qui les emploie. Ils veulent bien être soldats tant qu'on ne fait point la guerre ; mais sitôt qu'elle arrive ils ne savent que s'enfuir et déserter.

C'est ce que je devrais avoir peu de peine à persuader. Il est visible, en effet, que la ruine actuelle de l'Italie vient de ce que, durant un long cours d'années, on s'y est reposé sur des troupes mercenaires, que quelques-uns avaient d'abord employées avec certain succès, et qui avaient paru valeureuses tant qu'elles n'avaient eu affaire que les unes avec les autres ; mais qui, aussitôt qu'un étranger survint, se montrèrent telles qu'elles étaient effectivement. De là s'est ensuivi que le roi de France

1. L'intérêt pour la chose militaire fut une constante de la vie de Machiavel (comme recruteur d'une milice florentine) et de son œuvre (en particulier : *L'Art de guerre*, publié en 1521).

2. *Armes propres* : assurées par l'État qui fait la guerre. *Mercenaires* : louées à prix d'argent à un autre État ou à un condottiere. *Auxiliaires* : alliées ou amies. *Mixtes* : qui combinent plusieurs de ces solutions.

3. Machiavel n'a jamais cessé de mener contre les armées mercenaires une lutte aussi bien pratique que théorique (*L'Art de la guerre*, 1, 5, 6, 7).

4. Machiavel a montré ailleurs l'importance décisive du sentiment religieux des troupes au combat (*Discours*, livre Ier, chap. 11 à 15).

Charles VIII a eu la facilité de s'emparer de l'Italie *la craie à la main*[1] ; et celui qui disait que nos péchés en avaient été la cause avait raison[2] ; mais ces péchés étaient ceux que je viens d'exposer, et non ceux qu'il pensait. Ces péchés, au surplus, avaient été commis par les princes ; et ce sont eux aussi qui en ont subi la peine.

Je veux cependant démontrer de plus en plus le malheur attaché à cette sorte d'armes. Les capitaines mercenaires sont ou ne sont pas de bons guerriers : s'ils le sont, on ne peut s'y fier, car ils ne tendent qu'à leur propre grandeur, en opprimant, soit le prince même qui les emploie, soit d'autres contre sa volonté ; s'ils ne le sont pas, celui qu'ils servent est bientôt ruiné.

Si l'on dit que telle sera pareillement la conduite de tout autre chef, mercenaire ou non, je répliquerai que la guerre est faite ou par un prince ou par une république ; que le prince doit aller en personne faire les fonctions de commandant ; et que la république doit y envoyer ses propres citoyens ; que si d'abord celui qu'elle a choisi ne se montre point habile, elle doit le changer ; et que s'il a de l'habileté elle doit le contenir par les lois, de telle manière qu'il n'outrepasse point les bornes de sa commission.

L'expérience a prouvé que les princes et les républiques qui font la guerre par leurs propres forces obtenaient seuls de grands succès, et que les troupes mercenaires ne causaient jamais que du dommage. Elle prouve aussi qu'une république qui emploie ses propres armes court bien moins le risque d'être subjuguée par quelqu'un de ses citoyens, que celle qui se sert d'armes étrangères.

Pendant une longue suite de siècles Rome et Sparte vécurent libres et armées, la Suisse, dont tous les habitants sont soldats, vit parfaitement libre.

Quant aux troupes mercenaires, on peut citer, dans l'Antiquité, l'exemple des Carthaginois, qui, après leur première guerre contre Rome, furent sur le point d'être opprimés par celles qu'ils avaient à leur service, quoique commandées par des citoyens de Carthage.

On peut remarquer encore qu'après la mort d'Épaminondas, les Thébains confièrent le commandement de leurs troupes à Philippe de Macédoine, et que ce prince se servit de la victoire pour leur ravir leur liberté.

Dans les temps modernes, les Milanais, à la mort de leur duc Philippe Visconti, se trouvaient en guerre

1. La craie dont les maréchaux des logis de l'armée française n'ont eu qu'à se servir pour marquer les maisons où camperaient les troupes.

2. Savonarole.

contre les Vénitiens ; ils prirent à leur solde Francesco Sforza : celui-ci, ayant vaincu les ennemis à Carravaggio, s'unit avec eux pour opprimer ces mêmes Milanais qui le tenaient à leur solde.

Le père de ce même Sforza, étant au service de la reine Jeanne de Naples, l'avait laissée tout à coup sans troupes ; de sorte que, pour ne pas perdre son royaume, cette princesse avait été obligée de se jeter dans les bras du roi d'Aragon.

Si les Vénitiens et les Florentins, en employant de telles troupes, accrurent néanmoins leurs États, et si les commandants, au lieu de les subjuguer, les défendirent, je réponds, pour ce qui regarde les Florentins, qu'ils en furent redevables à leur bonne fortune, qui fit que, de tous les généraux habiles qu'ils avaient et qu'ils pouvaient craindre, les uns ne furent point victorieux ; d'autres rencontrèrent des obstacles ; d'autres encore tournèrent ailleurs leur ambition.

L'un des premiers fut Giovanni Acuto[1], dont la fidélité, par cela même qu'il n'avait pas vaincu, ne fut point mise à l'épreuve ; mais on doit avouer que, s'il avait remporté la victoire, les Florentins seraient demeurés à sa discrétion.

Sforza fut contrarié par la rivalité des Braccio ; rivalité qui faisait qu'ils se contenaient les uns les autres.

Enfin, Francesco Sforza et Braccio tournèrent leurs vues ambitieuses, l'un sur la Lombardie, l'autre sur l'Église et sur le royaume de Naples.

Mais voyons ce qui est arrivé il y a peu de temps.

Les Florentins avaient pris pour leur général Paolo Vitelli, homme rempli de capacité, et qui, de l'état de simple particulier, s'était élevé à une très haute réputation. Or, si ce général avait réussi à se rendre maître de Pise, on est forcé d'avouer qu'ils se seraient trouvés sous sa dépendance ; car s'il passait à la solde de leurs ennemis, il ne leur restait plus de ressource ; et s'ils continuaient de le garder à leur service, ils étaient contraints de se soumettre à ses volontés.

Quant aux Vénitiens, si l'on considère attentivement leurs progrès, on verra qu'ils agirent heureusement et glorieusement tant qu'ils firent la guerre par eux-mêmes, c'est-à-dire avant qu'ils eussent tourné leurs entreprises vers la terre ferme[2]. Dans ces premiers temps, c'étaient les gentilshommes et les citoyens armés qui com-

1. Giovanni Acuto : transcription italienne du nom de John Hawkwood, condottiere anglais qui guerroya en Italie après s'être illustré en France aux batailles de Crécy et Poitiers. Il mourut à Florence en 1394, immensément riche.

2. Les Vénitiens, établis sur les rives de l'Adriatique, étaient par nécessité des marins. Le commerce maritime fut à l'origine de leur fabuleuse richesse. (Voir *Histoires florentines*, livre Ier, chap. 29.)

battaient ; mais, aussitôt qu'ils eurent commencé à porter leurs armes sur la terre ferme, ils dégénérèrent de cette ancienne vertu, et ils suivirent les usages de l'Italie. D'abord, et dans le principe de leur agrandissement, leur domaine étant peu étendu, et leur réputation très grande, ils eurent peu à craindre de leurs commandants ; mais, à mesure que leur État s'accrut, ils éprouvèrent bientôt l'effet de l'erreur commune : ce fut sous Carmignuola[1]. Ayant connu sa grande valeur par les victoires remportées sous son commandement sur le duc de Milan, mais voyant, d'un autre côté, qu'il ne faisait plus que très froidement la guerre, ils jugèrent qu'ils ne pourraient plus vaincre, tant qu'il vivrait ; car ils ne voulaient ni ne pouvaient le licencier, de peur de perdre ce qu'ils avaient conquis, et en conséquence ils furent obligés, pour leur sûreté, de le faire périr.

Dans la suite, ils eurent pour commandant Bartolommeo de Bergame[2], Roberto da San Severino, le comte de Pittigliano, et autres capitaines semblables. Mais tous donnèrent bien moins lieu d'appréhender de leurs victoires, que de craindre des défaites semblables à celle de Vailà, qui, dans une seule journée, fit perdre aux Vénitiens le fruit de huit cents ans de travaux ; car, avec les troupes dont il s'agit, les progrès sont lents, tardifs et faibles, les pertes sont subites et prodigieuses.

Mais, puisque j'en suis venu à citer des exemples pris dans l'Italie, où le système des troupes mercenaires a prévalu depuis bien des années, je veux reprendre les choses de plus haut, afin qu'instruit de l'origine et des progrès de ce système, on puisse mieux y porter remède.

Il faut donc savoir que lorsque, dans les derniers temps, l'empire eut commencé à être repoussé de l'Italie, et que le pape eut acquis plus de crédit, quant au temporel, elle se divisa en un grand nombre d'États. Plusieurs grandes villes, en effet, prirent les armes contre leurs nobles, qui, à l'ombre de l'autorité impériale, les tenaient sous l'oppression, et elles se rendirent indépendantes, favorisées en cela par l'Église, qui cherchait à accroître le crédit qu'elle avait gagné. Dans plusieurs autres villes, le pouvoir suprême fut usurpé ou obtenu par quelque citoyen qui s'y établit prince. De là s'ensuivit que la plus grande partie de l'Italie se trouva sous la dépendance, et en quelque sorte sous la domination de l'Église ou de quelque république ; et comme des prêtres, des citoyens

1. Condottiere qui – comme tous ses semblables – ne mettait pas plus d'ardeur au combat que son propre intérêt ne l'exigeait.

2. On peut admirer à Venise une célèbre statue équestre de ce condottiere, œuvre du sculpteur florentin Verrochio. (Voir illustration, p. 19.)

paisibles, ne connaissaient nullement le maniement des armes, on commença à solder des étrangers[1]. Le premier qui mit ce genre de milice en honneur fut Alberigo da Como, natif de la Romagne : c'est sous sa discipline que se formèrent, entre autres, Braccio et Sforza, qui furent, de leur temps, les arbitres de l'Italie, et après lesquels on a eu successivement tous ceux qui, jusqu'à nos jours, ont tenu dans leurs mains le commandement de ses armées, et tout le fruit que cette malheureuse contrée a recueilli de la valeur de tous ces guerriers, a été de se voir prise à la course par Charles VIII, ravagée par Louis XII, subjuguée[2] par Ferdinand, et insultée par les Suisses.

La marche qu'ils ont suivie pour se mettre en réputation a été de décrier l'infanterie. C'est que, d'un côté, un petit nombre de fantassins ne leur aurait point acquis une grande considération, et que, de l'autre, ne possédant point d'état, et ne subsistant que de leur industrie, ils n'avaient pas les moyens d'en entretenir beaucoup. Ils s'étaient donc bornés à avoir de la cavalerie, dont une médiocre quantité suffisait pour qu'ils fussent bien soldés et honorés : par là, les choses en étaient venues au point que, sur une armée de vingt mille hommes, il n'y en avait pas deux mille d'infanterie.

De plus, ils employaient toutes sortes de moyens pour s'épargner à eux-mêmes, ainsi qu'à leurs soldats, toute fatigue et tout danger : ils ne se tuaient point les uns les autres dans les combats, et se bornaient à faire des prisonniers qu'ils renvoyaient sans rançon ; s'ils assiégeaient une place, ils ne faisaient aucune attaque de nuit ; et les assiégés, de leur côté, ne profitaient pas des ténèbres pour faire des sorties : ils ne faisaient autour de leur camp ni fossés ni palissades ; enfin, ils ne tenaient jamais la campagne durant l'hiver. Tout cela était dans l'ordre de leur discipline militaire ; ordre qu'ils avaient imaginé tout exprès pour éviter les périls et les travaux, mais par où aussi ils ont conduit l'Italie à l'esclavage et à l'avilissement.

CHAPITRE XIII

Des troupes auxiliaires, mixtes et propres.

Les armes auxiliaires que nous avons dit être également inutiles, sont celles de quelque État puissant qu'un

1. Sur cette critique de l'Église romaine et du christianisme, voir *Discours*, livre II, 2. **Voir documents, autour de l'œuvre**, p. 174.

2. *Subjuguée* : Machiavel écrit *sforzata*, ce qui veut dire « forcée, violée ». Il fait ainsi allusion à la pratique, couramment répandue à l'époque, du viol des femmes et des enfants lors de la mise à sac des villes vaincues. Les Espagnols de Ferdinand jouissaient sur ce plan d'une triste réputation, acquise notamment au sac de Prato, le 28 août 1512.

autre État appelle à son secours et à sa défense. C'est ainsi que, dans ces derniers temps, le pape Jules II ayant fait, dans son entreprise contre Ferrare, la triste expérience des armes mercenaires, eut recours aux auxiliaires et traita avec Ferdinand, roi d'Espagne, pour que celui-ci l'aidât de ses troupes.

Les armes de ce genre peuvent être bonnes en elles-mêmes ; mais elles sont toujours dommageables à celui qui les appelle ; car si elles sont vaincues, il se trouve lui-même défait, et si elles sont victorieuses, il demeure dans leur dépendance.

On en voit de nombreux exemples dans l'histoire ancienne ; mais arrêtons-nous un moment à celui de Jules II, qui est tout récent.

Ce fut sans doute une résolution bien peu réfléchie que celle qu'il prit de se livrer aux mains d'un étranger pour avoir Ferrare. S'il n'en éprouva point toutes les funestes conséquences, il en fut redevable à son heureuse étoile, qui l'en préserva par un accident qu'elle fit naître : c'est que ses auxiliaires furent vaincus à Ravenne, et qu'ensuite survinrent les Suisses, qui, contre toute attente, chassèrent les vainqueurs de sorte qu'il ne demeure prisonnier ni de ceux-ci, qui étaient ses ennemis, ni de ses auxiliaires, qui enfin ne se trouvèrent victorieux que par les armes d'autrui.

Les Florentins, se trouvant désarmés, prirent à leur solde dix mille Français qu'ils conduisirent à Pise, dont ils voulaient se rendre maîtres ; et par là ils s'exposèrent à plus de dangers qu'ils n'en avaient couru dans le temps de leurs plus grandes adversités.

Pour résister à ses ennemis, l'empereur de Constantinople introduisit dans la Grèce dix mille Turcs, qui, lorsque la guerre fut terminée, ne voulurent plus se retirer : ce fut cette mesure funeste qui commença à courber les Grecs sous le joug des infidèles.

Voulez-vous donc vous mettre dans l'impuissance de vaincre ; employez des troupes auxiliaires, beaucoup plus dangereuses encore que les mercenaires. Avec les premières, en effet, votre ruine est toute préparée : car ces troupes sont toutes unies et toutes formées à obéir à un autre que vous ; au lieu que, quant aux mercenaires, pour qu'elles puissent agir contre vous, et vous nuire après avoir vaincu, il leur faut et plus de temps et une occasion plus favorable : elles ne forment point un seul corps ; c'est vous qui les avez rassemblées, c'est par vous qu'elles sont payées. Quel que soit donc le chef que vous leur ayez donné, il n'est pas possible qu'il prenne à l'instant sur elles une telle autorité qu'il puisse s'en servir contre vous-même. En un mot, ce qu'on doit craindre des troupes mercenaires, c'est leur lâcheté ; avec des troupes auxiliaires, c'est leur valeur. Aussi les princes sages ont-ils toujours répugné à employer ces deux sortes de troupes, et ont-ils préféré leurs propres forces, aimant mieux être battus avec celles-ci que victorieux avec celles d'autrui ; et ne regardant point comme une vraie victoire celle dont ils peuvent être redevables à des forces étrangères.

Ici, je n'hésiterai point à citer encore César Borgia et sa manière d'agir. Ce duc entra dans la Romagne avec des forces auxiliaires composées uniquement de troupes françaises, avec lesquelles il s'empara d'Imola et de Forli ; mais jugeant bientôt que de telles forces n'étaient pas bien sûres, il recourut aux mercenaires, dans lesquels il voyait moins de péril ; et, en conséquence, il prit à sa solde les Orsini et les Vitelli. Trouvant néanmoins, en les employant, que celles-ci étaient incertaines, infidèles et dangereuses, il embrassa le parti de les détruire et de ne plus recourir qu'aux siennes propres.

La différence entre ces divers genres d'armes fut bien démontrée par la différence entre la réputation qu'avait le duc lorsqu'il se servait des Orsini et des Vitelli, et celle dont il jouit quand il ne compta plus que sur lui-même et sur ses propres soldats : celle-ci alla toujours croissant, et jamais il ne fut plus considéré que lorsque tout le monde le vit maître absolu de ses armes.

Je voulais m'en tenir aux exemples récents fournis par l'Italie, mais je ne puis passer sous silence celui d'Hiéron de Syracuse, dont j'ai déjà parlé[1]. Celui-ci, mis par les Syracusains à la tête de leur armée, reconnut bientôt l'inutilité des troupes mercenaires qu'ils soldaient, et dont les chefs ressemblaient en tout aux *condottieri* que nous avons eus en Italie. Convaincu d'ailleurs qu'il ne pouvait sûrement ni conserver les chefs ni les licencier, il prit le parti de les faire tailler en pièces[2] ; après, il fit la guerre avec ses propres armes, et non avec celles d'autrui.

Qu'il me soit permis de rappeler encore ici un trait que l'on trouve dans l'Ancien Testament, et que l'on peut regarder comme une figure sur ce sujet. David

1. Voir la fin du chapitre VI, pp. 57-58.

2. En 1553, la censure française exigera que figure en marge de ce récit la mention : « acte cruel ».

s'étant proposé pour aller combattre le Philistin[1] Goliath, qui défiait les Israélites, Saül, afin de l'encourager, le revêtit de ses propres armes ; mais David, après les avoir essayées, les refusa, en disant qu'elles gêneraient l'usage de ses forces personnelles, et qu'il voulait n'affronter l'ennemi qu'avec sa fronde et son coutelas[2]. En effet, les armes d'autrui, ou sont trop larges pour bien tenir sur votre corps, ou le fatiguent de leur poids, ou le serrent et en gênent les mouvements.

Charles VII, père de Louis XI, ayant par sa fortune et par sa valeur délivré la France des Anglais, reconnut la nécessité d'avoir des forces à soi, et forma dans son royaume des compagnies réglées de gendarmes et de fantassins. Dans la suite, Louis, son fils, supprima l'infanterie et commença de prendre des Suisses à sa solde ; mais cette erreur, qui en entraîna d'autres, a été cause, comme nous le voyons, des dangers courus par la France. En effet, en mettant ainsi les Suisses en honneur, Louis a en quelque sorte anéanti toutes ses propres troupes : d'abord il a totalement détruit l'infanterie ; et quant à la gendarmerie, il l'a rendue dépendante des armes d'autrui, en l'accoutumant tellement à ne combattre que conjointement avec les Suisses, qu'elle ne croit plus pouvoir vaincre sans eux. De là vient aussi que les Français ne peuvent tenir contre les Suisses, et que sans les Suisses ils ne tiennent point contre d'autres troupes[3]. Ainsi les armées françaises sont actuellement mixtes, c'est-à-dire composées en partie de troupes mercenaires, et en partie de troupes nationales ; composition qui les rend sans doute beaucoup meilleures que des armées formées en entier de mercenaires ou d'auxiliaires, mais très inférieures à celles où il n'y aurait que des corps nationaux.

Si l'ordre établi par Charles VII avait été conservé et amélioré, la France serait devenue invincible. Mais la faible prudence humaine se laisse séduire par l'apparente bonté qui, dans bien des choses, couvre le venin qu'elles renferment, et qu'on ne reconnaît que dans la suite, comme dans ces fièvres d'étisie dont j'ai précédemment parlé. Cependant, le prince qui ne sait voir le mal que lorsqu'il se montre à tous les yeux, n'est pas doué de cette habileté qui n'est donnée qu'à un petit nombre d'hommes.

Si l'on recherche la principale source de la ruine de l'empire romain, on la trouvera dans l'introduction de

1. Philistins : ancienne tribu indo-européenne établie en Palestine.

2. Ancien Testament : I, Samuel, XVII, 38-40.

3. Machiavel rectifiera cette appréciation après la bataille de Marignan (1515) qui marque la fin de la suprématie militaire des Suisses en Europe.

l'usage de prendre des Goths à sa solde : par là, en effet, on commencera à énerver[1] les troupes nationales, de telle sorte que toute la valeur qu'elles perdaient tournait à l'avantage des barbares.

Je conclus donc qu'aucun prince n'est en sûreté s'il n'a des forces qui lui soient propres : se trouvant sans défense contre l'adversité, son sort dépend en entier de la fortune. Or les hommes éclairés ont toujours pensé et dit qu'il n'y a rien d'aussi frêle et d'aussi fugitif qu'un crédit qui n'est pas fondé sur notre propre puissance[2].

J'appelle, au surplus, forces propres celles qui sont composées de citoyens, de sujets, de créatures du prince. Toutes les autres sont ou mercenaires ou auxiliaires.

Et quant aux moyens et à la manière d'avoir ces forces propres, on les trouvera aisément, si l'on réfléchit sur les établissements dont j'ai eu l'occasion de parler. On verra comment Philippe, père d'Alexandre le Grand, comment une foule d'autres princes et de républiques, avaient su se donner des troupes nationales et les organiser. Je m'en rapporte à l'instruction qu'on peut tirer de ces exemples.

CHAPITRE XIV

Des fonctions qui appartiennent au prince, par rapport à la milice.

La guerre, les institutions et les règles qui la concernent sont le seul objet auquel un prince doive donner ses pensées et son application, et dont il lui convienne de faire son métier : c'est là la vraie profession de quiconque gouverne, et par elle, non seulement ceux qui sont nés princes peuvent se maintenir, mais encore ceux qui sont nés simples particuliers peuvent souvent devenir princes. C'est pour avoir négligé les armes, et leur avoir préféré les douceurs de la mollesse, qu'on a vu des souverains perdre leurs États[3]. Mépriser l'art de la guerre, c'est faire le premier pas vers sa ruine ; le posséder parfaitement, c'est le moyen de s'élever au pouvoir. Ce fut par le continuel maniement des armes que Francesco Sforza parvint de l'état de simple particulier au rang de duc de Milan ; et ce fut parce qu'ils en avaient craint les dégoûts

1. Énerver : du latin *enervare*, « ôter les nerfs » ; d'où, affaiblir, amollir.

2. Machiavel reprend (un peu inexactement) une citation de Tacite (*Annales*, XIII, 19).

3. En particulier les souverains italiens, dont le chapitre XXIV, p. 117, dénoncera l'imprévoyance coupable.

et la fatigue que ses enfants tombèrent du rang de duc à l'état de simples particuliers.

Une des fâcheuses conséquences, pour un prince, de la négligence des armes, c'est qu'on vient à le mépriser ; abjection de laquelle il doit sur toute chose se préserver, comme je le dirai ci-après[1]. Il est, en effet, comme un homme désarmé, entre lequel et un homme armé la disproportion est immense. Il n'est pas naturel non plus que le dernier obéisse volontiers à l'autre ; et un maître sans armes ne peut jamais être en sûreté parmi des serviteurs qui en ont : ceux-ci sont en proie au dépit, l'autre l'est aux soupçons ; et des hommes qu'animent de tels sentiments ne peuvent pas bien vivre ensemble. Un prince qui n'entend rien à l'art de la guerre peut-il se faire estimer de ses soldats et avoir confiance en eux ? Il doit donc s'appliquer constamment à cet art, et s'en occuper principalement durant la paix, ce qu'il peut faire de deux manières, c'est-à-dire en y exerçant également son corps et son esprit. Il exercera son corps, d'abord en bien faisant manœuvrer ses troupes, et, en second lieu, en s'adonnant à la chasse, qui l'endurcira à la fatigue, et qui lui apprendra en même temps à connaître l'assiette des lieux, l'élévation des montagnes, la direction des vallées, le gisement des plaines, la nature des rivières et des marais, toutes choses auxquelles il doit donner la plus grande attention.

1. Au chapitre XIX, p. 97.

Il trouvera en cela deux avantages : le premier est que, connaissant bien son pays, il saura beaucoup mieux le défendre ; le second est que la connaissance d'un pays rend beaucoup plus facile celle d'un autre qu'il peut être nécessaire d'étudier ; car, par exemple, les montagnes, les vallées, les plaines, les rivières de la Toscane ont une grande ressemblance avec celles des autres contrées. Cette connaissance est d'ailleurs très importante, et le prince qui ne l'a point manque d'une des premières qualités que doit avoir un capitaine : car c'est par elle qu'il sait découvrir l'ennemi, prendre ses logements, diriger la marche de ses troupes, faire ses dispositions pour une bataille, assiéger les places avec avantage.

Parmi les éloges qu'on a faits de Philopœmen, chef des Achéens, les historiens le louent surtout de ce qu'il ne pensait jamais qu'à l'art de la guerre ; de sorte que, lorsqu'il parcourait la campagne avec ses amis, il s'arrêtait souvent pour résoudre des questions qu'il leur proposait, telles que les suivantes : « Si l'ennemi était sur cette colline, et nous ici, qui serait posté plus avantageusement ? Comment pourrions-nous aller à lui avec sûreté et sans mettre de désordre dans nos rangs ? Si nous avions à battre en retraite, comment nous y prendrions-nous ? S'il se retirait lui-même, comment pourrions-nous le poursuivre ? » C'est ainsi que, tout en allant, il s'instruisait avec eux des divers accidents de guerre qui peuvent survenir ; qu'il recueillait leurs opinions ; qu'il exposait la sienne, et qu'il l'appuyait par divers raisonnements. Il était résulté de cette continuelle attention, que, dans la conduite des armées, il ne pouvait se présenter aucun accident auquel il ne sût remédier sur-le-champ.

Quant à l'exercice de l'esprit, le prince doit lire les historiens, y considérer les actions des hommes illustres, examiner leur conduite dans la guerre, rechercher les causes de leurs victoires et celles de leurs défaites, et étudier ainsi ce qu'il doit imiter et ce qu'il doit fuir. Il doit faire surtout ce qu'ont fait plusieurs grands hommes, qui, prenant pour modèle quelque ancien héros bien célèbre, avaient sans cesse sous leurs yeux ses actions et toute sa conduite, et les prenaient pour règles. C'est ainsi qu'on dit qu'Alexandre le Grand imitait Achille, que César imitait Alexandre, et que Scipion prenait Cyrus pour modèle. En effet, quiconque aura lu la vie de Cyrus dans Xénophon trouvera dans celle de Scipion combien l'imitation qu'il s'était proposée contribua à sa gloire, et combien, quant à la chasteté[1], l'affabilité, l'humanité, la libéralité, il se conformait à tout ce qui avait été dit de son modèle par Xénophon dans sa *Cyropédie*[2].

Voilà ce que doit faire un prince sage, et comment, durant la paix, loin de rester oisif, il peut se prémunir contre les accidents de la fortune, en sorte que, si elle lui devient contraire, il se trouve en état de résister à ses coups[3].

1. Allusion à un événement raconté dans les *Discours* (livre III, 20) et *L'Art de la guerre* (livre VI, 16) : « Scipion, étant en Espagne, rendit à son père et à son mari une jeune captive extrêmement belle, et réussit par là, beaucoup plus que par les armes, à conquérir tous les cœurs espagnols. »

2. *Cyropédie* : récit romancé de la vie de Cyrus le Grand, où Xénophon brosse le portrait idéal du fondateur d'empire.

3. Voir le début du chapitre XXV, pp. 118-119, et la métaphore qui compare la fortune à un fleuve furieux.

CHAPITRE XV

Des choses pour lesquelles tous les hommes, et surtout les princes, sont loués ou blâmés.

Il reste à examiner comment un prince doit en user et se conduire soit envers ses sujets, soit envers ses

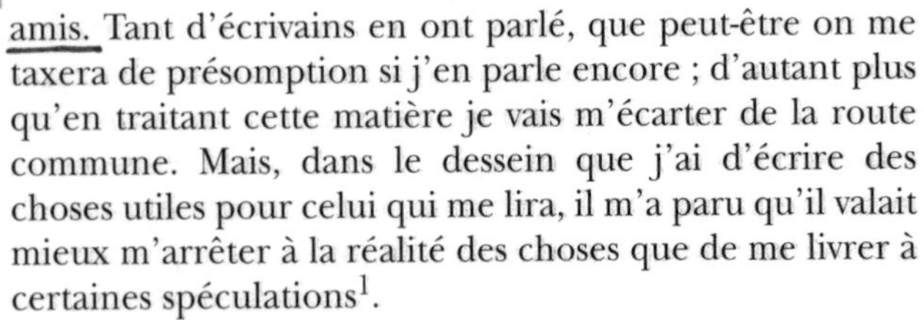

amis. Tant d'écrivains en ont parlé, que peut-être on me taxera de présomption si j'en parle encore ; d'autant plus qu'en traitant cette matière je vais m'écarter de la route commune. Mais, dans le dessein que j'ai d'écrire des choses utiles pour celui qui me lira, il m'a paru qu'il valait mieux m'arrêter à la réalité des choses que de me livrer à certaines spéculations[1].

Bien des gens ont imaginé des républiques et des principautés telles qu'on n'en a jamais vu ni connu[2]. Mais à quoi servent ces imaginations ? Il y a si loin de la manière dont on vit à celle dont on devrait vivre, qu'en n'étudiant que cette dernière on apprend plutôt à se ruiner qu'à se conserver ; et celui qui veut en tout et partout se montrer homme de bien ne peut manquer de périr au milieu de tant de méchants.

Il faut donc qu'un prince qui veut se maintenir apprenne à ne pas être toujours bon, et en user bien ou mal, selon la nécessité.

Laissant, par conséquent, tout ce qu'on a pu imaginer touchant les devoirs des princes et m'en tenant à la réalité, je dis qu'on attribue à tous les hommes, quand on en parle, et surtout aux princes, qui sont plus en vue, quelqu'une des qualités suivantes, qu'on cite comme un trait caractéristique, et pour laquelle on les loue ou on les blâme. Ainsi l'un est réputé généreux et un autre *misérable* (je me sers ici d'une expression toscane, car, dans notre langue, l'*avare* est celui qui est avide et enclin à la rapine, et nous appelons *misérable (misero)* celui qui s'abstient trop d'user de son bien) ; l'un est bienfaisant, et un autre avide ; l'un cruel, et un autre compatissant ; l'un sans foi, et un autre fidèle à sa parole ; l'un efféminé et craintif, et un autre ferme et courageux ; l'un débonnaire, et un autre orgueilleux ; l'un dissolu, et un autre chaste ; l'un franc, et un autre rusé ; l'un dur, et un autre facile ; l'un grave, et un autre léger ; l'un religieux, et un autre incrédule, etc.

Il serait très beau, sans doute, et chacun en conviendra, que toutes les bonnes qualités que je viens d'énoncer se trouvassent réunies dans un prince. Mais, comme cela n'est guère possible, et que la condition humaine ne le comporte point, il faut qu'il ait au moins la prudence de fuir ces vices honteux qui lui feraient perdre ses États. Quant aux autres vices, je lui conseille de s'en préserver, s'il le peut ; mais s'il ne le peut pas, il n'y aura

1. On traduit par « réalité » l'expression *verità effetuale* (vérité effective).

2. Allusion très claire à la *République* de Platon.

pas un grand inconvénient à ce qu'il s'y laisse aller avec moins de retenue ; il ne doit pas même craindre d'encourir l'imputation de certains défauts sans lesquels il lui serait difficile de se maintenir ; car, à bien examiner les choses, on trouve que, comme il y a certaines qualités qui semblent être des vertus et qui feraient la ruine du prince, de même il en est d'autres qui paraissent être des vices, et dont peuvent résulter néanmoins sa conservation et son bien-être.

CHAPITRE XVI

De la libéralité et de l'avarice.

Commençant par les deux premières qualités énoncées ci-dessus, je dis qu'il serait bon pour un prince d'être réputé libéral ; cependant la libéralité peut être exercée de telle manière qu'elle ne fasse que lui nuire sans aucun profit ; car si elle l'est avec distinction, et selon les règles de la sagesse, elle sera peu connue, elle fera peu de bruit, et elle ne le garantira même point de l'imputation de la qualité contraire.

Si un prince veut se faire dans le monde la réputation de libéral, il faut nécessairement qu'il n'épargne aucune sorte de somptuosité ; ce qui l'obligera à épuiser son trésor par ce genre de dépenses ; d'où il s'ensuivra que, pour conserver la réputation qu'il s'est acquise, il se verra enfin contraint à grever son peuple de charges extraordinaires, à devenir fiscal, et à faire, en un mot, tout ce qu'on peut faire pour avoir de l'argent. Aussi commencera-t-il bientôt à être odieux à ses sujets, et à mesure qu'il s'appauvrira, il sera bien moins considéré[1]. Ainsi, ayant, par sa libéralité, gratifié bien peu d'individus, et déplu à un très grand nombre, le moindre embarras sera considérable pour lui, et le plus léger revers le mettra en danger : que si, connaissant son erreur, il veut s'en retirer, il verra aussitôt rejaillir sur lui la honte attachée au nom d'avare.

Le prince, ne pouvant donc, sans fâcheuse conséquence, exercer la libéralité de telle manière qu'elle soit bien connue, doit, s'il a quelque prudence, ne pas trop appréhender le renom d'avare, d'autant plus qu'avec le temps il acquerra de jour en jour celui de libéral. En

1. Cicéron appelait « bienfaisance inconsidérée » cette fausse générosité qui, pour habiller Paul, déshabille Pierre (*Devoirs*, livre 1er, XIV, 42).

voyant, en effet, qu'au moyen de son économie ses revenus lui suffisent, et qu'elle le met en état, soit de se défendre contre ses ennemis, soit d'exécuter des entreprises utiles, sans surcharger son peuple, il sera réputé libéral par tous ceux, en nombre infini, auxquels il ne prendra rien ; et le reproche d'avarice ne lui sera fait que par ce peu de personnes qui ne participent point à ses dons.

De notre temps, nous n'avons pu exécuter de grandes choses que par les princes qui passaient pour avares ; tous les autres sont demeurés dans l'obscurité. Le pape Jules II s'était bien fait, pour parvenir au pontificat, la réputation de libéralité ; mais il ne pensa nullement ensuite à la consolider, ne songeant qu'à pouvoir faire la guerre au roi de France ; guerre qu'il fit, ainsi que plusieurs autres, sans mettre aucune imposition extraordinaire ; car sa constante économie fournissait à toutes les dépenses. Si le roi d'Espagne actuel avait passé pour libéral, il n'aurait ni formé ni exécuté autant d'entreprises.

Un prince qui veut n'avoir pas à dépouiller ses sujets pour pouvoir se défendre, et ne pas se rendre pauvre et méprisé, de peur de devenir rapace, doit craindre peu qu'on le taxe d'avarice, puisque c'est là une de ces mauvaises qualités qui le font régner.

Si l'on dit que César s'éleva à l'empire par sa libéralité, et que la réputation de libéral a fait parvenir bien des gens aux rangs les plus élevés, je réponds : ou vous êtes déjà effectivement prince, ou vous êtes en voie de le devenir. Dans le premier cas, la libéralité vous est dommageable ; dans le second, il faut nécessairement que vous en ayez la réputation : or c'est dans le second cas que se trouvait César, qui aspirait au pouvoir souverain dans Rome. Mais si, après y être parvenu, il eût encore vécu longtemps et n'eût point modéré ses dépenses, il aurait renversé lui-même son empire.

Si l'on insiste, et que l'on dise encore que plusieurs princes ont régné et exécuté de grandes choses avec leurs armées, et quoiqu'ils eussent cependant la réputation d'être très libéraux, je répliquerai : le prince dépense ou de son propre bien et de celui de ses sujets, ou du bien d'autrui : dans le premier cas il doit être économe ; dans le second il ne saurait être trop libéral.

Pour le prince, en effet, qui va conquérant avec ses armées, vivant de dépouilles, de pillage, de contributions, et usant du bien d'autrui, la libéralité lui est nécessaire, car sans elle il ne serait point suivi par ses soldats. Rien ne l'empêche aussi d'être distributeur généreux ainsi que le furent Cyrus, César et Alexandre, de ce qui n'appartient ni à lui-même ni à ses sujets. En prodiguant le bien d'autrui, il n'a point à craindre de diminuer son crédit ; il ne peut, au contraire, que l'accroître : c'est la prodigalité de son propre bien qui pourrait seule lui nuire.

Enfin, la libéralité, plus que toute autre chose, se dévore elle-même ; car, à mesure qu'on l'exerce, on perd la faculté de l'exercer encore : on devient pauvre, méprisé, ou bien rapace et odieux. Le mépris et la haine sont sans doute les écueils dont il importe le plus aux princes de se préserver. Or la libéralité conduit infailliblement à l'un et à l'autre. Il est donc plus sage de se résoudre à être appelé avare, qualité qui n'attire que du mépris sans haine, que de se mettre, pour éviter ce nom, dans la nécessité d'encourir la qualification de rapace, qui engendre le mépris et la haine tout ensemble.

CHAPITRE XVII

De la cruauté et de la clémence, et s'il vaut mieux être aimé que craint.

Continuant à suivre les autres qualités précédemment énoncées, je dis que tout prince doit désirer d'être réputé clément et non cruel. Il faut pourtant bien prendre garde de ne point user mal à propos de la clémence. César Borgia passait pour cruel, mais sa cruauté rétablit l'ordre et l'union dans la Romagne ; elle y ramena la tranquillité et l'obéissance[1]. On peut dire aussi, en considérant bien les choses, qu'il fut plus clément que le peuple florentin, qui, pour éviter le reproche de cruauté, laissa détruire la ville de Pistoie[2].

Un prince ne doit donc point s'effrayer de ce reproche, quand il s'agit de contenir ses sujets dans l'union et la fidélité. En faisant un petit nombr[illegible] d'exemples de rigueur, vous serez plus clément que ceu[illegible] qui, par trop de pitié, laissent s'élever des désordres d'o[illegible] s'ensuivent les meurtres et les rapines ; car ces désordr[illegible] blessent la société tout entière, au lieu que les rigueu[illegible]

1. Voir chap. VII, pp. 61-62.

2. Au IIIe livre des *Discours* (chap. 27), Machiavel raconte comment Florence, faute de prendre tout de suite les quelques mesures qui s'impo- [illegible] laissa l'anar-

ordonnées par le prince ne tombent que sur des particuliers.

Mais c'est surtout à un prince nouveau qu'il est impossible de faire le reproche de cruauté, parce que, dans les États nouveaux, les dangers sont très multipliés. C'est cette raison aussi que Virgile met dans la bouche de Didon, lorsqu'il lui fait dire, pour excuser la rigueur de son gouvernement :

Res dura et regni novitas me talia cogunt
Moliri, et latè fines custode tueri [1].

Virgile, *AEneid*, lib. I.

Il doit toutefois ne croire et n'agir qu'avec une grande maturité, ne point s'effrayer lui-même, et suivre en tout les conseils de la prudence, tempérés par ceux de l'humanité ; en sorte qu'il ne soit point imprévoyant par trop de confiance, et qu'une défiance excessive ne le rende point intolérable.

Sur cela s'est élevée la question de savoir : *S'il vaut mieux être aimé que craint, ou être craint qu'aimé ?* [2]

On peut répondre que le meilleur serait d'être l'un et l'autre. Mais comme il est très difficile que les deux choses existent ensemble, je dis que, si l'une doit manquer, il est plus sûr d'être craint que d'être aimé. On peut, en effet, dire généralement des hommes qu'ils sont ingrats, inconstants, dissimulés, tremblants devant les dangers et avides de gain ; que, tant que vous leur faites du bien, ils sont à vous ; qu'ils vous offrent leur sang, leurs biens, leur vie, leurs enfants, tant, comme je l'ai dit, que le péril ne s'offre que dans l'éloignement ; mais que, lorsqu'il s'approche, ils se détournent bien vite. Le prince qui se serait entièrement reposé sur leur parole, et qui, dans cette confiance, n'aurait point pris d'autres mesures, serait bientôt perdu, car toutes ces amitiés, achetées par des largesses, et non accordées par générosité et grandeur d'âme, sont quelquefois, il est vrai, bien méritées, mais on ne les possède pas effectivement ; et, au moment de les employer, elles manquent toujours. Ajoutons qu'on appréhende beaucoup moins d'offenser celui qui se fait aimer que celui qui se fait craindre ; car l'amour tient par un lien de reconnaissance bien faible pour la perversité humaine, et qui cède au moindre motif d'intérêt person-

1. « La dureté des temps et la nouveauté de mon règne m'obligent à de telles mesures et à faire garder au loin mes frontières » (*Énéide*, I, 563-564).

2. Vieille question, que Cicéron aborde au 2e livre du *Traité des devoirs* (7 et 8).

nel ; au lieu que la crainte résulte de la menace du châtiment, et cette peur ne s'évanouit jamais.

Cependant le prince qui veut se faire craindre doit s'y prendre de telle manière que, s'il ne gagne point l'affection, il ne s'attire pas non plus la haine ; ce qui, du reste, n'est point impossible ; car on peut fort bien tout à la fois être craint et n'être pas haï ; et c'est à quoi aussi il parviendra sûrement en s'abstenant d'attenter, soit aux biens de ses sujets soit à l'honneur de leurs femmes. S'il faut qu'il en fasse périr quelqu'un, il ne doit s'y décider que quand il y en aura une raison manifeste, et que cet acte de rigueur paraîtra bien justifié. Mais il doit surtout se garder, avec d'autant plus de soin, d'attenter aux biens, que les hommes oublient plutôt la mort d'un père même que la perte de leur patrimoine, et que d'ailleurs il en aura des occasions plus fréquentes. Le prince qui s'est une fois livré à la rapine trouve toujours, pour s'emparer du bien de ses sujets, des raisons et des moyens qu'il n'a que plus rarement pour répandre leur sang.

C'est lorsque le prince est à la tête de ses troupes, et qu'il commande à une multitude de soldats, qu'il doit moins que jamais appréhender d'être réputé cruel ; car, sans ce renom, on ne tient point une armée dans l'ordre et disposée à toute entreprise.

Entre les actions admirables d'Annibal, on a remarqué particulièrement que, quoique son armée fût très nombreuse et composée d'un mélange de plusieurs espèces d'hommes très différents, faisant la guerre sur le territoire d'autrui, il ne s'y éleva, ni dans la bonne ni dans la mauvaise fortune, aucune dissension entre les troupes, aucun mouvement de révolte contre le général. D'où cela vient-il ? Si ce n'est de cette cruauté excessive qui, jointe aux autres grandes qualités d'Annibal, le rendit tout à la fois la vénération et la terreur de ses soldats, et sans laquelle toutes ses autres qualités auraient été insuffisantes. Ils avaient donc bien peu réfléchi, ces écrivains, qui, en célébrant d'un côté les actions de cet homme illustre, ont blâmé de l'autre ce qui en avait été la principale cause.

Pour se convaincre que les autres qualités d'Annibal ne lui auraient pas suffi, il n'y a qu'à considérer ce qui arriva à Scipion, homme tel qu'on n'en trouve presque point de semblable, soit dans nos temps modernes, soit même dans l'histoire de tous les temps connus. Les troupes qu'il commandait en Espagne se soulevèrent contre lui, et cette révolte ne peut être attribuée qu'à sa clémence excessive, qui avait laissé prendre aux soldats beaucoup plus de licence que n'en comportait la discipline militaire. C'est aussi ce que Fabius Maximus lui reprocha en plein sénat, où il lui donna la qualification de corrupteur de la milice romaine.

De plus, les Locriens, tourmentés et ruinés par un de ses lieutenants, ne purent obtenir de lui aucune vengeance, et l'insolence du lieutenant ne fut point réprimée ; autre effet de son naturel facile. Sur quoi quelqu'un, voulant l'excuser dans le sénat, dit : « Qu'il y avait des hommes qui savaient mieux ne point commettre de fautes que corriger celles des autres. » On peut croire aussi que cette extrême douceur aurait enfin terni la gloire et la renommée de Scipion, s'il avait exercé durant quelque temps le pouvoir suprême ; mais heureusement il était lui-même soumis aux ordres du sénat ; de sorte que cette qualité, nuisible de sa nature, demeura en quelque sorte cachée, et fut même encore pour lui un sujet d'éloges.

Revenant donc à la question dont il s'agit, je conclus que les hommes, aimant à leur gré, et craignant au gré du prince, celui-ci doit plutôt compter sur ce qui dépend de lui, que sur ce qui dépend des autres : il faut seulement que, comme je l'ai dit, il tâche avec soin de ne pas s'attirer la haine.

CHAPITRE XVIII[1]

Comment les princes doivent tenir leur parole.

Chacun comprend combien il est louable pour un prince d'être fidèle à sa parole et d'agir toujours franchement et sans artifice. De notre temps, néanmoins, nous avons vu de grandes choses exécutées par des princes qui faisaient peu de cas de cette fidélité et qui savaient en imposer aux hommes par la ruse. Nous avons vu ces princes l'emporter enfin sur ceux qui prenaient la loyauté pour base de toute leur conduite.

On peut combattre de deux manières : ou avec les lois, ou avec la force. La première est propre à l'homme, la seconde est celle des bêtes ; mais comme souvent celle-là ne suffit point, on est obligé de recourir à

1. Ce chapitre est commenté dans le **dossier**, p. 158.

l'autre : il faut donc qu'un prince sache agir à propos, et en bête et en homme. C'est ce que les anciens écrivains ont enseigné allégoriquement, en racontant qu'Achille et plusieurs autres héros de l'Antiquité avaient été confiés au centaure Chiron, pour qu'il les nourrît et les élevât.

Par là, en effet, et par cet instituteur moitié homme et moitié bête, ils ont voulu signifier qu'un prince doit avoir en quelque sorte ces deux natures, et que l'une a besoin d'être soutenue par l'autre. Le prince, devant donc agir en bête, tâchera d'être tout à la fois renard et lion : car, s'il n'est que lion, il n'apercevra point les pièges ; s'il n'est que renard, il ne se défendra point contre les loups ; et il a également besoin d'être renard pour connaître les pièges, et lion pour épouvanter les loups. Ceux qui s'en tiennent tout simplement à être lions sont très malhabiles[1].

Un prince bien avisé ne doit point accomplir sa promesse lorsque cet accomplissement lui serait nuisible, et que les raisons qui l'ont déterminé à promettre n'existent plus : tel est le précepte à donner. Il ne serait pas bon sans doute, si les hommes étaient tous gens de bien ; mais comme ils sont méchants, et qu'assurément ils ne vous tiendraient point leur parole, pourquoi devriez-vous tenir la vôtre ? Et d'ailleurs, un prince peut-il manquer de raisons légitimes pour colorer l'inexécution de ce qu'il a promis ?

À ce propos on peut citer une infinité d'exemples modernes, et alléguer un très grand nombre de traités de paix, d'accords de toute espèce devenus vains et inutiles par l'infidélité des princes qui les avaient conclus. On peut faire voir que ceux qui ont su le mieux agir en renard sont ceux qui ont le plus prospéré.

Mais pour cela, ce qui est absolument nécessaire, c'est de savoir bien déguiser cette nature de renard, et de posséder parfaitement l'art et de simuler et de dissimuler. Les hommes sont si aveuglés, si entraînés par le besoin du moment, qu'un trompeur trouve toujours quelqu'un qui se laisse tromper.

Parmi les exemples récents, il en est un que je ne veux point passer sous silence.

Alexandre VI ne fit jamais que tromper ; il ne pensait pas à autre chose, et il en eut toujours l'occasion et le moyen. Il n'y eut jamais d'homme qui affirmât une chose avec plus d'assurance, qui appuyât sa parole sur

1. Machiavel reprend presque mot pour mot les phrases du *Traité des devoirs* où Cicéron condamne la force et la ruse, cette dernière étant « la plus détestable des deux » (livre 1er, XIII, 41). Il prend ainsi le contre-pied d'un ouvrage qui faisait, en la matière, autorité.

plus de serments, et qui les tint avec moins de scrupule : ses tromperies cependant lui réussirent toujours, parce qu'il en connaissait parfaitement l'art.

Ainsi donc, pour en revenir aux bonnes qualités énoncées ci-dessus, il n'est pas bien nécessaire qu'un prince les possède toutes, mais il l'est qu'il paraisse les avoir. J'ose même dire que s'il les avait effectivement, et s'il les montrait toujours dans sa conduite, elles pourraient lui nuire, au lieu qu'il lui est toujours utile d'en avoir l'apparence. Il lui est toujours bon, par exemple, de paraître clément, fidèle, humain, religieux, sincère ; il l'est même d'être tout cela en réalité : mais il faut en même temps qu'il soit assez maître de lui pour pouvoir et savoir au besoin montrer les qualités opposées.

On doit bien comprendre qu'il n'est pas possible à un prince, et surtout à un prince nouveau, d'observer dans sa conduite tout ce qui fait que les hommes sont réputés gens de bien, et qu'il est souvent obligé, pour maintenir l'État, d'agir contre l'humanité, contre la charité, contre la religion même. Il faut donc qu'il ait l'esprit assez flexible pour se tourner à toutes choses, selon que le vent et les accidents de la fortune le commandent : il faut, comme je l'ai dit, que tant qu'il le peut il ne s'écarte pas de la voie du bien, mais qu'au besoin il sache entrer dans celle du mal.

Il doit aussi prendre grand soin de ne pas laisser échapper une seule parole qui ne respire les cinq qualités que je viens de nommer ; en sorte qu'à le voir et à l'entendre on le croie tout plein de douceur, de sincérité, d'humanité, d'honneur, et principalement de religion, qui est encore ce dont il importe le plus d'avoir l'apparence : car les hommes, en général, jugent plus par leurs yeux que par leurs mains, tous étant à portée de voir, et peu de toucher. Tout le monde voit ce que vous paraissez ; peu connaissent à fond ce que vous êtes, et ce petit nombre n'osera point s'élever contre l'opinion de la majorité, soutenue encore par la majesté du pouvoir souverain.

Au surplus, dans les actions des hommes, et surtout des princes, qui ne peuvent être scrutées devant un tribunal, ce que l'on considère, c'est le résultat. Que le prince songe donc uniquement à conserver sa vie et son État : s'il y réussit, tous les moyens qu'il aura pris seront jugés honorables et loués par tout le monde. Le vulgaire est toujours séduit par l'apparence et par l'événement : et le vulgaire ne fait-il pas le monde ? Le petit nombre n'est écouté que lorsque le plus grand ne sait quel parti prendre ni sur quoi asseoir son jugement.

De notre temps, nous avons vu un prince qu'il ne convient pas de nommer, qui jamais ne prêcha que paix et bonne foi, mais qui, s'il avait toujours respecté l'une et l'autre, n'aurait pas sans doute conservé ses États et sa réputation[1].

1. Ce « prince qu'il ne convient pas de nommer » est Ferdinand le Catholique, roi d'Aragon ; « Ce prince m'a toujours paru plus cauteleux et chançard qu'habile et sage » (lettre à Vettori du 29 avril 1513).

CHAPITRE XIX

Qu'il faut éviter d'être méprisé et haï.

Après avoir traité spécialement, parmi les qualités que j'avais d'abord énoncées, celles que je regarde comme les principales, je parlerai plus brièvement des autres, me bornant à cette généralité, que le prince doit éviter avec soin toutes les choses qui le rendraient odieux et méprisable, moyennant quoi il aura fait tout ce qu'il avait à faire, et il ne trouvera plus de danger dans les autres reproches qu'il pourrait encourir.

Ce qui le rendrait surtout odieux, ce serait, comme je l'ai dit, d'être rapace, et d'attenter, soit au bien de ses sujets, soit à l'honneur de leurs femmes. Pourvu que ces deux choses, c'est-à-dire les biens et l'honneur, soient respectées, le commun des hommes est content, et l'on n'a plus à lutter que contre l'ambition d'un petit nombre d'individus, qu'il est aisé et qu'on a mille moyens de réprimer.

Ce qui peut faire mépriser, c'est de paraître inconstant, léger, efféminé, pusillanime, irrésolu, toutes choses dont le prince doit se tenir loin comme d'un écueil, faisant en sorte que dans toutes ses actions on trouve de la grandeur, du courage, de la gravité, de la fermeté ; que l'on soit convaincu, quant aux affaires particulières de ses sujets, que ses décisions sont irrévocables, et que cette conviction s'établisse de telle manière dans leur esprit, que personne n'ose penser ni à le tromper ni à le circonvenir.

Le prince qui a donné de lui cette idée est tı considéré, et il est difficile que l'on conspire contre celı qui jouit d'une telle considération ; il l'est même qu'on l'attaque quand on sait qu'il a de grandes qualités et qu'il est respecté par les siens.

Deux craintes doivent occuper un prince : l'intérieur de ses États et la conduite de ses sujets sont l'objet de l'une ; le dehors et les desseins des puissances environnantes sont celui de l'autre. Pour celle-ci, le moyen de se prémunir est d'avoir de bonnes armes et de bons amis ; et l'on aura toujours de bons amis quand on aura de bonnes armes : d'ailleurs, tant que le prince sera en sûreté et tranquille au-dehors, il le sera aussi au-dedans, à moins qu'il n'eût été déjà troublé par quelque conjuration ; et si même au-dehors quelque entreprise est formée contre lui, il trouvera dans l'intérieur, comme j'ai déjà dit que Nabis, tyran de Sparte[1], les trouva, les moyens de résister à toute attaque, pourvu toutefois qu'il se soit conduit et qu'il ait gouverné conformément à ce que j'ai observé, et que de plus il ne perde point courage.

Pour ce qui est des sujets, ce que le prince peut en craindre, lorsqu'il est tranquille au-dehors, c'est qu'ils ne conspirent secrètement contre lui : mais, à cet égard, il est déjà bien garanti quand il a évité d'être haï et méprisé, et qu'il a fait en sorte que le peuple soit content de lui ; chose dont il est absolument nécessaire de venir à bout, ainsi que je l'ai établi. C'est là, en effet, la plus sûre garantie contre les conjurations ; car celui qui conjure croit toujours que la mort du prince sera agréable au peuple : s'il pensait qu'elle l'affligeât, il se garderait bien de concevoir un pareil dessein, qui présente de très grandes et de très nombreuses difficultés[2].

On sait par l'expérience que beaucoup de conjurations ont été formées, mais qu'il n'y en a que bien peu qui aient eu une heureuse issue. Un homme ne peut pas conjurer tout seul : il faut qu'il ait des associés, et il ne peut en chercher que parmi ceux qu'il croit mécontents. Or, en confiant un projet de cette nature à un mécontent, on lui fournit le moyen de mettre un terme à son mécontentement ; car il peut compter qu'en révélant le secret, il sera amplement récompensé : et comme il voit là un profit assuré, tandis que la conjuration ne lui présente qu'incertitude et péril, il faut qu'il ait, pour ne point trahir, ou une amitié bien vive pour le conspirateur, ou une haine bien obstinée pour le prince. En peu de mots, le conspirateur est toujours troublé par le soupçon, la jalousie, la frayeur du châtiment ; au lieu que le prince a pour lui la

1. Voir chap. IX, p. 71.

2. Difficultés que Machiavel examine longuement dans un vaste chapitre des *Discours* (livre III, 6).

majesté de l'empire, l'autorité des lois, l'appui de ses amis, et tout ce qui fait la défense de l'État ; et si à tout cela se joint la bienveillance du peuple, il est impossible qu'il se trouve quelqu'un d'assez téméraire pour conjurer ; car, en ce cas, le conspirateur n'a pas seulement à craindre les dangers qui précèdent l'exécution, il doit encore redouter ceux qui suivront, et contre lesquels, ayant le peuple comme ennemi, il ne lui restera aucun refuge.

Sur cela on pourrait citer une infinité d'exemples, mais je me borne à un seul dont nos pères ont été les témoins.

Messer Annibal Bentivogli, aïeul de messer Annibal actuellement vivant, étant prince de Bologne, fut assassiné par les Canneschi, à la suite d'une conspiration qu'ils avaient tramée contre lui : il ne resta de sa famille que messer Giovanni, jeune enfant encore au berceau. Mais l'affection que le peuple bolonais avait en ce temps-là pour la maison Bentivogli fut cause qu'aussitôt après le meurtre il se souleva, et massacra tous les Canneschi. Cette affection alla même encore plus loin : comme, après la mort de messer Annibal, il n'était resté personne qui pût gouverner l'État, et les Bolonais ayant su qu'il y avait un homme né de la famille Bentivogli qui vivait à Florence, où il passait pour le fils d'un artisan, ils allèrent le chercher, et lui confièrent le gouvernement, qu'il garda en effet jusqu'à ce que messer Giovanni fût en âge de tenir lui-même les rênes de l'État[1].

Encore une fois donc, un prince qui est aimé de son peuple a peu à craindre les conjurations ; mais s'il en est haï, tout, choses et hommes, est pour lui à redouter. Aussi les gouvernements bien réglés et les princes sages prennent-ils toujours très grand soin de satisfaire le peuple et de le tenir content sans trop chagriner les grands : c'est un des objets de la plus haute importance.

Parmi les royaumes bien organisés de notre temps, on peut citer la France, où il y a un grand nombre de bonnes institutions propres à maintenir l'indépendance et la sûreté du roi, institutions entre lesquelles celle du parlement et de son autorité tient le premier rang. En effet, celui qui organisa ainsi la France, voyant, d'un côté, l'ambition et l'insolent orgueil des grands, et combien il est nécessaire de les réprimer ; considérant, de l'autre, la haine générale qu'on leur portait, haine enfantée par la

1. Cette histoire est contée en détail au livre VI des *Histoires florentines* (chap. 9 et 10).

crainte qu'ils inspiraient, et voulant en conséquence qu'il fût aussi pourvu à leur sûreté, pensa qu'il était à propos de n'en pas laisser le soin spécialement au roi, pour qu'il n'eût pas à encourir la haine des grands en favorisant le peuple, et celle du peuple en favorisant les grands. C'est pourquoi il trouva bon d'établir la tierce autorité d'un tribunal qui pût, sans aucune fâcheuse conséquence pour le roi, abaisser les grands et protéger les petits. Une telle institution était sans doute ce qu'on pouvait faire de mieux, de plus sage et de plus convenable pour la sûreté du prince et du royaume.

De là aussi on peut tirer une autre remarque : c'est que le prince doit se décharger sur d'autres des parties de l'administration qui peuvent être odieuses, et se réserver exclusivement celles des grâces ; en un mot, je le répète, il doit avoir des égards pour les grands, mais éviter d'être haï par le peuple.

En considérant la vie et la mort de plusieurs empereurs romains, on croira peut-être y voir des exemples contraires à ce que je viens de dire, car on en trouvera quelques-uns qui, s'étant toujours conduits avec sagesse, et ayant montré de grandes qualités, ne laissèrent pas de perdre l'empire, ou même de périr victimes de conjurations formées contre eux.

Pour répondre à cette objection, je vais examiner le caractère et la conduite de quelques-uns de ces empereurs, et faire voir que les causes de leur ruine ne présentent rien qui ne s'accorde avec ce que j'ai établi. Je ferai d'ailleurs quelques réflexions sur ce que les événements de ces temps-là peuvent offrir de remarquable à ceux qui lisent l'histoire. Je me bornerai cependant aux empereurs qui se succédèrent depuis Marc Aurèle jusqu'à Maximin, et qui sont : Marc Aurèle, Commode son fils, Pertinax, Didius Julianus, Septime-Sévère, Antonin-Caracalla, son fils, Macrin, Hiéliogabale, Alexandre-Sévère et Maximin.

La première observation à faire est que, tandis que dans les autres États le prince n'a à lutter que contre l'ambition des grands et l'insolence des peuples, les empereurs romains avaient encore à surmonter une troisième difficulté, celle de se défendre contre la cruauté et l'avarice des soldats ; difficulté telle, qu'elle fut la cause de la ruine de plusieurs de ces princes. Il est très difficile, en effet, de contenter tout à la fois les soldats et les peuples ; car les peuples aiment le repos, et par conséquent un prince modéré : les soldats, au contraire, demandent qu'il soit d'humeur guerrière, insolent, avide et cruel ; ils veulent même qu'il se montre tel envers le peuple, afin d'avoir une double paye, et d'assouvir leur avarice et leur cruauté. De là vint aussi la ruine de tous ceux des empereurs qui n'avaient point, soit par leurs qualités naturelles, soit par leurs qualités acquises, l'ascendant nécessaire pour contenir à la fois et les peuples et les gens de guerre. De là vint encore que la plupart, et ceux surtout qui étaient des princes nouveaux, voyant la difficulté de satisfaire des humeurs si opposées, prirent le parti de contenter les soldats, sans s'inquiéter de l'oppression du peuple[1].

Ce parti, au reste, était nécessaire à prendre ; car les princes, qui ne peuvent éviter d'être haïs par quelqu'un, doivent d'abord chercher à ne pas l'être par la multitude ; et, s'ils ne peuvent y réussir, ils doivent faire tous leurs efforts pour ne pas l'être au moins par la classe la plus puissante. C'est pour cela aussi que les empereurs, qui, comme princes nouveaux, avaient besoin d'appuis extraordinaires, s'attachaient bien plus volontiers aux soldats qu'au peuple ; ce qui pourtant ne leur était utile qu'autant qu'ils savaient conserver sur eux leur ascendant.

C'est en conséquence de tout ce que je viens de dire, que des trois empereurs Marc Aurèle, Pertinax et Alexandre-Sévère, qui vécurent avec sagesse et modération, qui furent amis de la justice, ennemis de la cruauté, humains et bienfaisants, il n'y eut que le premier qui ne finit point malheureusement. Mais s'il vécut et mourut toujours honoré, c'est qu'ayant hérité de l'empire par droit de succession, il n'en fut redevable ni aux gens de guerre ni au peuple, et que d'ailleurs ses grandes et nombreuses vertus le firent tellement respecter, qu'il put toujours contenir tous les ordres de l'État dans les bornes du devoir, sans être ni haï ni méprisé[2].

Quant à Pertinax, les soldats, contre le gré de qui il avait été nommé empereur, ne purent supporter la discipline qu'il voulait rétablir après la licence dans laquelle ils avaient vécu sous Commode : il en fut donc haï. À cette haine se joignit le mépris qu'inspirait sa vieillesse, et il périt presque aussitôt qu'il eut commencé à régner. Sur quoi il y a lieu d'observer que la haine est autant le fruit des bonnes actions que des mauvaises ; d'où il suit,

1. Il est bon que la nation soit armée, mauvais que l'armée – comme appareil – y acquière trop de place. Dans *L'Art de la guerre* (livre I, 4), Machiavel met en garde contre les dangers que présente l'existence permanente d'une caste de professionnels de la guerre.

2. Marc Aurèle (121-180) fut un modèle d'empereur-philosophe. Admirateur du stoïcisme, il écrivit à la fin de sa vie le dernier grand témoignage de ce mouvement de la pensée antique (*Pensées pour moi-même*).

comme je l'ai dit, qu'un prince qui veut se maintenir est souvent obligé de n'être pas bon ; car lorsque la classe de sujets dont il croit avoir besoin, soit peuple, soit soldats, soit grands, est corrompue, il faut à tout prix la satisfaire pour ne l'avoir point contre soi ; et alors les bonnes actions nuisent plutôt qu'elles ne servent.

Enfin, pour ce qui concerne Alexandre-Sévère, sa bonté était telle, que, parmi les éloges qu'on en a faits, on a remarqué que, pendant les quatorze ans que dura son règne, personne ne fut mis à mort sans un jugement régulier. Mais, comme il en était venu à passer pour un homme efféminé, qui se laissait gouverner par sa mère, et que par là il était tombé dans le mépris, son armée conspira contre lui et le massacra.

Si nous venons maintenant aux empereurs qui montrèrent des qualités bien opposées, c'est-à-dire à Commode, Septime-Sévère, Antonin-Caracalla et Maximin, nous verrons qu'ils furent très cruels et d'une insatiable avidité ; que, pour satisfaire les soldats, ils n'épargnèrent au peuple aucune sorte d'oppression et d'injure, et qu'ils eurent tous une fin malheureuse, à l'exception seulement de Sévère, qui, par la grandeur de son courage et d'autres qualités éminentes, put, en se conservant l'affection des soldats, et bien qu'il accablât le peuple d'impôts, régner toujours heureusement ; car cette grandeur le faisait admirer des uns et des autres, de telle manière que les peuples demeuraient frappés comme d'étonnement et de stupeur, et que les soldats étaient respectueux et satisfaits. Sévère, au surplus, se conduisit très habilement comme prince nouveau : c'est pourquoi je m'arrêterai un moment à faire voir comment il sut bien agir en renard et en lion, deux animaux dont, comme je l'ai dit, un prince doit savoir revêtir les caractères.

Connaissant la lâcheté de Didius Julianus, qui venait de se faire proclamer empereur, il persuada aux troupes à la tête desquelles il se trouvait alors en Pannonie, qu'il était digne d'elles d'aller à Rome pour venger la mort de Pertinax, que la garde impériale avait égorgé ; et, sans découvrir les vues secrètes qu'il avait sur l'empire, il saisit ce prétexte, se hâta de marcher vers Rome avec son armée, et parut en Italie avant qu'on y eût appris son départ. Arrivé à Rome, il fut proclamé empereur par le sénat épouvanté, et Julianus fut massacré. Ce premier pas fait, il lui restait, pour parvenir à être maître de tout l'État, deux obstacles à vaincre : l'un en Orient, où Niger s'était fait proclamer empereur par les armées d'Asie qu'il commandait ; l'autre en Occident, où Albin aspirait également à l'empire. Comme il voyait trop de danger à se déclarer en même temps contre ces deux compétiteurs, il se proposa d'attaquer Niger et de tromper Albin. En conséquence, il écrivit à ce dernier que, nommé empereur par le sénat, son intention était de partager avec lui la dignité impériale : il lui envoya donc le titre de César et se le fit adjoindre comme collègue, par un décret du sénat. Albin se laissa séduire par ces démonstrations, qu'il crut sincères. Mais lorsque Sévère eut fait mourir Niger, après l'avoir vaincu et que les troubles de l'Orient furent apaisés, il revint à Rome et se plaignit dans le sénat de la conduite d'Albin, l'accusa d'avoir montré peu de reconnaissance de tous les bienfaits dont il l'avait comblé, et d'avoir tenté secrètement de l'assassiner ; et il conclut en disant qu'il ne pouvait éviter de marcher contre lui pour le punir de son ingratitude. Il alla soudain l'attaquer dans les Gaules, où il lui ôta et l'empire et la vie.

Telle fut la conduite de ce prince. Si l'on en suit pas à pas toutes les actions, on y verra partout éclater et l'audace du lion et la finesse du renard ; on le verra craint et révéré de ses sujets, et chéri même de ses soldats : on ne sera par conséquent point étonné de ce que, quoique homme nouveau, il pût se maintenir dans un si vaste empire ; car sa haute réputation le défendit toujours contre la haine que ses continuelles exactions auraient pu allumer dans le cœur de ses peuples.

Antonin-Caracalla, son fils, eut aussi comme lui d'éminentes qualités qui le faisaient admirer du peuple et chérir par les soldats. Son habileté dans l'art de la guerre, son mépris pour une nourriture recherchée et les délices de la mollesse, lui conciliaient l'affection des troupes ; mais sa cruauté, sa férocité inouïe, les meurtres nombreux et journaliers dont il frappa une partie des citoyens de Rome, le massacre général des habitants d'Alexandrie, le rendirent l'objet de l'exécration universelle : ceux qui l'entouraient eurent bientôt à trembler pour eux-mêmes, et un centurion le tua au milieu de son armée[1].

Une observation importante résulte de ce fait : c'est qu'un prince ne peut éviter la mort lorsqu'un homme ferme et endurci dans sa vengeance a résolu de le faire périr ; car quiconque méprise sa vie est maître de

1. L'histoire de ce centurion, Julius Martialis, est contée dans les *Discours* (livre III, 6).

celle des autres. Mais comme ces dangers sont rares, ils sont, par conséquent moins à appréhender. Tout ce que le prince peut et doit faire à cet égard, c'est d'être attentif à n'offenser grièvement aucun de ceux qu'il emploie et qu'il a autour de lui pour son service, attention que n'eut point Caracalla, qui avait fait mourir injustement un frère du centurion, par lequel il fut tué, qui le menaçait journellement lui-même, et qui néanmoins le conservait dans sa garde. C'était là sans doute une témérité qui ne pouvait qu'occasionner sa ruine, comme l'événement le prouva.

Pour ce qui est de Commode, fils héritier de Marc Aurèle, il avait certes toute facilité de se maintenir dans l'empire : il n'avait qu'à suivre les traces de son père pour contenter le peuple et les soldats. Mais, s'abandonnant à son caractère cruel et féroce, il voulut impunément écraser le peuple par ses rapines ; il prit le parti de caresser les troupes et de les laisser vivre dans la licence. D'ailleurs, oubliant tout le soin de sa dignité, on le voyait souvent descendre dans l'arène pour combattre avec les gladiateurs, et se livrer aux turpitudes les plus indignes de la majesté impériale. Il se rendit vil aux yeux mêmes de ses soldats. Ainsi, devenu tout à la fois l'objet de la haine des uns et du mépris des autres, on conspira contre lui, et il fut égorgé.

Il ne me reste plus qu'à parler de Maximin. Il possédait toutes les qualités qui font l'homme de guerre. Après la mort d'Alexandre-Sévère, dont j'ai parlé tout à l'heure, les armées, dégoûtées de la faiblesse de ce dernier prince, élevèrent Maximin à l'empire ; mais il ne le conserva pas longtemps. Deux choses contribuèrent à le faire mépriser et haïr. La première fut la bassesse de son premier état : gardien de troupeaux dans la Thrace, cette extraction, connue de tout le monde, le rendait vil à tous les yeux. La seconde fut la réputation de cruauté qu'il se fit aussitôt ; car, sans aller à Rome pour prendre possession du trône impérial, il y fit commettre par ses lieutenants, ainsi que dans toutes les parties de l'empire, des actes multipliés de rigueur. D'un côté, l'État, indigné de la bassesse de son origine, et, de l'autre, excité par la crainte qu'inspiraient ses barbaries, se souleva contre lui. Le signal fut donné par l'Afrique. Aussitôt le sénat et le peuple suivirent cet exemple, qui ne tarda pas à être imité par le reste de l'Italie. Bientôt à cette conspiration générale se joignit celle de ses troupes : elles assiégeaient Aquilée ; mais, rebutées par les difficultés du siège, lassées de ses cruautés, et commençant à le moins craindre depuis qu'elles le voyaient en butte à une multitude d'ennemis, elles se déterminèrent à le massacrer.

Je ne m'arrêterai maintenant à parler ni d'Hiéliogabale, ni de Macrin, ni de Didius Julianus, hommes si vils qu'ils ne firent que paraître sur le trône. Mais, venant immédiatement à la conclusion de mon discours, je dis que les princes modernes trouvent dans leur administration une difficulté de moins : c'est celle de satisfaire extraordinairement les gens de guerre. En effet, ils doivent bien, sans doute, avoir pour eux quelque considération ; mais il n'y a en cela nul grand embarras, car aucun de ces princes n'a les grands corps de troupes toujours subsistants, et amalgamés en quelque sorte par le temps avec le gouvernement et l'administration des provinces, comme l'étaient les armées romaines. Les empereurs étaient obligés de contenter les soldats plutôt que les peuples, parce que les soldats étaient les plus puissants ; mais aujourd'hui ce sont les peuples que les princes ont surtout à satisfaire. Il ne faut excepter à cet égard que le Grand Seigneur des Turcs et le Soudan.

J'excepte le Grand Seigneur, parce qu'il a toujours autour de lui un corps de douze mille hommes d'infanterie et de quinze mille de cavalerie ; que ces corps font sa sûreté et sa force, et qu'en conséquence il doit sur toutes choses, et sans songer au peuple, ménager et conserver leur affection.

J'excepte le Soudan, parce que ses États étant entièrement entre les mains des gens de guerre, il faut bien qu'il se concilie leur amitié, sans s'embarrasser du peuple.

Remarquons, à ce propos, que l'État du Soudan diffère de tous les autres, et qu'il ne ressemble guère qu'au pontificat des chrétiens, qu'on ne peut appeler ni principauté héréditaire ni principauté nouvelle. En effet, à la mort du prince, ce ne sont point ses enfants qui héritent et règnent après lui ; mais son successeur est élu par ceux à qui appartient cette élection ; et du reste, comme cet ordre de choses est consacré par son ancienneté, il ne présente point les difficultés des principautés nouvelles : le prince, à la vérité, est nouveau, mais les institutions sont anciennes, ce qui le fait recevoir tout comme s'il était prince héréditaire. Revenons à notre sujet.

Quiconque réfléchira sur tout ce que je viens de dire, verra qu'en effet la ruine des empereurs dont j'ai parlé eut pour cause la haine ou le mépris, et il comprendra en même temps pourquoi les uns agissant d'une certaine manière, et les autres d'une manière toute différente, un seul, de chaque côté, a fini heureusement tandis que tous les autres ont terminé leurs jours d'une façon misérable. Il concevra que ce fut une chose inutile et même funeste pour Pertinax et pour Alexandre-Sévère, princes nouveaux, de vouloir imiter Marc Aurèle, prince héréditaire ; et que, pareillement, Caracalla, Commode et Maximin se nuisirent en voulant imiter Sévère, parce qu'ils n'avaient pas les grandes qualités nécessaires pour pouvoir suivre ses traces.

Je dis aussi qu'un prince nouveau peut et doit, non pas imiter soit Marc Aurèle, soit Sévère, mais bien prendre dans l'exemple de Sévère ce qui lui est nécessaire pour établir son pouvoir, et dans celui de Marc Aurèle ce qui peut lui servir à maintenir la stabilité et la gloire d'un empire établi et consolidé depuis longtemps.

CHAPITRE XX

Si les forteresses, et plusieurs autres choses que font souvent les princes, leur sont utiles ou nuisibles.

Les princes ont employé différents moyens pour maintenir sûrement leurs États. Quelques-uns ont désarmé leurs sujets ; quelques autres ont entretenu, dans les pays qui leur étaient soumis, la division des partis : il en est qui ont aimé à fomenter des inimitiés contre eux-mêmes ; il y en a aussi qui se sont appliqués à gagner ceux qui, au commencement de leur règne, leur avaient paru suspects ; enfin quelques-uns ont construit des forteresses, et d'autres les ont démolies. Il est impossible de se former, sur ces divers moyens, une opinion bien déterminée, sans entrer dans l'examen des circonstances particulières de l'État auquel il serait question d'en appliquer quelqu'un. Je vais néanmoins en parler généralement et comme le sujet le comporte.

Il n'est jamais arrivé qu'un prince nouveau ait désarmé ses sujets ; bien au contraire, celui qui les a trouvés sans armes leur en a donné, car il a pensé que ces armes seraient à lui[1], qu'en les donnant, il rendrait fidèles ceux qui étaient suspects ; que les autres se maintiendraient dans leur fidélité, et que tous, enfin, deviendraient ses partisans. À la vérité, tous les sujets ne peuvent pas porter les armes ; mais le prince ne doit pas craindre, en récompensant ceux qui les auront prises, d'indisposer les autres de manière qu'il ait quelque lieu de s'en inquiéter : les premiers, en effet, lui sauront gré de la récompense ; et les derniers trouveront à propos qu'il traite mieux ceux qui auront plus servi et se seront exposés à plus de dangers.

Le prince qui désarmerait ses sujets commencerait à les offenser, en leur montrant qu'il se défie de leur fidélité ; et cette défiance, quel qu'en fût l'objet, inspirerait de la haine contre lui. D'ailleurs, ne pouvant pas rester sans armes, il serait forcé de recourir à une milice mercenaire ; et j'ai déjà dit ce que c'est que cette milice, qui, lors même qu'elle serait bonne, ne pourrait jamais être assez considérable pour le défendre contre des ennemis puissants et des sujets irrités. Aussi, comme je l'ai déjà dit, tout prince nouveau dans une principauté nouvelle n'a jamais manqué d'y organiser une force armée. L'histoire en présente de nombreux exemples.

C'est quand un prince a acquis un État nouveau, qu'il adjoint à celui dont il était déjà possesseur, qu'il lui importe de désarmer les sujets du nouvel État, à l'exception toutefois de ceux qui se sont déclarés pour lui au moment de l'acquisition : encore convient-il qu'il leur donne la facilité de s'abandonner à la mollesse et de s'efféminer, et qu'il organise les choses de manière qu'il n'y ait plus d'armée que ses soldats propres, vivant dans son ancien État et auprès de sa personne.

Nos ancêtres, et particulièrement ceux qui passaient pour sages, disaient communément qu'il fallait contenir Pistoie au moyen des partis, et Pise par celui des forteresses[2]. Ils prenaient soin aussi d'entretenir la division dans quelques-uns des pays qui leur étaient soumis, afin de les maintenir plus aisément. Cela pouvait être bon dans le temps où il y avait une sorte d'équilibre en Italie ; mais il me semble qu'on ne pourrait plus le conseiller aujourd'hui ; car je ne pense pas que les divisions pussent être bonnes à quelque chose. Il me paraît même que, quand l'ennemi approche, les pays divisés sont infailliblement et bientôt perdus ; car le parti faible se joindra aux

1. Question déjà abordée au chap. XII, p. 76.

2. Voir *Discours*, livre III, 27.

forces extérieures, et l'autre ne pourra plus résister. Les Vénitiens, qui, je crois, pensaient à cet égard comme nos ancêtres, entretenaient les partis guelfe et gibelin dans les villes soumises à leur domination. À la vérité, ils ne laissaient pas aller les choses jusqu'à l'effusion de sang, mais ils fomentaient assez la division et les querelles pour que les habitants en fussent tellement occupés qu'ils ne songeassent point à sortir de l'obéissance. Cependant ils s'en trouvèrent mal ; et quand ils eurent perdu la bataille de Vailà, ces mêmes villes devinrent aussitôt audacieuses, et secouèrent le joug de l'autorité vénitienne.

Le prince qui emploie de pareils moyens décèle sa faiblesse ; et un gouvernement fort ne tolérera jamais les divisions : si elles sont de quelque utilité durant la paix, en donnant quelques facilités pour contenir les sujets, dès que la guerre s'allume, elles ne sont que funestes.

Les princes deviennent plus grands, sans doute, lorsqu'ils surmontent tous les obstacles qui s'opposaient à leur élévation. Aussi, quand la fortune veut agrandir un prince nouveau, qui a plus besoin qu'un prince héréditaire d'acquérir de la réputation[1], elle suscite autour de lui une foule d'ennemis contre lesquels elle le pousse, afin de lui fournir l'occasion d'en triompher, et lui donne ainsi l'occasion de s'élever au moyen d'une échelle que ses ennemis eux-mêmes lui fournissent[2]. C'est pourquoi plusieurs personnes ont pensé qu'un prince sage doit, s'il le peut, entretenir avec adresse quelque inimitié, pour qu'en la surmontant il accroisse sa propre grandeur.

Les princes, et particulièrement les princes nouveaux, ont éprouvé que les hommes qui, au moment de l'établissement de leur puissance, leur avaient paru suspects, leur étaient plus fidèles et plus utiles que ceux qui d'abord s'étaient montrés dévoués. Pandolfo Petrucci, prince de Sienne, employait de préférence dans son gouvernement ceux que d'abord il avait suspectés.

Il serait difficile, sur cet objet, de donner des règles générales, et tout dépend des circonstances particulières. Aussi me bornerai-je à dire que, pour les hommes qui, au commencement d'une principauté nouvelle, étaient ennemis, et qui se trouvent dans une position telle, qu'ils ont besoin d'appui pour se maintenir, le prince pourra toujours très aisément les gagner, et que, de leur côté, ils seront forcés de le servir avec d'autant plus

1. Voir chap. II, p. 42.

2. Cette personnalisation de la fortune est fréquente sous la plume de Machiavel. On lira le *Capitolo de la Fortune* . **Voir documents, autour de l'œuvre**, p. 175.

de zèle et de fidélité, qu'ils sentiront qu'ils ont à effacer, par leurs services, la mauvaise idée qu'ils lui avaient donné lieu de prendre d'eux. Ils lui seront par conséquent plus utiles que ceux qui, n'ayant ni les mêmes motifs ni la même crainte, peuvent s'occuper avec négligence de ses intérêts.

Et, puisque mon sujet m'y amène, je ferai encore observer à tout prince nouveau, qui s'est emparé de la principauté au moyen d'intelligences au-dedans, qu'il doit bien considérer par quels motifs ont été déterminés ceux qui ont agi en sa faveur ; car, s'ils ne l'ont pas été par une affection naturelle, mais seulement par la raison qu'ils étaient mécontents du gouvernement actuel, le nouveau prince aura une peine extrême à conserver leur amitié, car il lui sera impossible de les contenter.

En réfléchissant sur les exemples que les temps anciens et les modernes nous offrent à cet égard, on verra qu'il est beaucoup plus facile au prince nouveau de gagner ceux qui d'abord furent ses ennemis, parce qu'ils étaient satisfaits de l'ancien état des choses, que ceux qui se firent ses amis et le favorisèrent, parce qu'ils étaient mécontents.

Les princes ont été généralement dans l'usage, pour se maintenir, de construire des forteresses, soit afin d'empêcher les révoltes, soit afin d'avoir un lieu sûr de refuge contre une première attaque. J'approuve ce système, parce qu'il fut suivi par les anciens. De nos jours, cependant, nous avons vu Niccoló Vitelli démolir deux forteresses à Città di Castello, afin de se maintenir en possession de ce pays. Pareillement, le duc d'Urbin Guido Ubaldo, rentré dans son duché, d'où il avait été expulsé par César Borgia, détruisit jusqu'aux fondements toutes les citadelles qui s'y trouvaient, pensant qu'au moyen de cette mesure il risquerait moins d'être dépouillé une seconde fois. Enfin les Bentivogli, rétablis dans Bologne, en usèrent de même. Les forteresses sont donc utiles ou non, selon les circonstances, et même, si elles servent dans un temps, elles nuisent dans un autre. Sur quoi voici ce qu'on peut dire.

Le prince qui a plus de peur de ses sujets que des étrangers doit construire des forteresses ; mais il ne doit point en avoir s'il craint plus les étrangers que ses sujets : le château de Milan, construit par Francesco Sforza, a plus fait de tort à la maison de ce prince qu'aucun désordre survenu dans ses États[1]. La meilleure forteresse qu'un prince puisse avoir est l'affection de ses peuples : s'il est haï, toutes les forteresses qu'il pourra avoir ne le sauveront pas ; car si ses peuples prennent une fois les armes, ils trouveront toujours des étrangers pour les soutenir.

De notre temps, nous n'avons vu que la comtesse de Forli tirer avantage d'une forteresse, où, après le meurtre de son mari, le comte de Girolamo, elle put trouver un refuge contre le soulèvement du peuple, et attendre qu'on lui eût envoyé de Milan le secours au moyen duquel elle reprit ses États. Mais, pour lors, les circonstances étaient telles, qu'aucun étranger ne put soutenir le peuple. D'ailleurs, cette même forteresse lui fut peu utile dans la suite, lorsqu'elle fut attaquée par César Borgia, et que le peuple, qui la détestait, put se joindre à cet ennemi. Dans cette dernière occasion, comme dans la première, il lui eût beaucoup mieux valu de n'être point haïe que d'avoir des forteresses.

D'après tout cela, j'approuve également ceux qui construiront des forteresses et ceux qui n'en construiront point ; mais je blâmerai toujours quiconque, comptant sur cette défense, ne craindra point d'encourir la haine des peuples.

CHAPITRE XXI

Comment doit se conduire un prince pour acquérir de la réputation.

Faire de grandes entreprises, donner par ses actions de rares exemples, c'est ce qui illustre le plus un prince. Nous pouvons, de notre temps, citer comme un prince ainsi illustré Ferdinand d'Aragon, actuellement roi d'Espagne, et qu'on peut appeler en quelque sorte un prince nouveau, parce que, n'étant d'abord qu'un roi bien peu puissant, la renommée et la gloire en ont fait le premier roi de la chrétienté.

Si l'on examine ses actions, on les trouvera toutes empreintes d'un caractère de grandeur, et quelques-unes paraîtront même sortir de la route ordinaire. Dès le commencement de son règne, il attaqua le royaume de Grenade ; et cette entreprise devint la base de sa grandeur. D'abord il la fit étant en pleine paix avec tous les autres

États, et sans crainte, par conséquent, d'aucune diversion : elle lui fournit d'ailleurs le moyen d'occuper l'ambition des grands de la Castille, qui, entièrement absorbés dans cette guerre, ne pensèrent point à innover ; tandis que lui, de son côté, acquérait sur eux, par sa renommée, un ascendant dont ils ne s'aperçurent pas. De plus, l'argent que l'Église lui fournit et celui qu'il leva sur les peuples le mirent en état d'entretenir des armées qui, formées par cette longue suite de guerres, le firent tant respecter par la suite. Après cette entreprise, et se couvrant toujours du manteau de la religion pour en venir à de plus grandes, il s'appliqua avec une pieuse cruauté à persécuter les Maures et à en purger son royaume[1] : exemple admirable, et qu'on ne saurait trop méditer. Enfin, sous ce même prétexte de la religion, il attaqua l'Afrique ; puis il porta ses armes dans l'Italie ; et, en dernier lieu, il fit la guerre à la France : de sorte qu'il ne cessa de former et d'exécuter de grands desseins, tenant toujours les esprits de ses sujets dans l'admiration et dans l'attente des événements. Toutes ces actions, au surplus, se succédèrent et furent liées les unes aux autres, de telle manière qu'elles ne laissaient ni le temps de respirer ni le moyen d'en interrompre le cours.

Ce qui peut servir encore à illustrer un prince, c'est d'offrir, comme fit messer Barnabò Visconti, duc de Milan[2], dans son administration intérieure, et quand l'occasion s'en présente, des exemples singuliers, et qui donnent beaucoup à parler, quant à la manière de punir ou de récompenser ceux qui, dans la vie civile, ont commis de grands crimes ou rendu de grands services ; c'est d'agir, en toute circonstance, de telle façon qu'on soit forcé de le regarder comme supérieur au commun des hommes.

On estime aussi un prince qui se montre franchement ami ou ennemi, c'est-à-dire qui sait se déclarer ouvertement et sans réserve pour ou contre quelqu'un ; ce qui est toujours un parti plus utile à prendre que de demeurer neutre.

En effet, quand deux puissances qui vous sont voisines en viennent aux mains, il arrive de deux choses l'une : elles sont ou elles ne sont pas telles que vous ayez quelque chose à craindre de la part de celle qui demeurera victorieuse. Or, dans l'une et l'autre hypothèse, il vous sera utile de vous être déclaré ouvertement et d'avoir fait franchement la guerre. En voici les raisons.

1. À la suite de ces persécutions religieuses, les communautés juives émigreront vers d'autres pays, notamment la Hollande. Parmi les réfugiés de ce pays, il y aura les ancêtres de Spinoza.

2. Aventurier de bas étage dont la mauvaise réputation rend étonnant le rapprochement avec le roi d'Espagne. Peut-être l'allusion à Ferdinand en termes si élogieux n'était-elle pas dépourvue d'ironie ; on inclinera à le penser au vu des réflexions que Machiavel fait ailleurs au sujet de ce prince. (Voir la fin du chapitre XVIII, p. 97.)

Dans le premier cas : ne vous êtes-vous point déclaré, vous demeurez la proie de la puissance victorieuse, et cela à la satisfaction et au contentement de la puissance vaincue, qui ne sera engagée par aucun motif à vous défendre ni même à vous donner asile. La première, effectivement, ne peut pas vouloir d'un ami suspect, qui ne sait pas l'aider au besoin ; et, quant à la seconde, pourquoi vous accueillerait-elle, vous qui aviez refusé de prendre les armes en sa faveur et de courir sa fortune ?

Antiochus étant venu dans la Grèce, où l'appelaient les Étoliens, dans la vue d'en chasser les Romains, envoya des orateurs aux Achéens, alliés de ce dernier peuple, pour les inviter à demeurer neutres. Les Romains leur en envoyèrent aussi pour les engager au contraire à prendre les armes en leur faveur. L'affaire étant mise en discussion dans le conseil des Achéens, et les envoyés d'Antiochus insistant pour la neutralité, ceux des Romains répondirent, en s'adressant aux Achéens : « Quant au conseil qu'on vous donne de ne prendre aucune part dans notre guerre, et qu'on vous présente comme le meilleur et le plus utile pour votre pays, il n'y en a point qui pût vous être plus funeste ; car si vous le suivez, vous demeurez le prix du vainqueur sans vous être acquis la moindre gloire, et sans qu'on vous ait la moindre obligation[1]. »

Un gouvernement doit compter que toujours celle des deux parties belligérantes qui n'est point son amie lui demandera qu'il demeure neutre, et que celle qui est son amie voudra qu'il se déclare en prenant les armes.

Ce parti de la neutralité est celui qu'embrassent le plus souvent les princes irrésolus, qu'effrayent les dangers présents, et c'est celui qui, le plus souvent aussi, les conduit à leur ruine[2].

Vous êtes-vous montré résolument et vigoureusement pour une des deux parties, elle ne sera point à craindre pour vous si elle demeure victorieuse, alors même qu'elle serait assez puissante pour que vous vous trouvassiez à sa discrétion ; car elle vous sera obligée : elle aura contracté avec vous quelque lien d'amitié ; et les hommes ne sont jamais tellement dépourvus de tout sentiment d'honneur, qu'ils veuillent accabler ceux avec qui ils ont de tels rapports, et donner ainsi l'exemple de la plus noire ingratitude. D'ailleurs, les victoires ne sont jamais si complètes que le vainqueur puisse se croire affranchi de tout égard, et surtout de toute justice. Mais si

1. Tite-Live, XXXV, 48. Machiavel cite en latin et de mémoire, un peu inexactement.

2. Critique non dissimulée de la politique hésitante de la république florentine. Le sac de Prato sanctionna le refus de Florence d'entrer dans la Sainte Ligue de Jules II contre les Français.

cette partie belligérante, pour laquelle vous vous êtes déclaré, se trouve vaincue, du moins vous pouvez compter d'en être aidé autant qu'il lui sera possible, et d'être associé à une fortune qui peut se rétablir.

Dans la seconde hypothèse, c'est-à-dire quand les deux puissances rivales ne sont point telles que vous ayez à craindre quelque chose de la part de celle qui demeurera victorieuse, la prudence vous conseille encore plus de vous déclarer pour l'une des deux. Que s'ensuivra-t-il, en effet ? C'est que vous aurez ruiné une de ces puissances par le moyen et avec le secours d'une autre, qui, si elle eût été sage, aurait dû la soutenir, et qui se trouvera à votre discrétion après la victoire que votre appui doit infailliblement lui faire obtenir.

Sur cela, au reste, j'observe qu'un prince ne doit jamais, ainsi que je l'ai déjà dit, s'associer à un autre plus puissant que lui pour en attaquer un troisième, à moins qu'il n'y soit contraint par la nécessité, car la victoire le mettrait à la discrétion de cet autre plus puissant ; et les princes doivent, sur toutes choses, éviter de se trouver à la discrétion d'autrui. Les Vénitiens s'associèrent avec la France contre le duc de Milan ; et de cette association, qu'ils pouvaient éviter, résulta leur ruine.

Que si une pareille association est inévitable, comme elle le fut pour les Florentins, lorsque le pape et l'Espagne firent marcher leurs troupes contre la Lombardie, il faut bien alors qu'on s'y détermine, quoi qu'il en puisse arriver.

Au surplus, un gouvernement ne doit point compter qu'il ne prendra jamais que des partis bien sûrs : on doit penser, au contraire, qu'il n'en est point où il ne se trouve quelque incertitude. Tel est effectivement l'ordre des choses, qu'on ne cherche jamais à fuir un inconvénient sans tomber dans un autre ; et la prudence ne consiste qu'à examiner, à juger les inconvénients, et à prendre comme bon ce qui est le moins mauvais.

Un prince doit encore se montrer amateur des talents, et honorer ceux qui se distinguent dans leur profession. Il doit encourager ses sujets, et les mettre à portée d'exercer tranquillement leur industrie, soit dans le commerce, soit dans l'agriculture, soit dans tous les autres genres de travaux auxquels les hommes se livrent ; en sorte qu'il n'y en ait aucun qui s'abstienne ou d'améliorer ses possessions, dans la crainte qu'elles ne lui soient enlevées, ou d'entreprendre quelque négoce de peur d'avoir à souffrir des exactions. Il doit faire espérer des récompenses à ceux qui forment de telles entreprises, ainsi qu'à tous ceux qui songent à accroître la richesse et la grandeur de l'État. Il doit de plus, à certaines époques convenables de l'année, amuser le peuple par des fêtes, des spectacles ; et, comme tous les citoyens d'un État sont partagés en communautés d'arts ou en tribus, il ne saurait avoir trop d'égards pour ces corporations ; il paraîtra quelquefois dans leurs assemblées, et montrera toujours de l'humanité et de la magnificence, sans jamais compromettre néanmoins la majesté de son rang, majesté qui ne doit l'abandonner dans aucune circonstance.

CHAPITRE XXII

Des secrétaires des princes[1].

Ce n'est pas une chose de peu d'importance pour un prince que le choix de ses ministres, qui sont bons ou mauvais selon qu'il est plus ou moins sage lui-même. Aussi, quand on veut apprécier sa capacité, c'est d'abord par les personnes qui l'entourent que l'on en juge. Si elles sont habiles et fidèles, on présume toujours qu'il est sage lui-même, puisqu'il a su discerner leur habileté et s'assurer de leur fidélité ; mais on en pense tout autrement si ces personnes ne sont point telles ; et le choix qu'il en a fait ayant dû être sa première opération, l'erreur qu'il y a commise est d'un très fâcheux augure. Tous ceux qui apprenaient que Pandolfo Petrucci, prince de Sienne, avait choisi messer Antonio da Venafro pour son ministre, jugeaient par là même que Pandolfo était un prince très sage et très éclairé.

On peut distinguer trois ordres d'esprit, savoir : ceux qui comprennent par eux-mêmes, ceux qui comprennent lorsque d'autres leur démontrent, et ceux enfin qui ne comprennent ni par eux-mêmes, ni par le secours d'autrui[2]. Les premiers sont les esprits supérieurs, les seconds les bons esprits, les troisièmes les esprits nuls. Si Pandolfo n'était pas du premier ordre, certainement il devait être au moins du second, et cela suffisait ; car un prince qui est en état, sinon d'imaginer, du moins de juger de ce qu'un autre fait et dit de bien et de mal, sait

1. C'est sa propre fonction (passée) que Machiavel prend pour objet dans ce chapitre.

2. Ce classement vient de Tite-Live.

discerner les opérations bonnes ou mauvaises de son ministre, favoriser les unes, réprimer les autres, ne laisser aucune espérance de pouvoir le tromper, et contenir ainsi le ministre lui-même dans son devoir.

Du reste, si un prince veut une règle certaine pour connaître ses ministres, on peut lui donner celle-ci : Voyez-vous un ministre songer plus à lui-même qu'à vous, et rechercher son propre intérêt dans toutes ses actions, jugez aussitôt qu'il n'est pas tel qu'il doit être, et qu'il ne peut mériter votre confiance ; car l'homme qui a l'administration d'un État dans les mains ne doit jamais penser à lui-même, mais doit toujours penser au prince, et ne l'entretenir que de ce qui tient à l'intérêt de l'État.

Mais il faut aussi que, de son côté, le prince pense à son ministre, s'il veut le conserver toujours fidèle ; il faut qu'il l'environne de considération, qu'il le comble de richesses, qu'il le fasse entrer en partage de tous les honneurs et de toutes les dignités, pour qu'il n'ait pas lieu d'en souhaiter davantage ; que, monté au comble de la faveur, il redoute le moindre changement, et qu'il soit bien convaincu qu'il ne pourrait se soutenir sans l'appui du prince.

Quand le prince et le ministre sont tels que je le dis, ils peuvent se livrer l'un à l'autre avec confiance : s'ils ne le sont point, la fin sera également fâcheuse pour tous les deux.

CHAPITRE XXIII

Comment on doit fuir les flatteurs.

Je ne négligerai point de parler d'un article important, et d'une erreur dont il est très difficile aux princes de se défendre, s'ils ne sont doués d'une grande prudence, et s'ils n'ont l'art de faire de bons choix ; il s'agit des flatteurs, dont les cours sont toujours remplies.

Si, d'un côté, les princes aveuglés par l'amour-propre ont peine à ne pas se laisser corrompre par cette peste, de l'autre, ils courent un danger en la fuyant : c'est celui de tomber dans le mépris. Ils n'ont effectivement qu'un bon moyen de se prémunir contre la flatterie, c'est de faire bien comprendre qu'on ne peut leur déplaire en leur disant la vérité : or, si toute personne peut dire librement à un prince ce qu'elle croit vrai, il cesse bientôt d'être respecté.

Quel parti peut-il donc prendre pour éviter tout inconvénient ? Il doit, s'il est prudent, faire choix dans ses États de quelques hommes sages, et leur donner, mais à eux seuls, liberté entière de lui dire la vérité, se bornant toutefois encore aux choses sur lesquelles il les interrogera. Il doit, du reste, les consulter sur tout, écouter leurs avis, résoudre ensuite par lui-même ; il doit encore se conduire, soit envers tous les conseillers ensemble, soit envers chacun d'eux en particulier, de manière à leur persuader qu'ils lui agréent d'autant plus qu'ils parlent avec plus de franchise ; il doit enfin ne vouloir entendre aucune autre personne, agir selon la détermination prise, et s'y tenir avec fermeté.

Le prince qui en use autrement est ruiné par les flatteurs, ou il est sujet à varier sans cesse, entraîné par la diversité des conseils ; ce qui diminue beaucoup sa considération. Sur quoi je citerai un exemple récent. Le prêtre Lucas, agent de Maximilien, actuellement empereur, disait de ce prince « qu'il ne prenait jamais conseil de personne », et qu'il ne faisait jamais rien d'après « sa volonté». Maximilien[1], en effet, est un homme fort secret, qui ne se confie à qui que ce soit, et ne demande aucun avis ; mais ses desseins venant à être connus à mesure qu'ils sont mis à exécution, ils sont aussitôt contredits par ceux qui l'entourent, et par faiblesse il s'en laisse détourner : de là vient que ce qu'il fait un jour, il le défait le lendemain ; qu'on ne sait jamais ce qu'il désire ni ce qu'il se propose, et qu'on ne peut compter sur aucune de ses déterminations.

1. Empereur d'Allemagne.

Un prince doit donc toujours prendre conseil, mais il doit le faire quand il veut, et non quand d'autres le veulent ; il faut même qu'il ne laisse à personne la hardiesse de lui donner son avis sur quoi que ce soit, à moins qu'il ne le demande ; mais il faut aussi qu'il ne soit pas trop réservé dans ses questions, qu'il écoute patiemment la vérité, et que lorsque quelqu'un est retenu, par certains égards, de la lui dire, il en témoigne du déplaisir.

Ceux qui prétendent que tel ou tel prince qui paraît sage ne l'est point effectivement, parce que la sagesse qu'il montre ne vient pas de lui-même, mais des bons conseils qu'il reçoit, avancent une grande erreur ; car c'est une règle générale, et qui ne trompe jamais, qu'un prince qui n'est point sage par lui-même ne peut pas être bien conseillé, à moins que le hasard ne l'ait mis entière-

ment entre les mains de quelque homme trè
seul le maîtrise et le gouverne ; auquel cas,
peut, à la vérité, être bien conduit, mais p
temps, car le conducteur ne tardera pas à s'e
pouvoir. Mais hors de là, et lorsqu'il sera obligé
sieurs conseillers, le prince qui manque de sages
vera toujours divisés entre eux, et ne saura point
Chacun de ces conseillers ne pensera qu'à s
propre, et il ne sera en état ni de les reprendre
de les juger : d'où il s'ensuivra qu'il n'en aura ja
de mauvais, car ils ne seront point forcés par la nécessité à devenir bons. En un mot, les bons conseils, de quelque part qu'ils viennent, sont le fruit de la sagesse du prince, et cette sagesse n'est point le fruit des bons conseils.

CHAPITRE XXIV

Pourquoi les princes d'Italie ont perdu leurs États.

Le prince nouveau qui conformera sa conduite à tout ce que nous avons remarqué sera regardé comme ancien, et bientôt même il sera plus sûrement et plus solidement établi que si son pouvoir avait été consacré par le temps. En effet, les actions d'un prince nouveau sont beaucoup plus examinées que celles d'un prince ancien ; et quand elles sont jugées vertueuses, elles lui gagnent et lui attachent bien plus les cœurs que ne pourrait faire l'ancienneté de la race ; car les hommes sont bien plus touchés du présent que du passé ; et quand leur situation actuelle les satisfait, ils en jouissent sans penser à autre chose ; ils sont même très disposés à maintenir et à défendre le prince, pourvu que d'ailleurs il ne se manque point à lui-même.

Le prince aura donc une double gloire, celle d'avoir fondé un État nouveau, et celle de l'avoir orné, consolidé par de bonnes lois, de bonnes armes, de bons alliés et de bons exemples ; tandis qu'au contraire il y aura une double honte pour celui qui, né sur le trône, l'aura laissé perdre par son peu de sagesse.

Si l'on considère la conduite des divers princes d'Italie qui, de notre temps, ont perdu leurs États, tels que le roi de Naples, le duc de Milan et autres, on trouvera d'abord une faute commune à leur reprocher, c'est celle qui concerne les forces militaires, et dont il a été parlé au long ci-dessus. En second lieu, on reconnaîtra qu'ils s'étaient attiré la haine du peuple, ou qu'en possédant son amitié, ils n'ont pas su s'assurer des grands. Sans de telles fautes, on ne perd point des États assez puissants pour mettre une armée en campagne.

Philippe de Macédoine, non pas le père d'Alexandre le Grand, mais celui qui fut vaincu par T. Quintus Flaminius, ne possédait qu'un petit État en comparaison de la grandeur de la république romaine et de la Grèce, par qui il fut attaqué ; néanmoins, comme c'était un habile capitaine, et qu'il avait su s'attacher le peuple et s'assurer des grands, il se trouva en état de soutenir la guerre durant plusieurs années ; et si, à la fin, il dut perdre quelques villes, du moins il conserva son royaume.

Que ceux de nos princes qui, après une longue possession, ont été dépouillés de leurs États, n'en accusent donc point la fortune, mais qu'ils s'en prennent à leur propre lâcheté[1]. N'ayant jamais pensé, dans les temps de tranquillité, que les choses pouvaient changer, semblables en cela au commun des hommes qui, durant le calme, ne s'inquiètent point de la tempête, ils ont songé, quand l'adversité s'est montrée, non à se défendre, mais à s'enfuir, espérant être rappelés par leurs peuples, que l'insolence du vainqueur aurait fatigués. Un tel parti peut être bon à prendre quand on n'en a pas d'autre ; mais il est bien honteux de s'y réduire : on ne se laisse pas tomber, dans l'espoir d'être relevé par quelqu'un. D'ailleurs, il n'est pas certain qu'en ce cas un prince soit ainsi rappelé ; et, s'il l'est, ce ne sera pas avec une grande sûreté pour lui, car un tel genre de défense l'avilit, et ne dépend pas de sa personne. Or il n'y a pour un prince de défense bonne, certaine et durable, que celle qui dépend de lui-même et de sa propre valeur.

1. À la fin de *L'Art de la guerre* (livre VII, 17), Machiavel dresse un réquisitoire détaillé contre cette « lâcheté » des princes d'Italie.

CHAPITRE XXV

Combien, dans les choses humaines, la fortune a de pouvoir, et comment on peut y résister.

Je n'ignore point que bien des gens ont pensé et pensent encore que Dieu et la fortune régissent les choses de ce monde de telle manière que toute la prudence humaine ne peut en arrêter ni en régler le cours : d'où l'on peut conclure qu'il est inutile de s'en occuper avec tant de peine, et qu'il n'y a qu'à se soumettre et à laisser tout conduire par le sort. Cette opinion s'est surtout propagée de notre temps par une conséquence de cette variété de grands événements que nous avons cités, dont nous sommes encore témoins, et qu'il ne nous était pas possible de prévoir : aussi suis-je assez enclin à la partager.

Néanmoins, ne pouvant admettre que notre libre arbitre soit réduit à rien, j'imagine qu'il peut être vrai que la fortune dispose de la moitié de nos actions, mais qu'elle en laisse à peu près l'autre moitié en notre pouvoir. Je la compare à un fleuve impétueux qui, lorsqu'il déborde, inonde les plaines, renverse les arbres et les édifices, enlève les terres d'un côté et les emporte vers un autre : tout fuit devant ses ravages, tout cède à sa fureur ; rien n'y peut mettre obstacle. Cependant, et quelque redoutable qu'il soit, les hommes ne laissent pas, lorsque l'orage a cessé, de chercher à pouvoir s'en garantir par des digues, des chaussées et autres travaux : en sorte que, de nouvelles crues survenant, les eaux se trouvent contenues dans un canal, et ne puissent plus se répandre avec autant de liberté et causer d'aussi grands ravages. Il en est de même de la fortune qui montre surtout son pouvoir là où aucune résistance n'a été préparée et porte ses fureurs là où elle sait qu'il n'y a point d'obstacle disposé pour l'arrêter [1].

1. Sur ce passage capital, **voir concepts clés** : fortune, p. 128, et vertu, p. 136, **voir aussi le commentaire détaillé de l'extrait**, p. 166.

Si l'on considère l'Italie, qui est le théâtre et la source des grands changements que nous avons vus et que nous voyons s'opérer, on trouvera qu'elle ressemble à une vaste campagne qui n'est garantie par aucune sorte de défense. Que si elle avait été prémunie, comme l'Allemagne, l'Espagne et la France, contre le torrent, elle n'en aurait pas été inondée, ou du moins elle n'en aurait pas autant souffert.

Me bornant à ces idées générales sur la résistance qu'on peut opposer à la fortune, et venant à des observations plus particularisées, je remarque d'abord qu'il n'est pas extraordinaire de voir un prince prospérer un jour et déchoir le lendemain, sans néanmoins qu'il ait changé, soit de caractère, soit de conduite. Cela vient, ce me semble, de ce que j'ai déjà assez longuement établi, qu'un prince qui s'appuie entièrement sur la fortune tombe à mesure qu'elle varie. Il me semble encore qu'un prince est heureux ou malheureux, selon que sa conduite se trouve ou ne se trouve pas conforme au temps où il règne[1]. Tous les hommes ont en vue un même but : la gloire et les richesses ; mais dans tout ce qui a pour objet de parvenir à ce but, ils n'agissent pas tous de la même manière : les uns procèdent avec circonspection, les autres avec impétuosité ; ceux-ci emploient la violence, ceux-là usent d'artifice ; il en est qui sont patients, il en est aussi qui ne le sont pas du tout : ces diverses façons d'agir, quoique très différentes, peuvent également réussir. On voit d'ailleurs que de deux hommes qui suivent la même marche, l'un arrive et l'autre n'arrive pas ; tandis qu'au contraire deux autres qui marchent très différemment, et, par exemple, l'un avec circonspection et l'autre avec impétuosité, parviennent néanmoins pareillement à leur terme : or d'où cela vient-il, si ce n'est de ce que les manières de procéder sont ou ne sont pas conformes aux temps ? C'est ce qui fait que deux actions différentes produisent un même effet, et que deux actions pareilles ont des résultats opposés. C'est pour cela encore que ce qui est bien ne l'est pas toujours. Ainsi, par exemple, un prince gouverne-t-il avec circonspection et patience : si la nature et les circonstances des temps sont telles que cette manière de gouverner soit bonne, il prospérera ; mais il décherra, au contraire, si la nature et les circonstances des temps changeant, il ne change pas lui-même de système.

Changer ainsi à propos, c'est ce que les hommes même les plus prudents ne savent point faire, soit parce qu'on ne peut agir contre son caractère, soit parce que, lorsqu'on a longtemps prospéré en suivant une certaine route, on ne peut se persuader qu'il soit bon d'en prendre une autre. Ainsi l'homme circonspect, ne sachant point être impétueux quand il le faudrait, est lui-même l'artisan de sa propre ruine. Si nous pouvions changer de caractère selon le temps et les circonstances, la fortune ne changerait jamais.

Le pape Jules II fit toutes ses actions avec impétuosité ; et cette manière d'agir se trouva tellement conforme aux temps et aux circonstances, que le résultat en fut toujours heureux. Considérez sa première entreprise, celle qu'il fit sur Bologne, du vivant de messer Giovanni Bentivogli : les Vénitiens la voyaient de mauvais œil, et elle était un sujet de discussion pour l'Espagne et la France ; néanmoins, Jules s'y précipita avec sa résolution et son impétuosité naturelles, conduisant lui-même en personne l'expédition ; et,

1. L'échec du président de la république florentine, Soderini, n'a pas d'autre explication : « Pier Soderini [...] réglait sa conduite sur les principes de l'humanité et de la patience. Il vit prospérer sa patrie tant que les circonstances se prêtèrent à ce régime. Mais vinrent des temps où il fallait rompre avec une politique d'humilité et de patience, et il ne sut pas rompre : il tomba, et avec lui, sa patrie » (*Discours*, livre III, 9).

par cette hardiesse, il tint les Vénitiens et l'Espagne en respect, de telle manière que personne ne bougea : les Vénitiens, parce qu'ils craignaient, et l'Espagne, parce qu'elle désirait recouvrer le royaume de Naples en entier. D'ailleurs, il entraîna le roi de France à son aide ; car ce monarque, voyant que le pape s'était mis en marche, et souhaitant gagner son amitié, dont il avait besoin pour abaisser les Vénitiens, jugea qu'il ne pouvait lui refuser le secours de ses troupes sans lui faire une offense manifeste. Jules obtint donc, par son impétuosité, ce qu'un autre n'aurait pas obtenu avec toute la prudence humaine ; car s'il avait attendu, pour partir de Rome, comme tout autre pape aurait fait, que tout eût été convenu, arrêté, préparé, certainement il n'aurait pas réussi. Le roi de France, en effet, aurait trouvé mille moyens de s'excuser auprès de lui, et les autres puissances en auraient eu tout autant de l'effrayer[1].

Je ne parlerai point ici des autres opérations de ce pontife, qui, toutes conduites de la même manière eurent pareillement un heureux succès. Du reste, la brièveté de sa vie ne lui a pas permis de connaître les revers, qu'il eût probablement essuyés s'il était survenu dans un temps où il eût fallu se conduire avec circonspection ; car il n'aurait jamais pu se départir du système de violence auquel ne le portait que trop son caractère.

Je conclus donc que, la fortune changeant, et les hommes s'obstinant dans la même manière d'agir, ils sont heureux tant que cette manière se trouve d'accord avec la fortune ; mais qu'aussitôt que cet accord cesse, ils deviennent malheureux.

Je pense, au surplus, qu'il vaut mieux être impétueux que circonspect, car la fortune est femme : pour la tenir soumise, il faut la traiter avec rudesse ; elle cède plutôt aux hommes qui usent de violence qu'à ceux qui agissent froidement : aussi est-elle toujours amie des jeunes gens, qui sont moins réservés, plus emportés, et qui commandent avec plus d'audace.

1. Machiavel n'opère ici aucun sauvetage de la politique des papes. Jules II ne doit ses succès qu'au hasard, qui a fait s'harmoniser un temps son caractère avec la situation politique. La fin du chapitre précise d'ailleurs que ces succès se seraient changés en revers si le pape avait vécu plus longtemps.

CHAPITRE XXVI

Exhortation à délivrer l'Italie des barbares.

En réfléchissant sur tout ce que j'ai exposé ci-dessus, et en examinant en moi-même si aujourd'hui les temps seraient tels en Italie, qu'un prince nouveau pût s'y rendre illustre, et si un homme prudent et courageux trouverait l'occasion et le moyen de donner à ce pays une nouvelle forme, telle qu'il en résultât de la gloire pour lui et de l'utilité pour la généralité des habitants, il me semble que tant de circonstances concourent en faveur d'un pareil dessein, que je ne sais s'il y eut jamais un temps plus propice que celui-ci pour ces grands changements.

Et si, comme je l'ai dit[1], il fallait que le peuple d'Israël fût esclave des Égyptiens, pour connaître la vertu de Moïse ; si la grandeur d'âme de Cyrus ne pouvait éclater qu'autant que les Perses seraient opprimés par les Mèdes ; si enfin, pour apprécier toute la valeur de Thésée, il était nécessaire que les Athéniens fussent désunis : de même, en ces jours, pour que quelque génie pût s'illustrer, il était nécessaire que l'Italie fût réduite au terme où nous la voyons parvenue ; qu'elle fût plus opprimée que les Hébreux, plus esclave que les Perses, plus désunie que les Athéniens, sans chefs, sans institutions, battue, déchirée, envahie, et accablée de toute espèce de désastres.

Jusqu'à présent, quelques lueurs ont bien paru lui annoncer de temps en temps un homme[2] choisi de Dieu pour sa délivrance ; mais bientôt elle a vu cet homme arrêté par la fortune dans sa brillante carrière, et elle en est toujours à attendre, presque mourante, celui qui pourra fermer ses blessures, faire cesser les pillages et les saccages que souffre la Lombardie, mettre un terme aux exactions et aux vexations qui accablent le royaume de Naples et la Toscane, et guérir enfin ses plaies si invétérées qu'elles sont devenues fistuleuses.

On la voit aussi priant sans cesse le ciel de daigner lui envoyer quelqu'un qui la délivre de la cruauté et de l'insolence des barbares. On la voit d'ailleurs toute disposée, toute prête à se ranger sous le premier étendard qu'on osera déployer devant ses yeux. Mais où peut-elle mieux placer ses espérances qu'en votre illustre maison, qui, par ses vertus héréditaires, par sa fortune, par la faveur de Dieu et par celle de l'Église, dont elle occupe actuellement le trône, peut véritablement conduire et opérer cette heureuse délivrance ?

Elle ne sera point difficile, si vous avez sous les yeux la vie et les actions de ces héros que je viens de nommer. C'étaient, il est vrai, des hommes rares et mer-

1. Voir chap. VI, pp. 55-56.

2. César Borgia.

veilleux ; mais enfin c'étaient des hommes ; et les occasions dont ils profitèrent étaient moins favorables que celle qui se présente. Leurs entreprises ne furent pas plus justes que celle-ci, et ils n'eurent, pas plus que vous ne l'avez, la protection du ciel. C'est ici que la justice brille dans tout son jour, car la guerre est toujours juste lorsqu'elle est nécessaire, et les armes sont sacrées lorsqu'elles sont l'unique ressource des opprimés[1]. Ici, tous les vœux du peuple vous appellent ; et, au milieu de cette disposition unanime, le succès ne peut être incertain : il suffit que vous preniez exemple sur ceux que je vous ai proposés pour modèles.

Bien plus, Dieu manifeste sa volonté par des signes éclatants : la mer s'est entrouverte, une nue lumineuse a indiqué le chemin, le rocher a fait jaillir des eaux de son sein, la manne est tombée dans le désert ; tout favorise ainsi votre grandeur. Que le reste soit votre ouvrage : Dieu ne veut pas tout faire, pour ne pas nous laisser sans mérite, et sans cette portion de gloire qu'il nous permet d'acquérir.

Qu'aucun des Italiens[2] dont j'ai parlé n'ait pu faire ce qu'on attend de votre illustre maison ; que, même au milieu de tant de révolutions que l'Italie a éprouvées, et de tant de guerres dont elle a été le théâtre, il ait semblé que toute valeur militaire y fût éteinte, c'est de quoi l'on ne doit point s'étonner : cela est venu de ce que les anciennes institutions étaient mauvaises, et qu'il n'y a eu personne qui sût en trouver de nouvelles. Il n'est rien cependant qui fasse plus d'honneur à un homme qui commence à s'élever que d'avoir su introduire de nouvelles lois et de nouvelles institutions : si ces lois, si ces institutions posent sur une base solide, et si elles présentent de la grandeur, elles le font admirer et respecter de tous les hommes.

L'Italie, au surplus, offre une matière susceptible des réformes les plus universelles. C'est là que le courage éclatera dans chaque individu, pourvu que les chefs n'en manquent pas eux-mêmes[3]. Voyez dans les duels et les combats entre un petit nombre d'adversaires combien les Italiens sont supérieurs en force, en adresse, en intelligence. Mais faut-il qu'ils combattent réunis en armée, toute leur valeur s'évanouit. Il faut en accuser la faiblesse des chefs ; car, d'une part, ceux qui savent ne sont point obéissants, et chacun croit savoir ; de l'autre, il ne s'est

1. Machiavel cite en latin et de mémoire – un peu inexactement – cette belle formule de Tite-Live (IX, 1).

2. Ni Sforza, ni Borgia.

3. Tant il est vrai que « les fautes des peuples viennent de celles des princes », ainsi que l'énonce le titre du chap. 29, livre III, des *Discours*.

trouvé aucun chef assez élevé, soit par son mérite personnel, soit par la fortune, au-dessus des autres, pour que tous reconnussent sa supériorité et lui fussent soumis. Il est résulté de là que, pendant si longtemps, et durant tant de guerres qui ont eu lieu depuis vingt années, toute armée uniquement composée d'Italiens n'a éprouvé que des revers, témoins d'abord le Taro, puis Alexandrie, Capoue, Gênes, Vailà, Cologne et Mestri.

Si votre illustre maison veut imiter les grands hommes qui, en divers temps, délivrèrent leur pays, ce qu'elle doit faire avant toutes choses, et ce qui doit être la base de son entreprise, c'est de se pourvoir de forces nationales, car ce sont les plus solides, les plus fidèles, les meilleures qu'on puisse posséder : chacun des soldats qui les composent étant bon personnellement, deviendra encore meilleur lorsque tous réunis se verront commandés, honorés, entretenus par leur prince. C'est avec de telles armes que la valeur italienne pourra repousser les étrangers.

L'infanterie suisse et l'infanterie espagnole passent pour être terribles ; mais il y a dans l'une et dans l'autre un défaut tel, qu'il est possible d'en former une troisième, capable non seulement de leur résister, mais encore de les vaincre. En effet, l'infanterie espagnole ne peut se soutenir contre la cavalerie, et l'infanterie suisse doit craindre toute autre troupe de même nature qui combattra avec la même obstination qu'elle. On a vu aussi, et l'on verra encore, la cavalerie française défaire l'infanterie espagnole, et celle-ci détruire l'infanterie suisse ; de quoi il a été fait, sinon une expérience complète, au moins un essai dans la bataille de Ravenne, où l'infanterie espagnole se trouva aux prises avec les bataillons allemands, qui observent la même discipline que les Suisses : on vit les Espagnols, favorisés par leur agilité et couverts de leurs petits boucliers, pénétrer par-dessous les lances dans les rangs de leurs adversaires, les frapper sans risque et sans que les Allemands pussent les en empêcher ; et ils les auraient détruits jusqu'au dernier, si la cavalerie n'était venue les charger eux-mêmes à leur tour.

Maintenant que l'on connaît le défaut de l'une et de l'autre de ces deux infanteries, on peut en organiser une nouvelle qui sache résister à la cavalerie et ne point craindre d'autres fantassins. Il n'est pas nécessaire pour cela de créer un nouveau genre de troupe ; il suffit de trouver une nouvelle organisation, une nouvelle manière de combattre ; et c'est par de telles inventions, qu'un prince nouveau acquiert de la réputation et parvient à s'agrandir.

Ne laissons point échapper l'occasion présente[1]. Que l'Italie, après une si longue attente, voie enfin paraître son libérateur ! Je ne puis trouver de termes pour exprimer avec quel amour, avec quelle soif de vengeance, avec quelle fidélité inébranlable, avec quelle vénération et quelles larmes de joie il serait reçu dans toutes les provinces qui ont tant souffert de ces inondations d'étrangers ! Quelles portes pourraient rester fermées devant lui ? Quels peuples refuseraient de lui obéir ? Quelle jalousie s'opposerait à ses succès ? Quel Italien ne l'entourerait de ses respects ? Y a-t-il quelqu'un dont la domination des barbares ne fasse bondir le cœur[2] ?

Que votre illustre maison prenne donc sur elle ce noble fardeau avec ce courage et cet espoir du succès qu'inspire une entreprise juste et légitime ; que, sous sa bannière, la commune patrie ressaisisse son ancienne splendeur, et que, sous ses auspices, ces vers de Pétrarque puissent enfin se vérifier !

Virtù contra furore
Prenderà l'arme, e fia'l combatter corto ;
Che l'antico valore
Negl' italici cor non è ancor morto[3].

Petrarca, *Canz.* XVI, V, 93-96.

1. « Je suis l'Occasion [...] Derrière ma tête, pas un cheveu ne flotte, et celui qui m'aurait laissée passer, ou devant lequel je me serais détournée, se fatiguerait en vain à me rattraper » (*Capitolo de l'Occasion*).

2. Cette envolée lyrique est très représentative du style de ce dernier chapitre. On peut la lire comme une exagération ironique. Mais une autre explication reste possible : Machiavel sait qu'en politique, un sursaut d'optimisme enflammé – même feint – peut provoquer des retournements décisifs. La guerre – miroir grossissant de la politique – nous montre que le *bluff*, utilisé avec discernement, peut payer. Ainsi Fabius Maximus haranguant ses soldats : « Après leur avoir exposé toutes les raisons qui pouvaient leur faire espérer la victoire, il ajouta qu'il en aurait d'autres à leur donner qui ne leur laisseraient aucun doute sur ce succès, s'il n'était dangereux de les révéler pour le moment. Cet artifice qui fut employé avec sagesse, ne mérite d'être imité qu'avec la même sagesse » (*Discours*, livre III, 33).

3. « Vaillance contre barbarie prendra les armes et tôt la vaincra, car l'antique valeur n'est pas encore morte dans les cœurs italiens. »

Dossier

Concepts clés

Il est difficile d'identifier chez Machiavel des concepts théoriques dont le contenu serait nettement déterminé. Certaines des notions répertoriées ci-dessous ne se trouvent même pas dans ses écrits ; par exemple celle de *raison d'État,* dont on le tient pourtant quelquefois pour l'inventeur. Machiavel ne définit jamais rigoureusement *fortune* et *vertu*, auxquelles pourtant il n'arrête pas de se référer.

Louis Althusser fait remarquer que le discours machiavélien « sollicite le philosophe », et même qu'il le « saisit ». Mais le philosophe « saisi » par Machiavel, et qui le lit, a constamment l'impression de n'être pas vraiment chez lui, parce que la théorie de Machiavel résiste à toute présentation sous la forme d'un édifice conceptuel systématique. Althusser constate que Machiavel ne se meut pas, du moins pas à la manière de nos philosophes, dans l'élément de l'universalité. L'objet de Machiavel est toujours singulier : une conjoncture. Il ne s'agit pas, comme chez Montesquieu, de « la nature des choses », mais de la « vérité effective de la chose » (chap. XV).

Machiavel est-il lui-même un philosophe ? C'est un fait qu'il n'emploie jamais les mots « philosophe » ni « philosophie » pour parler de lui-même et de son œuvre. Vis-à-vis de la philosophie, son attitude est de méfiance, sinon de mépris :

> « [...] Les hommes éclairés ont observé que les lettres viennent à la suite des armes, et que les généraux naissent avant les philosophes. Lorsque des armées braves et disciplinées ont amené la victoire, et la victoire le repos, la vigueur des esprits, jusqu'alors sous les armes, ne peut s'amollir dans une plus honorable oisiveté qu'au sein des lettres. Il n'est pas de leurre plus dangereux ni plus sûr pour introduire l'oisiveté dans les États les mieux constitués. C'est ce que Caton avait parfaitement senti, lorsque les philosophes Diogène et Carnéade furent envoyés d'Athènes comme ambassadeurs auprès du Sénat. Voyant que la jeunesse romaine commençait à suivre ces philosophes avec admiration, et qu'une foule de maux pouvait en résulter pour sa patrie, il fit arrêter qu'à l'avenir aucun philosophe ne serait admis à Rome. »
>
> Machiavel, *Histoires florentines*, livre V

On ne saurait dire que Machiavel chasse les philosophes de la cité, mais il ne donne pas cher d'une cité où les philosophes tiennent le haut du pavé. Ici comme ailleurs, Machiavel se révèle infiniment plus romain que grec. Bien sûr, cela ne l'a pas empêché d'exercer, sur la philosophie, une influence qui surpasse infiniment celle de ses contemporains plus proches de ce qu'on appelle « philosophie » (Ficin, Bovelle, Reuchlin, Pomponazzi, et même Érasme). Mais il y a une distance, que rien ne peut annuler, entre Machiavel et la philosophie.

fortune (*fortunà*)
voir aussi « vertu »

Notion centrale dans l'œuvre de Machiavel, mais très difficile à cerner, car « sans statut épistémologique univoque », comme dit Jean-François Duvernoy. Machiavel ne donne pas au mot « fortune » le contenu rigoureux d'un concept. Le plus souvent, il se contente de l'expliciter par des exemples et n'en donne qu'une détermination empirique, voire symbolique. La fortune n'est ni une providence, ni un destin implacable qui inclinerait au fatalisme. Elle n'est pas davantage un déterminisme historique sur lequel on pourrait construire une politique rationnelle, mais une nécessité extérieure à laquelle il faut réagir, souvent dans l'urgence. La notion de fortune est chargée de rendre compte de la part d'imprévisible que comporte irrémédiablement l'action humaine. « Fortune » exprime cette idée que la volonté la plus déterminée n'est jamais en mesure d'imposer complètement la forme souhaitée à la matière politique.

Sur la notion de fortune, deux textes de Machiavel sont essentiels : le *Capitolo de la Fortune*, présenté dans les **Documents**, **Autour de l'œuvre**, p. 175, et l'avant-dernier chapitre du *Prince*, analysé dans **Commentaire d'extraits**, p. 166.

Faire de la politique (chez soi comme au-dehors), c'est pour le prince s'inscrire en tant que force au sein d'un système de forces antagonistes, ennemies. Prêtant sa propre puissance aux puissances faibles, la lançant contre les puissances fortes, il poursuit un équilibre précaire. Aussitôt l'a-t-il réalisé que ses propres interventions passées développent des conséquences qui contribuent à le rompre. Il est extrêmement difficile, et même impossible : **1.** de connaître complètement tous les aspects d'une situation ; **2.** d'en analyser les risques et les potentialités ; **3.** de prévoir les réactions des autres acteurs du jeu politique à ses propres initiatives. Ces limites dessinent une marge irréductible d'inconnaissable et d'immaîtrisable dans le champ politique, qui définit très exactement la fortune.

On trouve au chapitre III du *Prince* une formule que J.-Y. Goffi (*Machiavel, penseur systématique*, Revue de l'enseignement philosophique, août-septembre 1980) appelle « loi de la fortune » : « Le temps chasse également toute chose devant lui, et il apporte à sa suite le bien comme le mal, le mal comme le bien. » (p. 47.) Que dit cette loi ? Assez paradoxalement, qu'aucune loi ne régit le devenir en politique ! Sinon celle-ci : il ne faut pas s'attendre à voir les choses demeurer en l'état où elles se trouvent, car « toutes les choses de ce monde ont un terme à leur existence » (Machiavel, *Discours*, III, 1).

Mais nous apprendrons au chapitre XXV du *Prince*, p. 118, que la fortune ne dicte sa loi qu'à celui qui ne fait rien pour la contrecarrer. Elle a principalement sur nos actions le pouvoir que notre paresse et notre démission lui concèdent. Il en va de même de ce temps, qui « apporte à sa suite le bien comme le mal » ; c'est le temps de celui qui attend, qui laisse venir, qui croit que le temps travaille pour lui. En politique, le temps ne travaille pour personne car il ne travaille pas du tout. La temporalité historique n'est investie d'aucune mission salvatrice. Il n'y a pas de progrès en politique.

Pour évoquer la fortune, Machiavel se sert d'une opposition venue d'Aristote (*Métaphysique*, Z) entre *matière* et *forme*. Ce que la fortune fait advenir, voilà la matière première, brute, sur laquelle travaille l'homme politique. Sa tâche ? Lui donner une forme et, cela va de soi, une forme politique : créer un État, conquérir un pays. Pour cela, il lui faut de la vertu (*virtù*).

grands/peuple
(grandi/populo)

Machiavel est un théoricien extrêmement attentif aux divisions du social. C'est même ce qui fait principalement, comme historien, son originalité ; originalité qu'il revendique dans la préface des *Histoires florentines*.

Machiavel réfléchit sur les incidences politiques du conflit qui oppose le *peuple* et les *grands*. Ces catégories ne reçoivent jamais de définition sociologique précise ; elles renvoient à la société civile sans se fonder sur des analyses économiques (Machiavel s'intéresse fort peu à l'économie). On est loin d'une théorie de la lutte des classes, en dépit de l'intérêt tout particulier que les marxistes ont porté à Machiavel pour son « point de vue de classe » (Gramsci, Horkheimer, Althusser, Mounin, et même Lefort). En revanche, ce souci de penser l'État à partir des scissions de la société fait du secrétaire florentin un penseur politique de la modernité. Hegel reprendra cette idée dans les *Principes de la philosophie du droit* (IIIe partie, 3e section : « L'État »).

Machiavel n'aime pas beaucoup les grands, les « gentilhommes », qu'il définit : « tous ceux qui vivent sans rien faire, du produit de leurs possessions ». Il ajoute : « De tels hommes sont dangereux dans toute république et dans tout État » ; ce sont les « ennemis naturels de toute police [*organisation sociale*] raisonnable » (*Discours*, I, 55).

Ce qui caractérise les grands, selon Machiavel, c'est qu'ils cherchent à opprimer, c'est-à-dire à s'emparer de la moindre parcelle de pouvoir pour satisfaire un intérêt personnel. Tandis que le peuple, lui, ne demande qu'à ne pas être opprimé. Les grands sont une menace perpétuelle pour l'État, sa stabilité, sa sécurité. Leur ambition, leur soif de dominer en font d'éternels intrigants. Le prince doit savoir qu'ils n'hésiteront pas à servir de cheval de Troie à une puissance étrangère. Qu'on se souvienne du mot d'ordre de la grande bourgeoisie française après 1936 : « Plutôt Hitler que le Front populaire ! » Si donc la monarchie est issue soit des grands, soit du peuple, il n'y a pas pour autant symétrie quant aux pouvoirs qui en résultent. Contre les grands, qui incarnent une sorte de vice radical, la préférence de Machiavel va au peuple et à son pouvoir : la république.

Dans le chapitre IX *du Prince*, p. 68, Machiavel analyse les forces que le prince doit affronter, réfléchit sur leur équilibre, et apprend ainsi au fondateur d'État la tâche qui lui incombe : contrecarrer par une oppression politique consciente les désirs inconscients d'oppression sociale des grands (ce fut la politique d'un Richelieu). De cette dissymétrie (grands/peuple) découle une conséquence immédiate : la sécurité pour le prince se trouve dans une alliance avec le peuple, plutôt qu'avec les grands. Ce seul chapitre IX interdirait qu'on oppose un *Prince* monarchiste aux *Discours* républicains.

Mais que le prince s'allie de préférence au peuple ne doit pas le conduire à écraser les grands. L'équilibre de l'État se trouve dans un conflit maîtrisé : une rivalité que les lois empêchent de déboucher sur la violence, mais qui engendre une surveillance réciproque et empêche l'un et l'autre camps d'imposer une suprématie qui dégénérerait rapidement en tyrannie.

Louis Althusser fait remarquer que *Le Prince* porte une contradiction essentielle, qui peut expliquer les divergences d'interprétation à son sujet. Il est écrit *pour* le prince, mais du *point de vue* du peuple. C'est à un prince que Machiavel s'adresse pour sauver l'Italie, mais Machiavel sait que les projets qu'il forme pour l'Italie et dont il trace les grandes lignes dans les derniers chapitres du *Prince*, ces projets ne sauraient en aucune manière profiter également à tous les acteurs sociaux en présence. Certains ont plus que d'autres à y gagner. Le peuple plus que les grands, dont il faudra nécessairement rabattre les prétentions. Pour autant (contrairement à Marx et Engels dans le *Manifeste du Parti communiste*), Machiavel ne cherche pas à faire du peuple une force politique, mais à montrer que l'intérêt du peuple est à l'avènement d'un prince.

La contradiction du *destinataire* (le prince) et du *bénéficiaire* (le peuple) provoque ce qu'Althusser appelle des « effets alternés » : les lectures alternativement tyranniques et aristocratiques du *Prince*. Ces lectures ne reflètent pas des différences d'interprétation extérieures, imputables à la personnalité des lecteurs (ou du moins pas seulement), mais d'abord « le double point de vue intérieur au texte ».

machiavélisme

Machiavel est l'un de ces rares penseurs à avoir légué son nom propre à la langue commune : « machiavélisme », « machiavélique ». Claude Lefort a soumis à l'analyse le contenu de ces termes installés dans notre langage courant : « Logique malfaisante, ruses accumulées, perversité sereine, jouissance dans le crime, telles sont sans doute les composantes du concept de machiavélisme, ou tout du moins les résonances d'un terme auquel nous ont accoutumés la littérature, la presse ou l'usage quotidien du langage. » Le machiavélisme, dit Claude Lefort, c'est « le nom donné à la politique en tant qu'elle est le mal ». Il faut probablement lire au second degré la définition qui ouvre l'article « Machiavélisme » de Diderot dans l'*Encyclopédie* : « Espèce de politique détestable qu'on peut rendre en deux mots, par l'art de tyranniser, dont Machiavel le Florentin a répandu les principes dans ses ouvrages. » Mais cette définition fait sans nul doute écho à l'acception la plus populaire du mot.

L'idée de machiavélisme excède le champ politique. « Machiavélisme » nomme très bien, par exemple, l'attitude de Valmont et Merteuil dans les *Liaisons dangereuses* de Laclos ; ou de Dolier et Soubirane dans l'*Armance* de Stendhal. La stratégie et la tactique de Valmont dans les *Liaisons* pourraient même servir à préciser la signification du machiavélisme politique, qu'on se représente trop souvent comme la mise en œuvre de plans complètement élaborés à l'avance. Le héros machiavélien est plutôt celui qui sait justement, à chaque instant, adapter sa conduite aux aléas de la fortune, et – faisant preuve d'invention – tirer parti des réactions de ses adversaires en rectifiant ses plans. Qu'on songe à la manière dont Valmont met à profit la méfiance de la Présidente (lettres 15, 21 et 22) : s'apercevant qu'on le soupçonne de courtiser aux alentours et qu'on le fait suivre dans ses parties de chasse, Valmont profite de l'occasion pour monter la scène de la bienfaisance, et retourner à son avantage des manœuvres qui mettaient en péril ses projets. Très machiavélienne également est la manière dont Laclos livre en parallèle les deux points de vue de Valmont (lettre 21) et de la Présidente (lettre 22) sur ce même épisode, marquant ainsi la primauté du paraître.

Machiavel apparaît donc comme l'incarnation du diable en personne. C'est Niccolo, « *Old Nick* » : surnom anglais du Malin. « *Match-evil* » : marié au mal. Il est à la politique ce que Spinoza sera à la philosophie : un auteur maudit, dont il ne sied ni de prononcer le nom, ni de citer les écrits. Comme « spinozisme », « machiavélisme » désignera longtemps une idéologie satanique reconstruite sur mesure pour servir de repoussoir à toute pensée respectable.

Une erreur fréquente est de croire que le machiavélisme – pris en ce sens « vulgaire » – n'est à l'œuvre que dans *Le Prince*, et que les *Discours sur la première décade de Tite-Live* y échappent. On n'en finirait pas de citer les passages des *Discours* où Machiavel dispense les conseils les plus cyniques et les plus cruels.

Si l'on veut libérer le machiavélisme des anathèmes, il peut se définir comme la disjonction de la morale et de la politique et le refus de juger l'État comme la réalisation plus ou moins accomplie d'un idéal, qui serait posé comme finalité *a priori* du politique. Dans les *Discours* comme dans *Le*

Prince, l'analyse du politique ne s'articule à rien d'extérieur et se déploie sans référence à quoi que ce soit de préalable. Aucune instance extrapolitique n'est évoquée, aucune norme religieuse ou morale n'est posée à titre de condition à la réflexion. « La question machiavélienne, dit Lefort, se réduit à ses propres termes. »

nécessité
(necessità)

Ce concept fait pendant à celui de fortune, et joue un rôle central dans la pensée de Machiavel. *Nécessité* corrige ce que l'idée de fortune pourrait suggérer : que la politique n'a affaire qu'à de l'aléatoire, du contingent. L'ordre politique n'est pas le royaume du pur hasard : il est structuré en profondeur par la logique de l'affrontement des désirs humains, qui confère aux événements une certaine rationalité. La conduite des agents historiques n'est certes par raisonnable, mais le cours de l'histoire laisse percevoir des linéaments de rationalité qui lui confèrent une intelligibilité relative. L'histoire est faite de turbulences, au sens météorologique du terme. Celui qui se mêle d'y intervenir doit réagir vite, avec les ressources que lui offrent sa connaissance des événements passés et son imagination. La nécessité n'est pas une situation d'urgence (comme dans le proverbe : « nécessité fait loi »), mais la loi permanente de l'histoire humaine, loi en vertu de laquelle le prince doit toujours s'attendre à affronter des situations d'urgence, toujours à la fois déjà vues et partiellement inédites. L'idée de nécessité relativise la place à laquelle la morale peut prétendre dans la sphère politique. En effet, aucun État ne peut survivre s'il n'adopte la conduite que la nécessité prescrit ou plutôt contraint d'inventer.

prince
(principe)

Bien que *Le Prince* fût écrit en italien, Machiavel lui a donné un titre latin : *De principatibus,* ce qui signifie « Des monarchies ». On traduit en italien : *Il Principe.* Machiavel lui-même dans les *Discours* parle du *De principe,* ratifiant ainsi la traduction habituelle.

Que faut-il entendre par « prince » ? D'abord, bien entendu, le monarque. Mais aussi, par extension, l'autorité qui détient la réalité du pouvoir dans n'importe quel type d'État. Le vocabulaire politique moderne a retenu cette dernière acception (par exemple dans l'expression « le fait du prince »).

Il y a une certaine indépendance, chez Machiavel, entre le concept de prince et la nature des institutions. Est prince celui qui détient seul l'autorité suprême. Un empereur romain est un prince, mais aussi bien un dictateur institué en vertu des lois républicaines. Agathocle, tyran de Syracuse, ou le roi de France, et même Savonarole en sont d'autres. C'est pourquoi nombre des conseils donnés dans *Le Prince* sont repris tels quels dans les *Discours* sur Tite-Live, à l'usage des républiques.

Louis Althusser donne du prince machiavélien la définition suivante : « Le prince de Machiavel est un souverain absolu à qui l'Histoire "confie une tâche" décisive : celle de "donner forme" à une "matière" existante, matière aspirant à sa forme, la nation » (Louis Althusser, *Machiavel et nous*, voir bibliographie, p. 191).

Portrait de César Borgia (1475-1507), musée civil, Venise.
« [...] il était doué d'une telle résolution et d'un si grand courage, il savait si bien l'art de gagner les hommes et de les détruire [...]. » Machiavel, *Le Prince*, p. 63.

raison d'État

Michel Senellart donne de cette notion la définition suivante : « La raison d'État, de nos jours, désigne l'impératif au nom duquel le pouvoir s'autorise à transgresser le droit dans l'intérêt public. Trois conditions la déterminent : le critère de la nécessité, la justification des moyens par une fin supérieure, l'exigence du secret » (Michel Senellart, *Machiavélisme et raison d'État*, p. 5, voir bibliographie, p. 191). L'idée de raison d'État est machiavélienne en ce qu'elle suppose la disjonction de la morale et de la politique, et l'affirmation de la primauté de la seconde vis-à-vis de la première. La raison d'État est ce qui confère au gouvernant un droit – voire un devoir – de transgresser certains interdits éthiques (violence, mensonge), ou juridiques : le gouvernant est-il lui-même tenu par les lois de l'État ?

On a coutume de faire de Machiavel l'inventeur de la notion de *raison d'État*. On peut cependant discuter la légitimité de cette attribution. Cette question fait l'objet du livre de Michel Senellart. Mais il importe de noter que l'expression « raison d'État » ne figure nulle part, comme telle, dans l'œuvre de Machiavel.

la « vérité effective de la chose » *(verità effettuale della cosa)*

L'expression figure au début du chapitre XV, p. 88. Elle est devenue célèbre, parce qu'elle exprime, sous une forme condensée, toute l'inspiration réaliste et anti-utopiste du machiavélisme. Réalisme, cela signifie que Machiavel tourne son attention vers ce qui se fait plutôt que vers ce qui devrait se faire. On retrouve l'opposition classique dans la philosophie morale entre être et devoir-être. La confusion de ces deux niveaux désigne ce qu'on appelle, dans le vocabulaire politique, *utopie*. Il ne faut pas oublier que le grand livre de Thomas More *(Utopia)*, publié en 1516, est presque exactement contemporain du *Prince*. Mais avant More, c'est toute une tradition issue de Platon et de sa *République* que vise Machiavel.

Machiavel inaugure ici une nouvelle tradition, dont Spinoza est certainement l'un des premiers représentants. La première page du *Traité politique* fait directement écho à ce chapitre XV du *Prince* :

> « Ils [*les philosophes*] conçoivent les hommes [...] non tels qu'ils sont mais tels qu'eux-mêmes voudraient qu'ils fussent. »

Les hommes « tels qu'ils sont » – Machiavel et Spinoza s'accordent encore sur ce point – sont des êtres de désir, de passions. La raison ne les dirige qu'exceptionnellement. C'est le sens de la fameuse formule machiavélienne sur la méchanceté des hommes :

> « [...] Quiconque veut fonder un État et lui donner des lois doit supposer d'avance les hommes méchants, et toujours prêts à montrer leur méchanceté toutes les fois qu'ils en trouveront l'occasion. »
>
> Machiavel, *Discours*, I, 3

Fichte voit dans cet avertissement « le principe fondamental de la politique machiavélienne », mais il a bien compris qu'il ne fallait chercher dans cette phrase – que Machiavel répète souvent – aucune thèse métaphysique ou anthropologique sur la nature humaine :

> « On n'a pas à s'engager dans la question de savoir si les hommes sont réellement disposés ainsi, ou non ; nous n'en avons dit mot et cela n'appartient pas à notre propos. Nous avons seulement dit : c'est d'après ce présupposé que l'on doit calculer son action. »
>
> Fichte, *Machiavel et autres écrits philosphiques et politiques*, p. 58

Les hommes ne sont pas des anges. Cela ne suffit pas pour affirmer qu'ils sont des diables. Mais le politique a tout intérêt à les regarder comme tels. Celui qui gouverne doit supposer *a priori* que les individus et les groupes sont mus par leurs intérêts égoïstes, voire leurs passions les plus viles, plutôt que par l'amour du prochain et le souci du bien public.

Machiavel refuse donc le présupposé selon lequel la paix serait l'état normal des relations entre les États. La paix, certes, est souhaitable, et le politique doit travailler à la maintenir. Mais la politique ne connaissant d'autre loi que le rapport de forces, le conflit y est plutôt la norme, et la violence l'issue la plus probable :

> « Comme toutes les choses de la terre sont dans un mouvement perpétuel et ne peuvent demeurer fixes, cette instabilité les porte ou à monter ou à descendre. La nécessité dirige souvent vers un but où la raison était loin de conduire, vous aviez organisé une république pour la rendre propre à se maintenir sans agrandissement, et la nécessité la force à s'agrandir malgré le but de son institution ; vous lui voyez alors perdre sa base, et se précipiter plus promptement vers sa ruine. »
>
> Machiavel, *Discours*, I, 6 [1]

Horkheimer critiquera cette thèse de la méchanceté foncière des hommes, et reprochera à Machiavel de n'avoir pas vu que « les éléments psychiques et physiques qui déterminent la constitution de la nature humaine sont partie intégrante de la réalité historique [2] ». « Avec les rapports réels, dit Horkheimer, changent non seulement les institutions pratiques, les formes de gouvernement, les lois, mais aussi la nature humaine. » Il fait grief à Machiavel d'« avoir justifié également pour le passé et pour le futur des moyens de domination qui, à son époque, et dans son pays, étaient des conditions *sine qua non* de la montée de la bourgeoisie. » Au siècle des Lumières, la bourgeoisie « de par ses fonctions vitales pour la société » pourra imposer sa domination tout en faisant l'économie du despotisme.

1. Sur ce problème, voir les analyses de Fichte : *Machiavel*, *op. cit.*, p. 58-60.
2. Max Horkheimer, *Les Débuts de la philosophie bourgeoise de l'histoire*, p. 38 (voir bibliographie, p. 192).

vertu *(virtù)*
voir aussi « fortune »

La notion de *vertu* est aussi complexe que celle de *fortune* avec laquelle elle forme chez Machiavel un couple indissociable. Aucune traduction de *virtù* n'est satisfaisante, c'est pourquoi beaucoup de traducteurs ou commentateurs préfèrent conserver le mot italien original. Le français « vertu » risque d'induire deux contresens : il ne faut pas prendre le mot au sens moral classique, ni même dans l'acception que lui a donnée la philosophie politique du XVIIIe siècle (par exemple chez Montesquieu et Rousseau) ; la vertu machiavélienne n'est ni un souci du devoir moral, ni la capacité du citoyen à préférer l'intérêt commun au sien propre. Certes, la *virtù* est inséparable de qualités morales, mais elle désigne avant tout la capacité d'imposer sa loi à la fortune ; *virtù* pose la valeur absolue de la volonté. On traduirait assez bien par « vaillance ». La vertu de l'homme politique ne le fait pas *vertueux*, mais *valeureux*. La *virtù* est la qualité à laquelle la fortune sourit, et dont le défaut laisse libre cours au déferlement de la fortune : « Là où défaille la vertu des hommes, la Fortune porte ses coups les plus efficaces » (Machiavel, *Discours*, III, 20).

Dans *virtù*, il y a *vir* : en latin, c'est l'homme par opposition à la femme. La vertu machiavélienne est virilité. Pour dispenser ses conseils au politique, à la fin du chapitre XXV, Machiavel use d'une métaphore sexuelle :

> « [...] il vaut mieux être impétueux que circonspect, car la fortune est femme : pour la tenir soumise, il faut la traiter avec rudesse, elle cède plutôt aux hommes qui usent de violence qu'à ceux qui agissent froidement : aussi est-elle toujours amie des jeunes gens, qui sont moins réservés, plus emportés, et qui commandent avec plus d'audace. »
>
> Machiavel, *Le Prince*, XXV, p. 121

L'image peut et doit choquer. Sans être trop pressé de la juger, on pensera simplement que Machiavel utilise, telle qu'il la trouve, une représentation de la femme, représentation dont il se sert pour penser la politique. Cette dernière reste l'objet de Machiavel, et non pas la relation entre les sexes. Toutefois, la *virtù* n'est pas seulement la force du caractère, car le caractère est rigidité quand il faudrait de la souplesse. Machiavel ne manque pas une occasion de le rappeler : l'homme politique doit avant tout savoir s'adapter, jusqu'à « changer de caractère selon le temps et les circonstances » *(Le Prince*, XXV, p. 120 ; l'essentiel du chapitre est consacré à cette question. Voir aussi *Discours*, III, 9). En tant qu'elle réduit la part de l'imprévisible, de l'incontrôlable, de l'acceptation passive, la *virtù* se confond avec notre liberté. Cette liberté n'est jamais totale. L'échec de César Borgia – modèle machiavélien de vertu – montre qu'au-delà de certaines bornes, on peut parler d'une malchance absolue, contre laquelle on ne peut rien. La responsabilité de l'homme politique n'est pas illimitée.

Grandes thèses

La forme aussi bien que le contenu de la pensée de Machiavel interdisent de ramener *Le Prince* à une série de thèses théoriques. De même que les problématiques et les concepts principaux doivent être progressivement dégagés du contexte, l'opération qui consiste à formuler pour elles-mêmes les grandes thèses machiavéliennes ne peut dissimuler tout à fait son caractère artificiel. Nous avons donc choisi de présenter les grandes idées de la doctrine politique de Machiavel sous forme de citations de l'auteur lui-même. Toutes ces citations ne viennent pas du *Prince*, mais aucun des grands thèmes qu'elles dessinent n'en est absent.

Principe épistémologique

« Pour bien connaître le naturel des peuples, il est nécessaire d'être prince ; et pour bien connaître les princes, il faut être peuple. »

Machiavel, *Le Prince*, Dédicace à Laurent le Magnifique, p. 41

Machiavel a inscrit cette règle en tête du *Prince*. L'action politique suppose une connaissance (ce qui ne veut pas dire une science), et cette connaissance n'est pas naturellement donnée aux agents historiques. Pris dans la singularité de leur situation propre, les peuples et leurs dirigeants ont besoin d'être éclairés. Ce principe s'applique ici à deux niveaux. Il s'agit d'abord de l'auteur du *Prince*. De par sa position, Machiavel se trouve dans une situation intermédiaire. Son extraction sociale lui confère le droit de parler du point de vue du peuple. Mais, par les fonctions qu'il a exercées au service de Florence, il sait ce qu'il en est du pouvoir. Toutefois, Machiavel ne parle pas seulement de lui-même ; c'est le rôle de l'intellectuel dans l'action politique qui se trouve mis en question. En déclarant les classes dominées incapables de penser seules leur oppression et les moyens de leur libération, le marxisme retrouvera ces interrogations.

La fortune

« Toutes les choses de ce monde ont un terme à leur existence. »

Machiavel, *Discours*, III, 1

« Comme toutes les choses de la terre sont dans un mouvement perpétuel et ne peuvent demeurer fixes, cette instabilité les porte

> ou à monter ou à descendre. La nécessité dirige souvent vers un but où la raison était loin de conduire. »
>
> Machiavel, *Discours*, I, 6

> « On a vu, on voit et l'on verra toujours le mal succéder au bien et le bien remplacer le mal, et toujours l'un sera la cause de l'autre. »
>
> Machiavel, *L'Âne d'or*, chant V

Ces maximes, de portée universelle, dessinent les contours du concept de fortune (voir **Concepts clés** : fortune, p. 128), c'est-à-dire le cadre dans lequel s'inscrit toute action politique. Résolument pessimistes, elles interdisent de placer l'histoire et la politique sous le signe du progrès, *a fortiori* d'un progrès nécessaire, immanent au devenir de l'humanité.

> « Quiconque compare le présent et le passé, voit que toutes les cités, tous les peuples ont toujours été et sont encore animés des mêmes désirs, des mêmes passions. Ainsi, il est facile, par une étude exacte et bien réfléchie du passé, de prévoir dans une république ce qui doit arriver, et alors il faut ou se servir des moyens mis en usage par les anciens, ou, n'en trouvant pas d'usités, en imaginer de nouveaux, d'après la ressemblance des événements. »
>
> Machiavel, *Discours*, I, 39

La fortune n'est pas un devenir historique aléatoire. Une nécessité, fondée dans la nature humaine, s'y laisse apercevoir. Cette nécessité offre un point d'appui pour l'intervention humaine.

> « Tel est le sort des choses humaines qu'on ne peut éviter un inconvénient sans tomber dans un autre. »
>
> Machiavel, *Discours*, I, 6

> « Il faut savoir varier suivant les temps, si l'on veut toujours trouver la fortune propice. »
>
> Machiavel, *Discours*, III, 9

Machiavel insiste sur l'imprévisibilité des événements et l'impossibilité de stabiliser définitivement leur cours. Le politique doit toujours affronter le provisoire, et savoir que c'est son intervention même qui contribue à déstabiliser les forces sur lesquelles il tente de peser.

La religion

> « La croyance que sans toi, Dieu se battra pour toi, tandis que tu resteras à ne rien faire à ton prie-Dieu, a perdu plus d'un royaume et plus d'un État. »
>
> Machiavel, *L'Âne d'or*, chant V

« Tout ce qui tend à favoriser la religion doit être bienvenu, quand même on en reconnaîtrait la fausseté. »

Machiavel, *Discours*, I, 12

L'attitude de Machiavel vis-à-vis de la religion est double, mais parfaitement dépourvue d'ambiguïté :

1. La passivité inhérente à l'attitude religieuse (spécialement chrétienne) est toujours catastrophique ; attendant tout de Dieu, elle dispense d'agir soi-même. La foi la plus ardente est politiquement impuissante.

2. La religion, comme croyance collective, n'en est pas moins une force idéologique considérable, que le prince doit impérativement savoir manipuler à son profit.

Un réalisme politique

« Il y a si loin de la manière dont on vit à celle dont on devrait vivre, qu'en n'étudiant que cette dernière, on apprend plutôt à se ruiner qu'à se conserver. »

Machiavel, *Le Prince*, XV, p. 88

Formule très illustre du *Prince*, qui exprime le réalisme et l'anti-utopisme de Machiavel. L'opposition de l'être et du devoir-être est constitutive de toute doctrine morale. En la récusant, Machiavel sépare les domaines longtemps confondus de la politique et de la morale (voir **Exposés de synthèse**, p. 147, et **Commentaire d'extraits**, p. 158).

« Les désirs de l'homme sont insatiables : il est dans sa nature de vouloir et de pouvoir tout désirer, il n'est pas à sa portée de tout acquérir. Il en résulte pour lui un mécontentement habituel et le dégoût de ce qu'il possède ; c'est ce qui lui fait blâmer le présent, louer le passé, désirer l'avenir, et tout cela sans aucun motif raisonnable. »

Machiavel, *Discours*, avant-propos du livre II

« Quiconque veut fonder un État et lui donner des lois doit supposer d'avance les hommes méchants, et toujours prêts à montrer leur méchanceté toutes les fois qu'ils en trouveront l'occasion. Si ce penchant demeure caché pour un temps, il faut l'attribuer à quelque raison qu'on ne connaît point, et croire qu'il n'a pas eu l'occasion de se montrer ; mais le temps qui, comme on dit, est le père de toute vérité, le met ensuite au grand jour. »

Machiavel, *Discours*, I, 3

« Deux grands mobiles font agir les hommes, l'amour et la crainte ; en sorte que celui qui se fait aimer prend autant d'empire sur eux que celui qui se fait craindre. Disons bien que la crainte rend souvent leur soumission plus prompte et plus assurée. »

Machiavel, *Discours*, III, 21

« Ceux-ci [*les grands*] veulent opprimer, et le peuple veut seulement n'être point opprimé. »

Machiavel, *Le Prince*, IX, p. 69

« Pour tout État, soit ancien, soit nouveau, soit mixte, les principales bases sont de bonnes lois et de bonnes armes. Mais, [...] là où il n'y a point de bonnes armes, il ne peut y avoir de bonnes lois, [...] au contraire il y a de bonnes lois là où il y a de bonnes armes. »

Machiavel, *Le Prince*, XII, p. 77

L'anthropologie machiavélienne est aussi pessimiste que sa vision de l'histoire (ces deux pessimismes se confirmant réciproquement). Ici aussi, Machiavel critique toute une tradition utopiste et irénique (visant à rétablir la paix), et en fonde une autre, réaliste et matérialiste, qu'on retrouvera chez Hobbes et Spinoza, et aussi dans une certaine mesure chez Kant *(Histoire d'une histoire universelle au point de vue cosmopolitique,* Quatrième proposition). Mais Kant se sépare radicalement de Machiavel en rendant à la morale la priorité absolue sur la politique.

Un volontarisme politique

« Il faut établir comme règle générale que jamais, ou bien rarement du moins, on n'a vu une république ni une monarchie être bien constituées dès l'origine, ou totalement réformées depuis, si ce n'est par un seul individu. »

Machiavel, *Discours*, I, 9

« Les corps les mieux constitués et qui ont une plus longue vie sont ceux qui trouvent dans leurs lois mêmes de quoi se rénover, ou encore ceux qui, indépendamment de leurs institutions, parviennent par accident à cette rénovation. »

Machiavel, *Discours*, III, 1

Il y a un volontarisme machiavélien en politique. Machiavel ne pense pas du tout que le changement des circonstances historiques produise de lui-même les interventions que ce changement rendrait nécessaire. Si personne ne prend en charge, par sa *virtù*, la réaction appropriée, les choses iront de mal en pis et finiront par sombrer. D'où l'importance accordée à l'action des individus dans l'histoire, surtout en ses moments critiques. Pour autant, la pensée de Machiavel ne repose pas entièrement sur l'homme providentiel : paradoxalement, l'homme providentiel est celui qui parvient à fonder des institutions capables de fonctionner sans lui et après lui.

La conduite du prince

« Que le prince songe donc uniquement à conserver sa vie et son État : s'il y réussit, tous les moyens qu'il aura pris seront jugés honorables et loués par tout le monde. »

Machiavel, *Le Prince*, XVIII, p. 96

« Il faut, comme je l'ai dit, que tant qu'il [*le prince*] le peut il ne s'écarte pas de la voie du bien, mais qu'au besoin il sache entrer dans celle du mal. »

Machiavel, *Le Prince*, XVIII, p. 96

« Il y a certaines qualités qui semblent être des vertus et qui feraient la ruine du prince, de même il en est d'autres qui paraissent être des vices, et dont peuvent résulter néanmoins sa conservation et son bien-être. »

Machiavel, *Le Prince*, XV, p. 89

« Il est plus sûr d'être craint que d'être aimé. »

Machiavel, *Le Prince*, XVII, p. 92

« Un prince ne gagne jamais rien à se faire haïr. »

Machiavel, *Discours*, III, 19

« Il faut être fort soi-même pour commander des actions fortes. »

Machiavel, *Discours*, III, 22

« L'universalité des hommes se repaît de l'apparence comme de la réalité ; et souvent ils sont plus influencés par l'apparence que par la réalité. »

Machiavel, *Discours*, I, 25

« Se montrer hautain et présomptueux est encore ce qui paraît le plus insupportable aux peuples, surtout à ceux qui jouissent de la liberté. »

Machiavel, *Discours*, III, 23

Ce sont là quelques principes fondamentaux de la conduite du prince. On se reportera, pour une analyse plus détaillée, aux **Concepts clés** : prince, p. 132, aux **Exposés de synthèse**, Morale et politique : la fin justifie-t-elle les moyens ?, p. 147, et au **Commentaire d'extraits**, Ruse et force : le double visage du politique, p. 158. Remarquer que les principes ci-dessus valent pour l'homme politique en général, qu'il exerce le pouvoir ou qu'il y prétende. Les contraintes et les impératifs sont les mêmes pour le gouvernant et pour l'opposant.

La liberté

« Jamais les peuples n'ont accru et leur richesse et leur puissance sauf sous un gouvernement libre. »

Machiavel, *Discours*, II, 2

« Ce nom de liberté, qu'aucune force ne dompte, qu'aucun temps n'efface, qu'aucun mérite ne balance. »

Machiavel, *Histoires florentines*, II, 34

Machiavel est un penseur de la liberté. Non pas de la liberté comme promesse et horizon nécessaire de l'histoire humaine (comme Hegel, par exemple), mais de l'efficacité de la liberté. Machiavel pense que des institutions libres sont mieux à même de servir l'indispensable force de l'État qu'une tyrannie pesante ou une oppression étrangère. La politique est l'art de manipuler les passions humaines, mais l'amour de la liberté est peut-être un affect sur lequel la puissance du prince n'a pas prise.

Manifestation en Pologne.
« [...] ce nom de liberté, qu'aucune force ne dompte, qu'aucun temps n'efface, qu'aucun mérite ne balance. » Machiavel, *Histoires florentines*, II, 34.

Exposés de synthèse

Exposé 1 :

Politique et histoire : peut-on tirer des enseignements du passé ?

On reconnaît dans cette question une interrogation « classique » de la philosophie politique. On sait les réflexions qu'elle a suggérées à Hegel, qui doutait que les hommes politiques aient jamais rien appris de l'histoire, en raison de l'infinie variété des situations concrètes *(Leçons sur la philosophie de l'histoire)*. Il faut néanmoins savoir que si la question nous paraît aujourd'hui classique, c'est justement parce que Machiavel, le premier, lui a donné droit de cité.

1. Machiavel et l'histoire

Le Prince (et d'une façon générale l'œuvre de Machiavel) marque l'irruption de l'histoire dans la pensée politique. Platon et Aristote avaient déjà décrit l'évolution des systèmes politiques, mais leur problème n'était pas d'aller chercher dans l'histoire des références pour l'action politique présente. Il s'agissait plutôt de dégager, en théoricien, les lois éternelles de la transformation des régimes. Machiavel ne réfléchit cependant jamais en pur historien. Peu soucieux d'une documentation rigoureuse, il fait confiance à ses prédécesseurs chroniqueurs et annalistes. Son point de vue est impartial mais partiel : la politique l'intéresse, plus que toute autre chose (notamment l'économie). Ce qui n'est pas politique, comme la religion, n'est traité que relativement au point de vue politique. Dans le choix de ses exemples, Machiavel cède trop souvent à ses partis pris ; il aurait pu, par exemple, faire grand usage de César et de l'Empire pour analyser le fonctionnement de l'État monarchique et du pouvoir personnel. Son aversion pour cette période de l'histoire romaine l'en empêche. Il arrive même, comme c'est le cas dans *La Vie de Castruccio Castracani da Lucca*, que Machiavel reconstruise de toutes pièces une figure historique à des fins de justifications de ses thèses politiques.

Il n'y a donc pas, chez Machiavel, d'intérêt strictement scientifique pour le passé. L'étude historique est toujours soumise aux préoccupations d'actualité. Pour Machiavel, l'histoire n'est que curiosité futile si elle ne sert à la constitution d'un art politique, fondé sur une connaissance des lois. Les *Discours sur la première décade de Tite-Live* définissent le fondement des rapports entre la politique et l'histoire (I, 39) :

> « Quiconque compare le présent et le passé, voit que toutes les cités, tous les peuples ont toujours été et sont encore animés des mêmes

désirs, des mêmes passions. Ainsi, il est facile, par une étude exacte et bien réfléchie du passé, de prévoir dans une république ce qui doit arriver, et alors il faut ou se servir des moyens mis en usage par les anciens, ou, n'en trouvant pas d'usités, en imaginer de nouveaux, d'après la ressemblance des événements. »

Rien de nouveau sous le soleil. C'est là une idée essentielle au machiavélisme. Le temps qui passe ne transforme pas en profondeur les conditions de l'action politique, parce qu'il existe une nature humaine invariable. Dans leur révolte contre la cité florentine, par exemple, les populations du Val di Chiana « ont assez fidèlement répété les gestes des peuples latins » en rébellion contre Rome. En revanche, le temps amène un perpétuel renouvellement des situations et des individus. Il dépose donc en se retirant une expérience dont le politique peut profiter, s'il sait la dégager de l'étude du passé.

2. Ni nostalgie, ni imitation, ni philosophie de l'histoire

La finalité de l'approche historique est donc toujours essentiellement pratique. Pas question pour Machiavel de se dédommager auprès des grandes figures disparues des désillusions du présent, ni de se complaire dans la nostalgie d'un passé mythique. Même s'il adopte un ton volontiers emphatique lorsqu'il évoque les grands exemples, le secrétaire florentin n'a aucune indulgence pour la tendance trop humaine à idéaliser les époques révolues :

> « Les désirs de l'homme sont insatiables : il est dans sa nature de vouloir et de pouvoir tout désirer, il n'est pas à sa portée de tout acquérir. Il en résulte pour lui un mécontentement habituel et le dégoût de ce qu'il possède ; c'est ce qui lui fait blâmer le présent, louer le passé, désirer l'avenir, et tout cela sans aucun motif raisonnable. »
>
> Machiavel, *Discours*, Avant-propos du livre second

Alors, que faire de l'histoire ?

Il ne faut pas y chercher des modèles immédiatement utilisables. Réinvestir dans la politique présente les qualités d'un prince passé – si éminent fût-il –, c'est ignorer que les circonstances exigent peut-être autre chose. Il n'y a pas d'homme politique type, pas de modèle absolu.

À l'opposé, il est encore moins question pour Machiavel de construire une « philosophie de l'histoire », c'est-à-dire une théorie générale du devenir de l'humanité, par-delà les époques et les régimes politiques. On l'a dit, Machiavel ne pense pas dans la dimension de l'universel. Il ne montre aucun goût pour les vastes synthèses. Il est également fort éloigné d'une idée sous-jacente à presque toutes les grandes philosophies de l'histoire : la finalité. Machiavel ne se représente jamais le cheminement de l'histoire humaine comme un processus unifié, dont le devenir serait compréhensible par rapport à un but. Sa préoccupation n'est aucunement de découvrir un sens immanent à l'aventure humaine. La dimension téléologique est rigoureusement absente de sa pensée :

> « En réfléchissant sur la marche des choses humaines, j'estime que le monde demeure dans le même état où il a été de tout temps ; qu'il y a toujours la même somme de bien, la même somme de mal ; mais que ce mal et ce bien ne font que parcourir les divers lieux, les diverses contrées. D'après ce que nous connaissons des anciens empires, on les a tous vus déchoir les uns après les autres à mesure que s'altéraient leurs mœurs. Mais le monde est toujours le même. »
>
> Machiavel, *Discours*, Avant-propos du livre second

Machiavel pense l'histoire comme une série de cycles qui la font sans cesse revenir là d'où elle avait eu tant de mal à s'arracher. Cette conception cyclique était celle des anciens et Machiavel l'a trouvée chez Polybe. « On a vu, on voit et l'on verra toujours le mal succéder au bien et le bien remplacer le mal, et toujours l'un sera la cause de l'autre » (*L'Âne d'or,* chant V). Certes, cette conception cyclique ne joue pas chez Machiavel un rôle théorique très important. Sa présence s'explique sans doute par le vide laissé après la critique implacable de toute providence divine. Celle-ci éliminée, l'éternel retour est le refuge d'une pensée qui refuse d'abandonner l'idée de rationalité dans l'histoire.

3. Les enseignements du passé

Entre ces deux extrêmes – imitation servile d'exemples tout faits et perspectives totalisantes d'une philosophie de l'histoire –, la pensée du secrétaire florentin se fraie une troisième voie : interroger le détail des événements, des situations, des conjonctures, des interventions des agents historiques pour offrir à l'expérience du politique une provision d'exemples (aussi bien que de contre-exemples). Ces exemples ne sont pas à considérer comme autant de modèles à copier, mais comme les matériaux d'une analyse visant à faire apparaître des invariants. Il s'agit toujours de réfléchir sur le jeu des causes et des effets et de dégager des similitudes par rapport aux situations présentes.

La vocation pédagogique de l'étude historique détermine la forme que va prendre l'investigation : une collection d'exemples propres à suggérer des analogies, à susciter l'imitation. On est très près de la signification étymologique du mot « histoire » : enquête descriptive. C'est l'acception conservée dans la notion d'« histoire naturelle » ; les écrits de Machiavel pourraient s'intituler : « histoire naturelle du pouvoir ». Il n'est pas question pour Machiavel de déceler des lois générales d'évolution. Ce sont *des* histoires qu'il y a à raconter. Par exemple les *Histoires florentines*, que Machiavel écrit de 1520 à 1525 à la demande de Jules de Médicis, futur Clément VII. De ces histoires on pourra dégager des invariants – des règles, si l'on y tient absolument – mais pas un fil conducteur général qui servirait de principe unificateur au processus. Le repérage d'un invariant intervient d'ailleurs toujours à la suite de l'étude d'un cas. Il n'en est jamais séparé pour constituer, au voisinage d'autres invariants, un corps de « lois de l'histoire ».

Un exemple : comment se maintenir sur un territoire qu'on vient de conquérir ? Cette question va faire l'objet de l'essentiel du chapitre III du *Prince*, p. 42, exemplaire de la démarche machiavélienne. On décortique l'événement historique à l'aide des connaissances déjà acquises pour en tirer des règles qu'un prince nouveau pourra réinvestir dans la pratique.

Machiavel n'ignore pas la diversité des situations. Il ne s'imagine pas naïvement que ce qui a marché hier pourra avoir demain la même efficacité. La principale leçon que le politique doit retenir de l'histoire, c'est la nécessité de s'adapter. Mais il y a une permanence de la nature humaine et donc des conditions générales de l'action politique. Ceux qui l'ignorent se détournent à tort de l'étude historique,

> « [...] comme si le ciel, le Soleil, les éléments et les hommes eussent changé d'ordre, de mouvement et de puissance, et fussent différents de ce qu'ils étaient autrefois. »
>
> Machiavel, *Discours,* I, Avant-propos

Machiavel, au contraire, entend tirer profit d'une double formation, acquise d'une part comme homme politique de terrain, lors de ses missions au service de la république de Florence, d'autre part comme lecteur des historiens de l'Antiquité (Tite-Live et Polybe principalement). Son expérience pratique et son érudition ne suggèrent jamais à Machiavel des généralités historiques ou anthropologiques : on ne le voit guère méditer sur la destinée des civilisations ni s'appesantir sur la psychologie humaine. C'est en descendant au niveau du détail, non en le survolant, qu'on s'instruit de l'histoire : « Si quelque chose plaît ou instruit dans l'histoire, c'est le menu détail » (Machiavel, Préface des *Histoires florentines*).

Cette manière nouvelle d'articuler histoire et politique, qu'inaugure Machiavel, est inséparable d'une certaine façon – tout aussi nouvelle – de penser la politique elle-même. Où réside la nouveauté ? En ce que la politique est considérée comme réalité autonome, qui n'a de compte à rendre à aucune instance supérieure. Cette autonomie de la politique doit être conquise principalement sur deux fronts : vis-à-vis de la religion, vis-à-vis de la morale. À l'époque de Machiavel, c'est tout un. C'est cet aspect qui va être étudié maintenant.

Exposé 2 :

Morale et politique : la fin justifie-t-elle les moyens ?

« Le désir de conquête est chose ordinaire et naturelle. » Machiavel, *Le Prince*, chap. III.

Le principe selon lequel « la fin justifie les moyens » n'a pas bonne réputation. Il signifie à peu près qu'à condition qu'on poursuive un but noble et éminemment désirable, tous les forfaits, tous les crimes, dès lors qu'ils s'avèrent efficaces pour atteindre ce but ou pour s'en approcher, sont *a priori* excusés. Très tôt, on a imputé cette conception à Machiavel, et identifié sa pensée à ce funeste principe.

Si l'on veut bien considérer de près ce qu'il dit, en faisant pour un instant abstraction du poids d'immoralité dont on l'a lesté, force est de reconnaître que ce principe n'exprime qu'une évidence de bon sens. Un moyen, quel qu'il soit, ne saurait être justifié *en tant que moyen*, par autre chose que la fin qu'il permet d'atteindre. Ce qui justifie qu'on anesthésie un malade et qu'on l'opère – avec les risques et les désagréments que cela comporte –, c'est la guérison ou l'amélioration qu'on escompte de l'intervention. Car aucune fin ne peut être obtenue sinon en passant par certains moyens. Une fin peut certes se définir sans référence aux moyens qui permettraient de l'atteindre, mais l'inverse n'est pas vrai : ce qui définit le moyen, c'est précisément qu'il est ce par quoi telle fin déterminée peut être atteinte.

Qu'a-t-on voulu dire en concentrant le machiavélisme dans ce principe, et surtout en fondant sur ce principe la condamnation du machiavélisme ? Plusieurs choses, sans doute. Premièrement, qu'il y a peut-être des fins auxquelles il faut renoncer si l'on ne peut les atteindre qu'au prix de certains moyens : injustes, violents, perfides. Deuxièmement, que les moyens que préconise Machiavel ne sont peut-être pas les meilleurs moyens, les plus appropriés aux fins que vise l'action politique. Troisièmement, que les fins que Machiavel propose à la politique ne sont pas de bonnes fins, qu'elles ne sont pas les vraies fins de la politique, celles qu'il faut poursuivre quand on exerce le pouvoir ou qu'on y aspire.

C'est donc le problème des rapports de la politique et de la morale qui est posé. Pour examiner ce problème, il est indispensable de se référer aux termes dans lesquels il se pose à l'époque du *Prince*. On s'aperçoit que la condamnation du machiavélisme, pratiquement contemporaine de l'œuvre, tient d'abord à la rupture qu'introduit le Florentin par rapport à la tradition religieuse.

1. L'évacuation de la perspective religieuse

Deux anathèmes furent jetés sur Machiavel : athéisme et immoralisme. Le premier permit au concile de Trente (1559) de mettre l'auteur du *Prince* à l'Index (liste des lectures interdites).

Le Prince prolonge la tradition édifiante des « Miroirs des princes ». Mais Machiavel rompt radicalement avec cette manière d'écrire sur le pouvoir. L'objectif proposé au souverain n'est plus le bien mais de savoir se maintenir en place. Ce changement de problématique, Machiavel n'a pu le fonder que sur une remise en question, radicale elle aussi, de la vision médiévale et chrétienne du politique. Selon cette conception, articulée autour de la distinction que fait saint Augustin entre la cité céleste et la cité terrestre, le pouvoir politique n'existe ici-bas qu'en vue de fins religieuses et morales. Lieutenant (au sens étymologique) de Dieu sur terre, le prince gouverne d'abord pour le salut de ses sujets.

Ce n'est pas à Machiavel qu'on doit la première remise en question de cette vision des choses, mais à un théologien italien, Marsile de Padoue (1280-1343). Dans son *Defensor pacis,* il pose l'autonomie du politique comme instance profane, distincte du sacré ; la société n'est plus – comme le voudrait saint Thomas – « ordonnée en vue d'un bien », mais « en vue de la vie suffisante », entendons : pour permettre à l'homme de produire ses moyens d'existence. Dans la cité qui désormais se gouverne, le travailleur est l'égal du prêtre ; tous deux ont une fonction : assurer respectivement la subsistance des corps et le salut des âmes.

Entre le politique et le religieux, aucune confusion n'est plus désormais possible. Mieux : la religion n'est plus qu'un aspect – important, certes, mais non pas fondateur – de la politique du prince. Il importe que ce dernier sache la « manipuler », prenant ainsi exemple sur Ferdinand d'Aragon et tous les grands chefs romains. Dans la mesure où le peuple est susceptible de le croire, le prince ne manquera pas de faire passer son autorité pour une émanation de la volonté divine. Mais il se gardera d'être lui-même dupe de ce subterfuge. La religion est une donnée politique parmi d'autres et Machiavel considère comme sans objet la question de son éventuelle fausseté. Lorsqu'il s'agit de ménager les croyances populaires, de se faire passer pour un modèle de piété, il est évident que la distinction entre une « religion vraie » (le christianisme) et les autres devient parfaitement caduque. Il n'importe pas que la croyance du peuple soit vraie (c'est-à-dire, pour le lecteur du *Prince,* chrétienne) mais qu'elle s'avère efficace. Toute religion est bonne pourvu qu'elle consolide le pouvoir du prince. Machiavel ne voit dans la religion qu'une idéologie. Pour jouer ce rôle, le christianisme n'est d'ailleurs pas le mieux placé. Récusant la primauté des puissances temporelles, invitant le croyant à se soucier de son salut individuel plus que de celui de l'État, prônant la non-violence, ce n'est pas la religion civique dont l'État a besoin.

L'ultime chapitre du *Prince* illustre bien l'idée que Machiavel se fait d'un usage politique de la religion. Machiavel y exhorte les Médicis à prendre en main le destin de l'Italie. On peut s'étonner de voir l'auteur céder à un enthousiasme religieux dont il n'est guère coutumier : « Dieu manifeste sa volonté par des signes éclatants : la mer s'est entrouverte, une nuée lumineuse a indiqué le chemin, le rocher a fait jaillir des eaux de son sein, la manne est tombée dans le désert ; tout favorise ainsi votre grandeur. Que le reste soit votre ouvrage : Dieu ne veut pas tout faire, pour ne pas nous laisser sans mérite et sans cette portion de gloire qu'il nous permet d'acquérir ». (p. 123.) Doit-on croire que la réflexion patiemment menée durant vingt-cinq chapitres s'abîme ici dans un délire mystique ? Claude Lefort rétablit ces lignes dans leur statut véritable : « Comment ne pas voir que Machiavel "en remet". Il puise hardiment dans l'arsenal de la magie et de la religion, et surpasse en éloquence le prédicateur dont les prophéties demeurent dans toutes les mémoires [*Savonarole*]. Il ne parle pas en son nom, il fournit au prince les thèmes dont celui-ci devrait apprendre à se servir pour méduser ses sujets » *(Le Travail de l'œuvre*, p. 447).

Ce point de vue sur la religion autorise logiquement une critique politique du rôle de l'Église (par exemple au chap. VII, p. 58). Le bilan est globalement désastreux : « C'est elle, l'Église romaine, qui nous a maintenus et nous maintient divisés [...] Si le gouvernement de l'Italie entière n'est pas ainsi organisé, soit en république soit en monarchie, c'est à l'Eglise seule que nous le devons » (*Discours*, I, 12).

2. Maintien du point de vue moral

C'est l'accusation d'immoralisme qu'il faut maintenant examiner. Machiavel ne laisse pas pierre sur pierre de la conception chrétienne, qui voyait dans la politique le prolongement de la morale. Mais l'apport de Machiavel ne repose aucunement sur un rejet de la morale ; s'il a soin de le distinguer du politique, Machiavel ne récuse pas le point de vue moral.

Qu'est-ce à dire ? Tout simplement que pour Machiavel *bien* et *mal* ne sont pas des mots vides de sens. Il ne professe pas un relativisme qui ne verrait dans les notions morales que des conventions sociales contingentes. Certes, la réussite est le premier critère d'évaluation selon Machiavel (ce qui ne veut pas dire le seul). Mais il n'est question que d'évaluation politique. La « bonne politique » est d'abord celle qui atteint son but, mais elle n'est pas nécessairement pour autant une politique *bonne.* Le succès ne métamorphose pas un mal en bien et une scélératesse, même triomphante, reste une scélératesse.

Au chapitre VIII du *Prince*, p. 65, Machiavel s'interroge : à quelles conditions peut-on dire que des « cruautés sont bien employées » ?(Question scandaleuse pour toute politique chrétienne.) Mais il s'empresse d'ajouter : « si toutefois le mot bien peut être jamais appliqué à ce qui est mal ». La précision est d'importance. Si une cruauté peut être un bien, elle ne le sera jamais que d'un point de vue politique (ou mieux – on le verra – historique). Une cruauté sera habile, efficace, indispensable peut-être, non pas bonne ni louable moralement. Considérons Agathocle : son courage et son habileté le placent au premier rang des grands capitaines ; toutefois, « sa cruauté, son inhumanité et ses nombreuses scélératesses, ne permettent pas de le compter au nombre des grands hommes ». Ainsi que le note très justement Jacques Maritain, Machiavel « n'a jamais appelé bien le mal ni mal le bien ». Au chapitre XVIII, lorsqu'il conseille au prince d'apprendre à simuler les vertus, ce n'est pas pour réduire ces vertus à des simulacres : quand les circonstances empêcheraient de les pratiquer, les vertus morales n'en continueraient pas moins – dans l'absolu – de valoir : « Il faut, comme je l'ai dit, que tant qu'il [*le prince*] le peut il ne s'écarte pas de la voie du bien, mais qu'au besoin il sache entrer dans celle du mal. » (p. 96.)

Pas davantage n'est-il conseillé au prince de se montrer régulièrement et systématiquement immoral. Si la vertu (au sens moral) n'est lestée d'aucune valeur politique intrinsèque, le vice ne l'est pas non plus. Machiavel n'inverse pas les valeurs communément admises dans la politique, il émancipe seulement la politique de leur tutelle.

Enfin, si la conduite de l'État exige quelquefois du prince une conduite contraire à la vertu, c'est en tant qu'homme public, au service du bien public, que le souverain peut se permettre de tels écarts. Le prince ne saurait légitimement profiter de sa situation dans l'État pour soustraire sa personne privée à la loi morale. « Aux lois universelles de la morale, fait remarquer Fichte, le prince est tenu dans sa vie privée, comme le plus humble de ses sujets » (*Machiavel et autres écrits philosophiques et politiques,* p. 62).

3. Distinction de la politique et de la morale

Si Machiavel maintient les distinctions éthiques et l'exigence morale pour les individus, il ne fait pas de doute que dès qu'on passe au niveau de l'action politique, le point de vue moral perd toute pertinence. Plus question d'affirmer, comme le faisait Cicéron au deuxième livre du *Traité des devoirs*, que « l'utile ne peut être disjoint de la rectitude morale » et que « l'honneur constitue la meilleure politique ». À la question « une fin (politique) justifie-t-elle n'importe quel moyen (fût-il immoral) ? », ne craignons pas de reconnaître que Machiavel répond résolument par l'affirmative :

> « Que le prince songe donc uniquement à conserver sa vie et son État : s'il y réussit, tous les moyens qu'il aura pris seront jugés honorables et loués par tout le monde. »
>
> Machiavel, *Le Prince*, XVIII, p. 96

C'est la porte ouverte, dira-t-on, à toutes les abominations. Peut-être, mais lisons bien cette affirmation. Premièrement, Machiavel dit : « [...] seront jugés honorables et loués par tout le monde ». Il ne dit pas que ces moyens seront honorables et louables dans l'absolu. Autrement dit, la thèse est strictement descriptive, et ne renferme aucune évaluation. Il n'est question que du fait. De plus la vérité d'une idée ne se juge pas aux conséquences morales qu'elle est susceptible d'engendrer. Que ces conséquences soient dangereuses, cela ne suffit pas à invalider l'idée. Pour savoir si Machiavel a raison, il faut seulement se demander si la description qu'il donne du jeu politique est conforme à ce qui est. Or, c'est bien le cas [1].

Telle est la leçon du *Prince* : politique et morale forment deux univers – deux ordres comme dirait Pascal – distincts. Leur conciliation est un bien beau rêve, mais ce n'est qu'un rêve. Le moraliste aussi bien que le politique ont intérêt à y renoncer. Ce que découvre Machiavel, c'est qu'en politique, il n'y a décidément pas de place pour la « belle âme » qui voudrait que la morale s'accordât toujours avec la conduite du pouvoir. Cette « belle âme » ignore la spécificité du politique, qu'elle confond avec la sphère privée. Par exemple, au chapitre III, *Le Prince* donne le conseil suivant : « Les hommes doivent être ou caressés ou écrasés » (p. 45) ; on ne saurait mieux dire que la politique n'a rien à voir avec la morale ; elle ignore les degrés dans la faute. Nous qui voulons penser et transformer la politique, laissons toute illusion : nous pénétrons dans le champ clos des luttes où tous les coups sont permis.

Machiavel n'est pas immoraliste. La force n'est porteuse d'aucune valeur morale supérieure. Seulement voilà, en politique c'est elle qui décide, alors que la moralité demeure presque toujours impuissante. Il était donc urgent d'en finir avec le mélange des genres ; la séparation du moral et du politique, voilà ce qui désigne le machiavélisme comme un « réalisme politique ».

La pensée de Machiavel n'est donc pas une politique parmi d'autres possibles, c'est la théorie générale de toute pratique politique. Machiavel donne les moyens de reconnaître – même si l'on se refuse à l'adorer – le dieu de la politique : le rapport de forces. Même s'il nous renseigne

1. Pour une analyse plus détaillée du chapitre XVIII, voir **Commentaire d'extraits**, p. 158.

peu sur la nature de ces forces, qui prétendra que l'enseignement machiavélien n'a plus lieu, aujourd'hui, d'être entendu ? Tout au plus pourrait-on reprocher à Machiavel de dire ce qui est plutôt que de le cacher, comme font les politiques eux-mêmes.

Il ne faut donc pas attendre du politique qu'il regarde à la moralité des moyens quand il les juge adéquats à la fin qu'il se propose. « Aucun politique, dira Merleau-Ponty, ne peut se flatter d'être innocent. » Le chef de l'État, sauf à se renier en tant que tel, ne peut vouloir d'autre fin que la conservation de son État. Le politique possède une autonomie suffisante pour constituer, vis-à-vis de lui-même, sa propre fin, et *Le Prince* est l'exposé des moyens propres à réaliser cette fin. Pour parler en termes kantiens, Machiavel pense au niveau de l'impératif hypothétique : *si* je veux diriger un État, *alors* je dois m'en donner les moyens. Par exemple, au chapitre VIII, p. 65, la condamnation de la cruauté n'est pas d'abord morale mais politique : une politique barbare isole le souverain du peuple. Or, le chapitre suivant montrera dans le peuple le plus sûr appui du prince. Mais ce dernier ne pourra compter sur son peuple que s'il existe un climat de confiance entre le pouvoir et le peuple. C'est par exemple ce qui manqua aux révolutionnaires de l'an II et déclencha la réaction du 9 thermidor.

Néanmoins, il ne suffit pas à Machiavel qu'un but soit de nature politique pour qu'on doive le tenir pour légitime, et avec lui les moyens mis en œuvre pour l'atteindre. Au chapitre XVIII, p. 94, Machiavel note qu'il y a un bon (et donc un mauvais) usage de la cruauté, de même qu'il y a un bon (et un mauvais) usage des vertus.

4. Portée morale de l'action politique

La « belle âme », avons-nous dit, commet l'erreur théorique de confondre les ordres distincts de la morale et de la politique. Elle ajoute à cette bévue théorique un danger pratique : son aveuglement devient criminel lorsqu'elle refuse les quelques mesures répressives immédiates qui lui auraient évité d'être acculée au bain de sang. Témoin la coupable faiblesse de Florence face aux troubles de Pistoia : alors que quelques mesures vigoureuses eussent probablement suffi à ramener le calme et à restaurer l'autorité, Florence y laissa prospérer le crime et le pillage *(Le Prince,* chap. XVII, p. 91 ; *Discours,* livre III, 27). Citons encore Fichte :

> « "J'ai cru à l'humanité, j'ai cru à la fidélité et à l'honnêteté." Cela, le particulier peut le dire ; si ainsi il va à sa perte, c'est sa perte qu'il cause ; mais un prince ne peut le dire, car lui ne se perd pas personnellement, et ce n'est pas seul qu'il va à l'échec. Qu'il croie à l'humanité, s'il le veut dans ses affaires privées : s'il se trompe, le dommage est pour lui ; mais qu'il n'expose pas la nation, en se fiant à une telle croyance, car il n'est pas juste que celle-ci, et avec elle peut-être d'autres peuples, et avec eux peut-être les biens les plus nobles que

l'humanité ait acquis en un combat millénaire, soient mis en péril uniquement pour qu'il puisse être dit de lui qu'il a cru en l'humanité. »

Fichte, *Machiavel et autres écrits philosophiques et politiques* (p. 62)

La volonté de demeurer moral à n'importe quel prix est en politique une faute. Mais ce n'est pas seulement une faute politique, en ce qu'elle conduit à l'impuissance, qui est la négation même de la politique. C'est aussi une faute morale, parce que l'inefficacité politique se paie en morts et en souffrances sans nom pour les gouvernés. Merleau-Ponty le redira : l'homme politique « ne peut se plaindre d'être jugé sur ses actes, dont les autres portent la peine ». C'est une nécessité pour l'homme politique que d'être efficace contre le chômage, contre la misère, contre la guerre, civile ou étrangère. Nécessité politique, s'il veut simplement se maintenir. Mais c'est aussi une obligation morale, parce que la politique décide à grande échelle de l'existence de millions d'hommes : des conditions où ils vivront, quelquefois même du fait qu'ils vivent ou meurent. Lorsqu'il y va de « la vie collective », observe Merleau-Ponty, « la morale pure peut être cruelle ».

Il y aurait peut-être là une leçon à méditer, pour notre époque présente qui croit pouvoir rabattre la politique sur la morale. La confusion de l'éthique et du politique porte aujourd'hui un nom : l'humanitaire. Bien sûr, comment récuser le principe d'une aide à toutes les souffrances, d'une protection de tous les hommes ? On ne peut qu'applaudir lorsque la morale se donne les moyens institutionnels d'agir à l'échelle de la planète. On ne peut reprocher à des hommes et des femmes qui ne voient plus d'issue politique aux difficultés et aux souffrances humaines de s'engager dans les organisations caritatives. Mais comment ne pas voir, aussi, que le parti pris humanitaire impose une limite à la poursuite des fins morales qu'il se donne ? On peut et l'on doit certes panser les blessures de la guerre, nourrir les affamés, mais s'en tenir là – comme on fait pour l'essentiel aujourd'hui – c'est s'interdire d'agir sur les causes. C'est pourtant bien la morale elle-même qui exigerait qu'on trouve des solutions radicales à la pauvreté et à la violence, et non seulement des baumes pour soulager ceux qui souffrent de leurs conséquences. Ce que Machiavel nous apprend, c'est que la morale seule est insuffisante politiquement, mais aussi moralement. Pour traiter véritablement les maux dont souffrent les hommes, il faut mener une action collective ; cela s'appelle « politique ». L'apolitisme qui se justifie de la volonté de rester fidèle à la morale est au mieux une naïveté, au pire une hypocrisie.

5. Quelles fins justifient quels moyens ?

Hegel tenait Machiavel en très haute estime. Lisant *Le Prince,* il fixe la pensée du Florentin en formules saisissantes : « On ne guérit pas des membres gangrenés avec de l'eau de lavande ». L'image médicale de la gangrène renvoie à la situation de l'Italie de la Renaissance, caractérisée par l'absence d'État. Il n'y a pas de politique italienne. Or Machiavel sait à quel point la politique décide du sort des hommes. C'est à l'État qu'il appartient de proposer, et quand il le faut d'imposer, le cadre dans lequel les hommes pourront devenir aptes à une vie commune. Hors de l'État, point de salut, mais seulement violence et désordre. L'État n'est pas, dans *Le Prince* et les *Discours,* la simple expression de la force brutale. Il apparaît comme l'instance capable de refréner l'affrontement violent des égoïsmes particuliers. C'est en dehors de l'État que la « méchanceté » des hommes se donne libre cours. Pour ces hommes, que la raison ne guide pas, l'État représente une chance, la chance de la liberté. Et l'État a ses exigences, qui ne sont pas celles de l'existence éthique individuelle ; voilà tout ce que dit Machiavel.

Au chapitre VII, Machiavel montre que la pacification de la Romagne par César Borgia trouve indéniablement un dénouement fort cruel ; il reste que Borgia a su mettre fin « aux vols, aux brigandages, aux violences de tous les genres », (p. 61). Son action n'est donc pas pure cruauté, elle vise – et atteint effectivement – le bien commun. Borgia a su économiser au maximum le sang des hommes, et ne l'a versé qu'en vue du bien commun. Althusser a raison de dire que :

> « Le Prince ne peut être jugé que sur un seul critère : *le succès*. À la lettre, on peut lui appliquer dans toute sa rigueur l'adage : *il n'y a que le résultat qui compte.* »

Mais ce qu'il ajoute est indispensable :

> « À condition toutefois de bien comprendre que ce résultat est lui-même défini par la tâche historique du Prince [fonder un État qui dure], que c'est uniquement ce résultat-là qui compte, et pas un autre. Seul compte le résultat conforme à cette tâche ; tous les autres sont condamnés : nous sommes aux antipodes du vulgaire pragmatisme. Seul le résultat compte : mais seule la *fin* est juge du résultat qui compte. »
>
> Louis Althusser, *Machiavel et nous* (voir bibliographie, p. 191)

Cette fin, c'est la création d'un État stable, capable de reposer sur la loi. Il en va du fondateur d'État comme du maître d'école : sa tâche consiste à rendre les hommes capables de se passer de maître. Il a vraiment rempli sa mission si l'État peut lui survivre, par la *virtù* des institutions qu'il a créées.

6. La morale, la politique et l'histoire

Il ne fait aucun doute, pour Hegel, que les moyens sont justifiés puisqu'il s'agit de créer un État en Italie, et que l'État incarne la réalisation concrète de la liberté. Dès lors que l'histoire est pensée comme un processus s'acheminant vers une fin – la liberté –, les « moyens » peuvent être examinés à deux points de vue. Qu'en est-il des « cruautés » dont on cherchait précédemment à définir le bon usage ? Elles sont certes mauvaises (un mal) au point de vue de la moralité subjective, qui concerne la vie privée. Mais les condamner absolument, dirait Hegel, c'est révéler son incapacité à s'élever au point de vue supérieur de la moralité objective, c'est ne pas voir que l'histoire réalise, à travers les pires souffrances et les injustices, un dessein transcendant qui échappe au point de vue relatif, limité, de l'homme privé. En politique, il est vrai que la fin justifie les moyens car la fin dont il s'agit n'est pas n'importe quelle fin privée mais la fin absolue : la liberté (qu'on pourrait aussi bien nommer Dieu).

Si Machiavel sacralise l'État, il ne divinise en revanche jamais l'histoire elle-même. Jacques Maritain fait bien remarquer que Machiavel n'investit la politique – où règne le rapport de forces – d'aucune valeur morale. Contrairement à Hegel, pour qui la politique « fait la volonté de l'histoire et triomphe parce que la force de l'histoire est investie en elle », Machiavel se refuse à voir dans l'histoire l'expression de la plus haute moralité. On ne saurait parler à son propos d'une « finalité de l'histoire ».

Non seulement l'État idéal et la paix définitive ne sont ni promis ni annoncés, mais ils ne sont même pas possibles. La politique n'est pas l'action que mènent les hommes en vue d'atteindre un état stable où il n'y aurait plus qu'à gérer des institutions parfaites. C'est là un point central du machiavélisme : le politique n'est jamais un gestionnaire, car l'idée même de gestion suppose une stabilité et une permanence institutionnelles sur laquelle il serait illusoire de compter. La force de Machiavel est d'avoir compris que la crise est le mode normal du fonctionnement politique, aux niveaux national et international. La paix est possible, mais elle n'est jamais – comme le voudront l'Abbé de Saint-Pierre et Kant – perpétuelle. Il n'y a que des périodes de répit. Il faut donc abandonner l'idée de voir un jour l'histoire humaine s'achever dans l'idéal. On a quelquefois fait référence à Machiavel en évoquant les grandes figures de la Révolution française et de la Terreur en particulier. Mais rien n'est plus éloigné du machiavélisme que la fameuse exhortation de Saint-Just : « La révolution ne doit s'arrêter qu'à la perfection du bonheur. » Che Guevara était plus proche de l'inspiration machiavélienne en comparant la révolution à une bicyclette : quand elle s'arrête, elle tombe.

La pensée politique machiavélienne n'est donc jamais totalitaire, au sens où peut l'être une théorie qui fait de l'histoire le lieu d'un progrès nécessaire (vers la justice ou la liberté). Machiavel ne cesse d'insister sur ce point : le temps est neutre, l'histoire n'a aucun sens assignable, elle ne conduit pas l'humanité par la main vers la liberté.

La prétention de détenir un savoir scientifique de l'histoire est sans doute pour beaucoup dans la nature totalitaire des régimes issus du communisme marxiste. Allant « dans le sens de l'histoire », un sens qui est « le bon », et que l'on connaît « scientifiquement », l'action révolutionnaire s'autorise tous les moyens, y compris les plus immoraux, pour parvenir à ses fins. Pour conquérir le pouvoir : n'importe quelle violence, y compris le terrorisme. Pour le garder : la suppression des libertés, la déportation des opposants, leur liquidation physique si nécessaire. Mao Zedong, pour parler de la révolution, avait des comparaisons qui rappellent celles de Hegel (le membre gangrené) :

> « La révolution n'est pas un dîner de gala ; elle ne se fait pas comme une œuvre littéraire, un dessin ou une broderie ; elle ne peut s'accomplir avec autant d'élégance, de tranquillité ou de délicatesse, ou avec autant de douceur, d'amabilité, de courtoisie, de retenue et de générosité d'âme. »
>
> Mao Zedong, *Rapport sur l'enquête menée dans le Hounan à propos du mouvement paysan* (mars 1927)

Alain raillait ainsi cette terrible conception du progrès :

> « Hardi ! Encore un coup, les gars ! Encore un ou deux petits massacres ! La route du progrès est longue et sinueuse. L'âge de pierre est loin derrière nous. Courage ! Si nous ne voyons pas la justice et la paix, nos petits neveux les verront. Le jour viendra. »
>
> Alain, *Propos* du 15 juin 1935

Et Mao, pourtant, a raison : une révolution n'échappe que très difficilement à la violence ; une violence aveugle, qui frappe des innocents. Car l'ordre ancien, lui-même injuste et violent, indifférent à la souffrance des innocents, ne se laisse pas abattre sans résistance. N'utiliser contre la tyrannie que des moyens « moraux », c'est peut-être s'interdire par avance de l'abattre. Hugo l'avait dit. Sur la barricade, dans *Les Misérables*, Enjolras présente aux combattants l'image radieuse du progrès qui sortira de la violence révolutionnaire : « Ce sont là les achats terribles de l'avenir. Une révolution est un péage » (V, I, v). Mais Enjolras, quand il prononce ces paroles, est de ceux qui vont mourir, non tuer. Cela fait toute la différence. Je peux bien décider de sacrifier ma vie, mon bonheur aux lendemains qui chantent. Mais la vie, le bonheur des autres ? Kant, qui interdit qu'on utilise l'homme comme moyen, fût-ce pour le bonheur futur de l'humanité, demeura fidèle à la Révolution française malgré la Terreur. Dans *Le Conflit des facultés* (1798), il réfléchit sur l'expérience de son siècle :

> « Peu importe si la révolution d'un peuple plein d'esprit, que nous avons vu s'effectuer de nos jours, réussit ou échoue, peu importe si elle accumule misère et atrocités au point qu'un homme sensé qui la referait avec l'espoir de la mener à bien, ne se résoudrait jamais néanmoins à tenter l'expérience à ce prix, – cette révolution, dis-je, trouve quand même dans l'esprit de tous les spectateurs (qui ne sont pas eux-mêmes engagés dans ce jeu) une sympathie d'aspiration qui frise l'enthousiasme et dont la manifestation même comportait un danger ; cette sympathie par conséquent ne peut avoir d'autre cause qu'une disposition morale du genre humain. »
>
> Kant, *Conflit des facultés*, 2e section, VI

On a peut-être le droit, après coup, de justifier la violence de l'histoire par les progrès qu'elle permet. Comme le fait, par exemple, le Conventionnel G… face à Monseigneur Bienvenu (Victor Hugo, *Les Misérables*, I, I, X). Mais avant, pour justifier les crimes qu'on va commettre ?[1]

Pour nous, qui disposons d'autres instruments théoriques pour penser l'histoire, la leçon de Machiavel peut encore être utile. Nous devons retenir qu'une théorie de l'histoire ne sera une arme pour la conquête de la liberté que si elle ne se transforme pas en culte de la providence (quel que soit le nom qu'on donne à cette providence). Aucun Dieu ne nous promet la liberté. Il faut toujours la construire.

1. Sur Hugo, voir **Documents, Accueil et postérité**, pp. 181-182, où l'on trouvera d'autres références renvoyant à ce problème.)

Commentaires d'extraits

Texte 1 :

Ruse et force : le double visage du politique

Le Prince, chapitre XVIII, pp. 94-97

Comment les princes doivent tenir leur parole.

Le chapitre XVIII du *Prince* nous plonge d'emblée au cœur de ce qu'il y a de plus inquiétant dans la doctrine politique du secrétaire florentin. Ce chapitre est l'un de ceux qui a suscité le plus de commentaires, et souvent les plus virulents. En à peine plus de deux pages, Machiavel expose l'essentiel de ce que la postérité retiendra sous le vocable infamant de machiavélisme. L'image traditionnelle du prince juste et bon, loyal et fidèle à la parole donnée, est frappée de plein fouet. Mais Machiavel ne s'en tient pas à ce renversement des valeurs. Il met en place les éléments d'une théorie radicalement nouvelle, qui n'a plus directement pour objet le pouvoir du prince, mais l'image que ce pouvoir donne de lui-même à ceux sur qui il s'exerce. Plus exactement, Machiavel montre que l'image du pouvoir n'est pas autre chose que ce pouvoir lui-même, puisque aucune autorité ne peut par définition s'exercer qu'à condition que les sujets consentent à en porter le fardeau. Machiavel peut légitimement être tenu pour l'un des premiers penseurs de ce qu'on appellera plus tard l'*idéologie*, si l'on entend par là la préoccupation des conditions psychologiques requises pour que s'exerce une contrainte sociale.

1. La loi, la ruse, la force

En plaçant la question du mensonge en tête de ce chapitre, Machiavel aborde un thème central dans toute la philosophie morale depuis l'Antiquité. Il ne faut donc pas s'étonner des polémiques soulevées par ces quelques pages. D'autant plus que le problème de la fidélité à la foi jurée n'est nullement posé sur le terrain moral. Le mensonge, pour le secrétaire florentin, est présenté comme une occurrence de la « force ». On verra plus loin de quelle force il s'agit, mais comme l'indique nettement le deuxième paragraphe, le prince a besoin de force parce que la politique est un combat. D'emblée, le champ politique est pensé comme un théâtre où s'affrontent des forces, au sens où les militaires parlent du « théâtre des opérations ».

Une politique véritablement humaine, dit Machiavel, ne s'appuierait que sur les lois. Les lois sont l'expression des rapports humains en temps de paix. On ne saurait dire en temps « normal », puisque, aussi bien conflit et affrontement ne sont pas moins normaux, aux yeux de Machiavel, que paix et concorde. C'est dire que la politique échappe nécessairement, pour une part, à l'humanité. L'opposition de l'homme et de la bête préfigure largement cette autre opposition, qui deviendra classique dans la philosophie politique, de l'état civil et de l'état de nature. Dans l'état de nature, c'est le destin des bêtes d'être gouvernées par les rapports de forces. L'originalité de Machiavel est de ne pas penser d'emblée la politique comme s'inscrivant *a priori* dans le registre civilisé de la loi. La loi, l'état de droit, sont une possibilité de l'homme. Mais la violence en est une autre. Et même si l'on accorde sa préférence à la première, force est souvent de passer, pour l'atteindre, par la seconde. Il y a de l'inhumain en l'homme. Ce n'est pas déchoir, pour la politique, que de s'en aviser.

Que faut-il entendre par force ? Non pas seulement la force matérielle, celle des armes, par exemple. Mais tout ce qui, dans ce combat qu'est l'action politique, est susceptible de conférer un avantage quelconque. Est force ce qui est efficace. Et si les armes sont une part considérable de l'efficacité en politique – Machiavel ne cesse d'y revenir – le prince aurait tort de tout en attendre. La ruse, c'est-à-dire mensonge, fraude, trahison, perfidie, fourberie, est tout aussi efficace, sinon davantage en bien des circonstances. Est bien faible, sur le champ de bataille politique (et même sur le champ de bataille militaire), celui qui ne sait compter que sur la force. Ce serait trop dire que la vraie force se moque de la force, mais à coup sûr, elle ne s'en contente pas.

En faisant de la ruse du renard l'auxiliaire de la force du lion, Machiavel ne s'offre pas seulement le plaisir d'une métaphore. Il prend directement le contre-pied d'un texte qui faisait alors autorité, en reprenant ses propres mots. C'est Cicéron, dans le *Traité des devoirs* (*De officiis*, I, XIII, 41), qui s'exprime en ces termes :

> « On peut être injuste de deux manières, ou par violence ou par ruse ; la ruse est l'affaire du renard, la violence celle du lion ; l'une et l'autre sont tout ce qu'il y a de plus étranger à l'homme, mais la ruse est la plus détestable des deux. »

Plutarque, dans la *Vie de Sylla* (LVIII), rapporte les propos que tenait Carbon au sujet de Sylla, qu'il avait combattu :

> « Carbon dit qu'il avait à combattre un renard et un lion tout ensemble en Sylla, mais que le renard lui faisait plus de mal et plus de dommage que le lion. »

Machiavel se place aux antipodes d'une attitude morale lorsqu'il justifie la duplicité du prince par celle de ses adversaires. Un commandement moral ne cesse pas de valoir pour moi parce que les autres le transgressent ; et une injustice, dira Condorcet, n'est jamais un motif pour en commettre une autre. Mais en politique, si, rétorque Machiavel. Le choix de l'exemple du pape Alexandre VI est assez savoureux. Au premier rang des mystificateurs figure donc le chef de la chrétienté ! Il faut croire que la divine Providence ne tient pas ces fourberies pour des crimes bien abominables, puisqu'elle les récompense par le succès : « Ses tromperies cependant lui réussirent toujours, parce qu'il en connaissait parfaitement l'art. »

2. Liberté du prince

On manquerait l'essentiel si l'on s'en tenait là. La duplicité du politique doit se déployer à un double niveau. La nécessité de jeter aux orties les préceptes moraux se double d'un impératif tout aussi catégorique : donner l'apparence de tenir ces préceptes en très haute estime ! On peut désormais reprendre à nouveaux frais la question traditionnelle : de quelles « vertus » un prince a-t-il besoin ?

La première vertu du prince consiste à n'être prisonnier d'aucune. En politique, tout ce qui contrevient à l'exigence de souplesse, d'adaptation est mauvais. Rien de pire, on l'a dit, qu'un caractère figé ; la référence à des principes intangibles – seraient-ils les meilleurs du monde – ne vaut pas mieux. Le prince ne doit pas être humain, sous peine d'être incapable, quand il le faudra, de prendre des mesures inhumaines. Mais il ne doit pas davantage être cruel, car il est bon en certaines occasions de se montrer clément. L'homme politique ne doit en vérité rien être, afin d'être à même de tout paraître.

Au fond, c'est peut-être sa souveraine liberté qui définit le mieux l'homme politique. Liberté vis-à-vis des vertus dont il doit apprendre à faire fi quand il le faut. Mais liberté aussi par rapport à toutes les espèces de vices ou même de passions, qui ne le perdraient pas moins qu'un souci exclusif du bien. N'obéissant à aucune passion, le politique use pleinement de sa raison. Il s'agit bien sûr d'une raison technique, instrumentale, non d'une raison pratique au sens kantien. Cette raison qui permet de calculer au mieux en toutes circonstances. D'une manière générale, on n'aime guère les froids calculateurs. On préférerait, à tout prendre, un passionné dont l'enthousiasme excuserait les excès. Mais la politique, dit Machiavel, se fait mal dans l'enthousiasme. Celui-ci n'est bon que pour la foule, non pour le prince qui doit en utiliser et diriger les élans.

Telle est donc la seconde vertu politique : une capacité à les simuler toutes. L'apparence de la vertu ne peut jamais nuire. Elle est au contraire strictement exigible du politique, qui ne cesse jamais d'être en représentation, face à un public qui a ses exigences. Le politique sait bien, lui, que ces exigences sont hors de propos, mais il tenterait en vain d'en expliquer la vanité au peuple. L'histoire, les traditions, la religion (surtout !), ont imposé des valeurs qu'on peut toujours discuter, mais qui sont de l'ordre du fait. Personne ne peut faire que la justice, la bonne foi, la douceur, la tempérance, la gratitude ne passent pour des vertus, et ne soient préférées à l'injustice, la fourberie, la débauche, la violence[1]. Le politique doit donc ressembler à l'image qu'on se fait de lui, hors de lui. Lion et renard, il doit aussi avoir quelque chose du caméléon.

3. La scène politique et l'image du gouvernant

Le théâtre politique est donc aussi une scène où un spectacle se joue, devant un public : la masse, le vulgaire. À ceci près que ce public-là dispose de la possibilité de faire irruption dans la pièce, d'y jouer un rôle et même dans une certaine mesure d'en modifier le texte. En revanche, comme au théâtre, il existe entre le public et la scène cette distance qui permet à l'artifice d'opérer efficacement. Le théâtre, on le sait, est le lieu de tous les trucages ; mise en scène, dispositifs cachés, éclairages, tout concourt à faire naître l'illusion. La politique obéit à la même loi : l'état naturel de ceux qui en sont l'objet – les masses les plus nombreuses – est l'ignorance de ce qui se passe dans les coulisses. Pas davantage le public ne doit connaître l'authentique personnalité des comédiens. Cette ignorance suffit à annuler purement et simplement les effets politiques de la vraie nature du prince, et à transférer intégralement cette efficacité sur l'apparence que le prince donne de lui-même au peuple. L'être n'est rien, le paraître est tout. Gouverner, c'est faire croire.

Ce n'est pas sans quelque illusion qu'on s'est récemment avisé de fustiger la « politique-spectacle ». Il faut sans doute dénoncer les dérives qui conduisent aujourd'hui nos politiques à substituer le marketing au débat public, le supermarché à l'Agora, et à préférer les stratégies de communication à la discussion démocratique. Mais il ne faut pas croire que la politique puisse tout à fait s'émanciper de ces contraintes. Il n'est pas *a priori* impossible de soutenir – encore que cela soit plutôt audacieux – que la politique finira un jour et que les rapports sociaux pourront s'organiser hors de ses contraintes. Mais la dimension du spectacle lui sera consubstantielle aussi longtemps qu'elle sera la politique, c'est-à-dire qu'elle reposera sur l'affrontement des forces.

Machiavel comprend que l'autorité politique ne peut pas se dispenser de donner d'elle-même une image conforme à ce qu'attend le plus grand nombre. Mais il voit également que l'autorité, soutenue par l'image, contribue en retour à soutenir l'image : « Tout le monde voit ce que vous paraissez ; peu connaissent à fond ce que vous êtes, et ce petit nombre n'osera point s'élever contre l'opinion de la majorité, soutenue encore par la majesté du pouvoir souverain » (p. 96). C'est pourquoi le gouvernant en fonction doit veiller à ne pas déroger à la dignité de sa charge. Il lui sied d'éviter les paroles ou les gestes qui pourraient déconsidérer sa fonction aux

1. François Cavanna exprime en quelques mots l'essence du machiavélisme : « Bonaparte avait donc renversé le Directoire. Les honnêtes gens respirèrent. Le Directoire n'était qu'un ramassis de crapules éhontées. Les honnêtes gens n'aiment pas que les crapules soient éhontées » (*Les Aventures de Napoléon*).

yeux du grand nombre. Il n'est pas bon que les dirigeants jouent à s'abaisser au niveau du populaire. Ils n'y gagneraient pas la confiance et ne s'attireraient que le mépris.

Prenons un exemple. Lorsqu'un chef d'État se fait « pincer » en flagrant délit de libertinage sexuel, on pourrait penser qu'il n'y a rien là qui compromette sa capacité à gouverner comme il faut. Et c'est probablement vrai (on peut supposer que son intérêt pour le sexe ne va pas jusqu'à le détourner des affaires publiques). Mais en réalité, dès lors que ce chef d'État gouverne un pays où dominent certaines valeurs (d'aucuns diront : certains préjugés), sa situation n'est plus seulement personnellement inconfortable. Elle constitue une faute politique. De culpabilité morale, il n'est point question en ce qui concerne le chef d'État ; le problème moral se pose à lui à titre personnel, vis-à-vis de son épouse légitime, de ses maîtresses ; sa conscience individuelle ne regarde que lui. Mais politiquement, il est doublement fautif. Il compromet l'efficacité de son action à la tête de l'État en donnant de lui-même l'image d'un individu peu sérieux, en même temps qu'il ternit l'image de la fonction qu'il occupe ; ce point est important et le chapitre suivant y reviendra : « Il faut éviter d'être méprisé. » Qu'il prenne du bon temps avec ses secrétaires mais qu'il ne se fasse pas prendre !

On dit du simple citoyen qui transgresse la loi (juridique ou morale) : « Pas vu, pas pris » ; mais il faut ajouter : coupable quand même. Tandis qu'en politique, toute la culpabilité consiste justement à se faire prendre, c'est-à-dire à être incapable de sauver les apparences. S'il s'est fait prendre, il lui reste, aidé de son armée de conseillers en communication, à retourner à son avantage une situation périlleuse, à « rebondir », comme disent nos commentateurs politiques. Certains y arrivent passablement. Un revers de fortune, dit Machiavel, est souvent une occasion à saisir.

4. Les prestiges du pouvoir

La métaphore de la salle de spectacle en appelle une autre, plus philosophique. Le théâtre politique, c'est aussi la Caverne que Platon décrit au commencement du livre VII de la *République*. Machiavel subvertit complètement la conception platonicienne, qui appelait le philosophe à sortir de la Caverne pour contempler la pure lumière du Bien, puis redescendre vers ses compagnons demeurés prisonniers au royaume des ombres. Il ne s'agit plus de penser en sa vérité le jeu des apparences pour gouverner enfin selon le bien, mais de se rendre maître dans l'art de ces apparences. Machiavel ne prétend pas convertir les gouvernants à la philosophie, encore moins confier le gouvernement aux philosophes. Il assume tranquillement la condition du sophiste. Il n'y a plus d'arrière-monde, ni de soleil au-dehors. Il n'y a pas de dehors du tout.

Condamnée à demeurer dans la Caverne, la politique est soumise à la loi du paraître. Merleau-Ponty redira que « tout homme qui accepte de *jouer un rôle* porte autour de lui un « grand fantôme » dans lequel il est désormais caché, et qu'il est responsable de son personnage, même s'il n'y reconnaît pas ce qu'il voulait être. Le politique n'est jamais aux yeux d'autrui ce qu'il est à ses propres yeux. » Ce que Pascal dit du roi : « il a la force, il n'a que faire de l'imagination », n'est vrai que jusqu'à un certain point (*Pensées*, Section V, 307). Le pouvoir politique n'est pas seul concerné. Aucune puissance ne peut s'imposer, dans quelque domaine que ce soit, sans avoir soin de son apparence et de frapper l'imagination : le médecin, le professeur, le juge ont aussi à exercer un pouvoir, et ne peuvent donc se permettre de donner d'eux-mêmes une image qui rendrait impossible ou difficile l'exercice de l'autorité, en jetant le doute sur leur capacité à l'exercer ou en compromettant la dignité de la fonction qu'ils occupent. Tous ceux qui exercent un pouvoir sur des hommes, et non seulement une puissance sur la matière, vivent, dira Alain, « de persuader ». Le médecin, qui prétend soigner, n'a pas seulement l'obligation morale d'être compétent. Il lui appartient en outre de le paraître, car cette apparence fait déjà partie de l'action thérapeutique : la confiance qu'un malade accorde à son médecin entre pour beaucoup dans l'efficacité du traitement qu'il administre. Le médecin doit avoir lu bien des livres ; mais en les exposant sur les rayonnages de son cabinet, il fait plus : persuader ses patients, aux yeux desquels le livre incarne officiellement la science, qu'il est dépositaire d'un vaste savoir. Un maître, à l'école, n'a pas le droit, par son attitude générale (tenue, langage, familiarité excessive), de discréditer la fonction qu'il occupe, car ce faisant, il ne compromettrait pas sa seule action éducative, mais celle de tous ses collègues et de l'institution en général. Chaque instituteur ou professeur est comptable de l'école en tant que telle, parce qu'en lui se trouve déposée une parcelle de son image.

Machiavel fait-il l'apologie de la démagogie ? À coup sûr, il rompt avec une tradition qui ne voyait dans la démagogie qu'une dégénérescence ou un effet pervers de la démocratie. La démagogie est en un sens l'effet normal – et non pathologique – de toute politique. Mais elle a ses limites, ou plutôt, on doit l'entendre en une signification un peu différente de l'acception habituelle, et plus proche de l'étymologie : en grec, le démagogue est littéralement celui qui conduit le peuple. Au contraire, loin de flatter le peuple en toutes occasions, le prince doit se garder de chercher à tout prix à s'en faire aimer, et de tout accorder au souci de son image. Il faut savoir dire non aux velléités populaires lorsqu'elles mettent en péril le salut de l'État. Il est dit au chapitre XVI que le prince doit « se résoudre à être appelé avare » (p. 91) plutôt que d'accorder au peuple des libéralités qui ruineraient l'État, le rendant incapable de satisfaire aux véritables nécessités. Le peuple est un enfant : il ne sait pas d'emblée ce qui est bon pour lui, mais saura gré au chef, plus tard, d'avoir gouverné dans le seul souci du bien commun.

L'apport de Machiavel à la science politique n'est pas d'avoir placé le prince à la remorque des passions fluctuantes de la masse. Il est d'avoir, le premier sans doute, théorisé les conditions idéologiques de l'exercice de toute autorité politique. *Le Prince* a été écrit en 1513. Avant la moitié du siècle, Étienne de La Boétie rédigera son *Discours de la servitude volontaire*, où il se demandera comment un tyran peut imposer sa volonté à un peuple nécessairement plus fort, ne serait-ce que par le nombre. Question sur laquelle réfléchira également Montaigne, et que reprendra toute la réflexion politique ultérieure, en dépassant de loin la perspective dans laquelle se situe l'auteur du *Prince*. Spinoza, grand lecteur et admirateur de Machiavel, fait de l'analyse des structures mentales du pouvoir – chez les gouvernés comme chez les gouvernants – l'un des axes essentiels de sa méditation politique. Dans ses *Essais politiques*, Hume montre comment « c'est sur l'opinion que tout gouvernement est fondé, le plus despotique et le plus militaire, aussi bien que le plus populaire et le plus libre[1] ». C'est là une direction parmi les plus fécondes de la philosophie politique moderne, jusqu'à l'époque contemporaine (Reich, Marcuse, Foucault).

5. Limites de la manipulation

Il ne faut pas pousser trop loin l'idée d'une stratégie manipulatoire, pratiquée d'en haut et en toute lucidité par les gouvernants. Certes, de telles choses existent, et les bataillons de conseillers en communication qui gravitent aujourd'hui autour de nos princes (et aussi de nos chefs d'entreprise) sont bien là pour organiser aussi scientifiquement que possible – armés de psychologie, de sociologie, d'enquêtes d'opinion – la manipulation des esprits. Il reste que le prince et ses conseillers doivent croire aussi à leur propre discours, et se manipuler eux-mêmes jusqu'à un certain point. Alain l'avait dit : « Il ne faut pas concevoir quelque Machiavel qui manie les passions sans s'y brûler. » Dans une perspective certes différente, mais comparable, Althusser fera remarquer que :

> « La classe dominante n'entretient pas avec l'idéologie dominante, qui est son idéologie, un rapport extérieur et lucide d'utilité ou de ruses pures. [...] En vérité, la bourgeoisie doit croire à son mythe, avant d'en convaincre les autres, et non seulement pour les en convaincre, car ce qu'elle vit dans son idéologie, c'est *ce* rapport imaginaire à ses conditions d'existence réelles, qui lui permet à la fois d'agir sur soi (se donner conscience juridique et morale, et les conditions juridiques et morales du libéralisme économique) et sur les autres (ses exploités et futurs exploités : les "travailleurs libres"), afin d'assumer, de remplir et de supporter son rôle historique de classe dominante. »
>
> Louis Althusser, *Marxisme et humanisme*, IV ; in *Pour Marx*, VII

1. Hume, Cinquième essai : *Les premiers principes du gouvernement.*

La ruse – si ruse il y a – mystifie aussi bien celui à qui elle profite. Nul ne peut exercer un pouvoir qu'il ne se représente, à ses propres yeux, comme légitime.

Enfin, aux yeux de Machiavel, c'est toujours en dernière instance la force pure, c'est-à-dire la puissance matérielle, qui fait la différence et emporte la décision à l'heure de vérité. Les techniques psychologiques, qui servent à construire l'image du prince dans l'esprit de la grande masse qu'il gouverne ou des adversaires qu'il combat, ne sont à ses yeux que des moyens auxiliaires. Il n'y a de vrai pouvoir qu'armé. C'est ce qui fait la différence entre les gouvernants qui ne peuvent compter que sur l'amour de leurs sujets et ceux qui se donnent les moyens d'en être craints. Cette question fait l'objet du chapitre XVII, qui montre qu'« il est plus sûr d'être craint que d'être aimé » (p. 92). Le spectacle du monde contemporain en offre une profusion d'exemples, surtout au niveau des relations internationales : la négociation, le dialogue, les manœuvres diplomatiques, voire le « bluff » pur et simple peuvent résoudre certaines difficultés, et empêcher certains conflits ; mais que peuvent-ils s'ils ne s'appuient sur une réelle puissance matérielle, qui se compte désormais en hommes, en divisions blindées et plus encore en précision des missiles et en possibilité de déployer rapidement sur les théâtres d'opérations les plus divers des matériels toujours plus perfectionnés, servis par des hommes toujours plus spécialisés ? Démagogie et techniques de persuasion trouvent là leur limite.

Texte 2 :

Fortune et vertu : la liberté humaine dans l'histoire

Combien, dans les choses humaines, la fortune a de pouvoir, et comment on peut y résister.

Je n'ignore point que bien des gens ont pensé et pensent encore que Dieu et la fortune régissent les choses de ce monde de telle manière que toute la prudence humaine ne peut en arrêter ni en régler le cours : d'où l'on peut conclure qu'il est inutile de s'en occuper avec tant de peine, et qu'il n'y a qu'à se soumettre et à laisser tout conduire par le sort. Cette opinion s'est surtout propagée de notre temps par une conséquence de cette variété de grands événements que nous avons cités, dont nous sommes encore témoins, et qu'il ne nous était pas possible de prévoir : aussi suis-je assez enclin à la partager.

Néanmoins, ne pouvant admettre que notre libre arbitre soit réduit à rien, j'imagine qu'il peut être vrai que la fortune dispose de la moitié de nos actions, mais qu'elle en laisse à peu près l'autre moitié en notre pouvoir. Je la compare à un fleuve impétueux qui, lorsqu'il déborde, inonde les plaines, renverse les arbres et les édifices, enlève les terres d'un côté et les emporte vers un autre : tout fuit devant ses ravages, tout cède à sa fureur ; rien n'y peut mettre obstacle. Cependant, et quelque redoutable qu'il soit, les hommes ne laissent pas, lorsque l'orage a cessé, de chercher à pouvoir s'en garantir par des digues, des chaussées et autres travaux : en sorte que, de nouvelles crues survenant, les eaux se trouvent contenues dans un canal, et ne puissent plus se répandre avec autant de liberté et causer d'aussi grands ravages. Il en est de même de la fortune qui montre surtout son pouvoir là où aucune résistance n'a été préparée et porte ses fureurs là où elle sait qu'il n'y a point d'obstacle disposé pour l'arrêter.

Machiavel, *Le Prince,* chap. XXV (§ 1 et 2), pp. 118-119.

Témoin des guerres d'Italie, du flux et du reflux des armées étrangères sur son sol, des succès et des échecs incessants des cités italiennes dans leurs entreprises de conquêtes et de reconquêtes, Machiavel vit un temps troublé, incertain. Comme à toutes les époques où l'imprévisible est devenu la règle, on ne compte plus que sur la chance ; on prie la déesse Fortune, on voudrait connaître les décrets de la Providence, on s'en remet au destin, à la fatalité.

Ce que ses contemporains vivent, et subissent, et qui est moins la fortune que la représentation qu'ils s'en font, Machiavel, lui, veut le penser. Et il veut le penser pour agir. Car ce passage ressemble fort à une exhortation : « Aide-toi, et le Ciel t'aidera. »

À peine Machiavel a-t-il commencé, au chapitre précédent, d'examiner le cas particulier de l'Italie, qu'il revient à une question d'ordre général. Il s'agit en fait de lever une objection qui hypothèque lourdement l'action future d'un prince nouveau : et si c'était la fortune qui s'acharnait ainsi sur la pauvre Italie ? Ne faut-il pas au moins une malédiction divine pour expliquer tant d'échecs et de souffrances ? Le premier paragraphe du chapitre XXV va dans ce sens. Pour s'assurer qu'un prince nouveau ne court pas à un échec certain, il faut donc penser dans sa généralité le rapport de la fortune et de la liberté humaine, c'est-à-dire réfléchir sur les capacités de l'homme à choisir son devenir, pour se libérer de la fortune. Cette réflexion est donc pour nous une invitation à méditer sur la place de la liberté de l'homme dans son histoire. Réflexion fort actuelle, car notre époque a su – récemment encore – montrer qu'elle s'y connaissait en « grands bouleversements [...] que nul n'aurait jamais pu prévoir ».

1. Fatalité, destin, nécessité, Providence

On trouvera une brève étude de la notion de fortune dans l'analyse des concepts clés (p. 128). On se reportera aussi au *Capitolo de la Fortune* (p. 175). Mais avant de se demander quel contenu lui donne Machiavel, il faut cerner les différentes significations qu'a pu revêtir l'idée de fortune. On retrouve toujours cette intuition fondamentale, que l'homme n'est pas entièrement maître de ce qui lui arrive ; que son histoire individuelle et collective échappe pour une certaine part à l'empire de sa volonté. C'est là une idée qui vient de très loin.

L'Antiquité connaissait déjà l'idée d'une fatalité transcendante au monde – les dieux mêmes sont soumis à ses décrets – qui distribue à chacun son lot. Chez les Grecs, cette fatalité se nomme *Anankè* ; ses filles, les Moires, tissent le cours des existences humaines. Ce sont les Parques des Latins. La tragédie grecque exprime cette fatalité : Œdipe devait tuer son père et épouser sa mère ; Étéocle et Polynice ne pouvaient que s'entre-tuer. Au début du *Crépuscule des dieux*, c'est dans le même esprit que Richard Wagner fait intervenir les Nornes de la mythologie germanique.

Cette fatalité n'est pas aveugle, mais vise au contraire des buts. Elle s'exerce directement comme une contrainte sur les volontés humaines, qu'elle tient sous sa coupe.

À côté de l'*Anankè*, les Grecs connaissent aussi la *Tuchè* : ce qui arrive à l'homme par les dieux. C'est une autre fatalité, mais celle-là dépend des divinités et s'applique aux hommes, alors qu'*Anankè* échappe aux immortels eux-mêmes. *Tuchè* désigne la part d'aléatoire, d'irrationnel et donc d'imprévisible que comporte la vie des hommes, subissant les décrets divins sans les connaître. *Tuchè* exprime l'idée de hasard.

L'Antiquité s'était également représenté, avec les stoïciens, une nécessité immanente au monde. On traduit en général par « destin » l'*éimarméné* des stoïciens. Mais cette traduction paraît peu appropriée. Si le destin est « une chaîne de causes, c'est-à-dire un ordre et une connexion qui ne peuvent jamais être forcés ni transgressés » (Plutarque, *Des opinions des philosophes*, I, XXVIII), alors, c'est bien plutôt d'une nécessité physique qu'il s'agit. « Chrysippe dit que le destin est une disposition du tout, depuis l'éternité, de chaque chose, suivant et accompagnant chaque autre chose, disposition qui est inviolable » (Aulu-Gelle, *Nuits attiques*, VI, 2). Le destin est « l'enchaînement de toutes choses dans le monde, et leur rapport réciproque », selon Marc-Aurèle (*Pensées*, VI, 38). L'appellation de « destin » conviendrait mieux à l'idée précédente de fatalité. La nécessité stoïcienne est un ordre qui s'apparente déjà au déterminisme scientifique. Selon Plutarque, le destin des stoïciens est « raison du monde ».

Mais Machiavel, lorsqu'il évoque la fortune, ne peut ignorer les apports plus tardifs issus du monothéisme, et en particulier du christianisme. S'il existe un Dieu créateur tout-puissant, la nature tout entière est soumise à ses décrets, et la part de liberté laissée à l'homme devient problématique. Le mot *islam*, par exemple, veut dire « soumission à Dieu ».

La théologie chrétienne a nourri d'interminables discussions sur la grâce, la prédestination et la liberté humaine. Un débat très vif avait opposé – au Ve siècle de notre ère – saint Augustin et Pélage. On sait que cette discussion débouchera sur une querelle entre tenants d'une prédestination plus ou moins implacable (Calvin, Jansénius, Pascal) et optimistes désireux de faire sa place à la liberté de l'homme (Molina, saint Thomas d'Aquin, Fénelon).

La fortune, ce pourrait donc être aussi la Providence divine, dont Bossuet dira qu'elle « tient du plus haut des cieux les rênes de tous les royaumes ».

2. Fluctuations de la fortunà

Machiavel ne retient exactement aucune des conceptions précédentes. Comme on l'a montré plus haut, il est assez difficile de cerner le contenu de l'idée de fortune dans l'œuvre de Machiavel : les textes ne s'accordent pas toujours. Il ne faut en général pas trop demander à Machiavel en matière de précision conceptuelle. Il faut surtout garder à l'esprit qu'il s'agit beaucoup plus ici d'une exhortation politique que d'une démarche proprement philosophique. L'intention est pratique et non théorique. Machiavel ne construit jamais une « philosophie de l'histoire », qui imposerait de réfléchir sur l'articulation de la liberté humaine à la nécessité historique. Il ne veut ici que lever l'objection qu'on pourrait opposer à son projet de libération : l'impossibilité de contrecarrer le destin ou la Providence, qui semblent manifester si peu de bienveillance pour la malheureuse Italie.

Le fait que Machiavel ait recours à une image métaphorique : le fleuve, confirme le caractère essentiellement pratique de ses préoccupations. Cette image est pédagogique : il s'agit de persuader le prince nouveau qu'il n'est pas dépourvu de possibilités d'agir dans la conjoncture présente. On ne peut pas demander à une métaphore de tenir lieu de théorie. Il n'est pas impossible, néanmoins, d'assigner à Machiavel sa place exacte au sein des différentes conceptions du devenir historique et du rôle que peut y jouer l'individu.

L'image du fleuve impétueux semble récuser l'idée d'une Providence divine. Un cours d'eau est un phénomène naturel dépourvu de toute intention, incapable de se proposer quelque but que ce soit. Machiavel est étranger à toute téléologie historique. Mais dans les *Discours* (II, 29), il évoque la fortune en des termes assez nettement anthropomorphiques :

> « Telle est la marche de la fortune : quand elle veut conduire un grand projet à bien, elle choisit un homme d'un esprit et d'une vertu tels qu'ils lui permettent de reconnaître l'occasion ainsi offerte. De même, lorsqu'elle prépare le bouleversement d'un empire, elle place à sa tête des hommes capables d'en hâter la chute. Existe-t-il quelqu'un d'assez fort pour l'arrêter, elle le fait massacrer ou lui ôte tous les moyens de rien opérer d'utile. »

On croirait presque lire Bossuet ! Il suffit de substituer Dieu à la fortune pour retrouver le *Discours sur l'histoire universelle*. On voit qu'il serait vain de chercher chez Machiavel un concept très déterminé de la fortune, tant les textes paraissent se contredire. Mais la contradiction n'est pas toutefois irréconciliable. D'abord parce que la personnalisation de la fortune est très probablement chez Machiavel une figure rhétorique, à laquelle il paraît difficile d'assigner un sens profond. Ensuite, parce que même à supposer la main invisible d'une puissance transcendante, les desseins de cette puissance n'étant pas connus, les hommes restent dans l'incapacité de fonder sur la fortune une politique rationnelle :

> « Ils ignorent quel est son but ; et comme elle n'agit que par des voies obscures et détournées, il leur reste toujours l'espérance ; et dans cette espérance, ils doivent puiser la force de ne jamais s'abandonner, en quelque infortune et misère qu'ils puissent se trouver. »
>
> Machiavel, *Discours*, II, 29

Là où Machiavel écrit « espérance », il faut comprendre *volonté*. Rien à voir avec l'espérance religieuse (la vertu théologale du christianisme), qui attend dans la résignation un monde meilleur. Le mot qui désigne le mieux la conception machiavélienne est *volontarisme*. En politique, il faut vouloir d'abord, et entreprendre.

3. Puissance de la *virtù*

Et c'est pourquoi la notion de fortune est chez Machiavel inséparable de celle de vertu (voir **Concepts clés** : vertu, p. 136). La fortune est ce qui exige, de la part du politique, une *virtù* capable de lui tenir tête. On se souvient que Machiavel utilise, pour évoquer l'action politique, l'opposition aristotélicienne entre matière et forme. La fortune est cette matière qui résiste à l'action politique en même temps qu'elle lui donne prise ; de même que le bois, avec ses irrégularités et ses nœuds, résiste au ciseau du sculpteur tout en rendant son œuvre possible. Loin de désigner une puissance maléfique qui nous écrase, la fortune n'est donc que le nom que nous donnons à notre démission.

Fichte, dans ses *Pensées sur Machiavel*, a magnifiquement commenté ce chapitre XXV du *Prince*[1]. Le politique, dit-il, le grand politique est celui qui a la force de « se mettre à l'œuvre avec confiance et avec un calme inébranlable », de vouloir et d'entreprendre dans les circonstances apparemment les plus défavorables. Le politique n'attend pas pour agir d'avoir acquis la certitude que le succès est au bout, parce qu'une telle certitude n'est jamais donnée. La fortune n'est rien d'autre que cette impossibilité même d'être sûr du résultat. Les hommes n'ont besoin du secours de la Providence ou de la chance, que dans la mesure exactement où ils y croient et s'en remettent à elles pour régler les situations auxquelles ils sont confrontés. S'ils décident de faire comme s'il n'y avait ni Providence, ni chance, c'est alors qu'ils deviennent effectivement maîtres de leur destin et échappent aux forces qui les dominaient. « La bonne fortune particulière qui surgit de différents événements, dit Fichte, c'est chaque individu qui se l'approprie et l'attache à sa suite, en s'engageant dans une grande entreprise avec un plan profond et ample. »

Il y a comme une anticipation du cartésianisme dans cette morale volontariste. La *virtù* machiavélienne n'est pas loin de la générosité cartésienne. Alain ne dira pas autre chose que Machiavel, lorsqu'il écrira que « le fatalisme se prouve lui-même dès qu'on y croit », et que vouloir est le seul remède. Ce n'est pas que la volonté contrarie la fatalité en opposant puissance contre puissance. Comment imaginer qu'un individu puisse vaincre les forces cosmiques liguées contre lui ? C'est que pour celui qui sait vouloir, il n'y a plus du tout de fatalité. Le fatalisme n'est pas véritablement, selon Alain, une théorie, car aucune théorie n'est jamais vraie ni fausse par l'attitude que nous adoptons à son égard : imagine-t-on que la théorie newtonienne de la gravitation cesse d'être vraie parce que nous éprouvons le désir

1. Fichte, *Machiavel et autres écrits philosophiques et politiques*, p. 81-84 (voir bibliographie, p. 192).

de voler ? Mais dans le cas du fatalisme, c'est justement ce qui arrive : sa vérité même est suspendue à notre consentement. Loin de toutes les philosophies de l'histoire et de leurs inextricables disputes sur les poids respectifs de la liberté humaine et du déterminisme historique, Alain tiendra ferme cette idée volontariste. En particulier contre la guerre, qui n'arrive presque toujours que parce que tous finissent par la croire inévitable.

4. Limites de la *virtù*

Le volontarisme d'Alain vaut contre le fatalisme. Est-ce à dire qu'il suffise contre la fortune ? Si c'était le cas, il suffirait au politique de faire preuve, en toutes circonstances, de courage et de détermination pour que tous les obstacles s'aplanissent. Or, l'échec est toujours possible. C'est pourquoi la fortune n'est pas exactement la fatalité. Alain a raison de dire qu'il n'y a pas de fatalité. Mais la fortune, elle, oppose toujours à l'action humaine sa marge irréductible d'imprévisible et d'aléatoire. Ce que montre le cas de César Borgia.

César Borgia incarne le type du héros machiavélien ; c'est sur lui que le secrétaire florentin en exil conseille à Laurent de Médicis de prendre exemple. Cette admiration de Machiavel pour Borgia lui valut par la suite les reproches les plus sévères. Même Rousseau, qui voit en Machiavel un ami de la liberté, se refuse à admirer « son exécrable héros ». Qu'est-ce qui séduit tant Machiavel chez ce fils de pape ? D'abord son énergie, son ambition, sans lesquelles rien n'est possible en politique. Ensuite la fin à laquelle il consacre ces belles qualités : construire en Italie un État puissant, indépendant de la papauté. Enfin sa capacité à choisir, en toutes circonstances, les moyens adaptés aux fins qu'il s'est assignées, ces moyens fussent-ils les plus violents (pacification de la Romagne, décrite au chapitre VII, pp. 61-62 ; traquenard de Sinigaglia, évoqué au chapitre VIII, p. 67). César Borgia ne se laisse pas arrêter par de vains scrupules, mais sa politique n'est pas un stérile déchaînement de violence ; elle est entièrement déterminée par l'impératif du bien public, et cherche toujours le soutien du peuple, qu'elle obtient.

Et pourtant Borgia, que tout politique devrait prendre en exemple, échoue finalement. Cet échec est imputable à des causes insignifiantes à l'échelle historique : sa maladie, la mort de son père, tout cela rappelle le nez de Cléopâtre dont parlera Pascal. Il faut en conclure que l'action politique la plus résolue s'accomplit toujours sous la menace des impondérables. Merleau-Ponty le dira avec d'autres mots : « Gouverner, comme on dit, c'est prévoir, et le politique ne peut s'excuser sur l'imprévu. Or, il y a de l'imprévisible. Voilà la tragédie. » La notion de fortune exprime chez Machiavel la dimension tragique du devenir historique.

Autour de l'œuvre

Lettre de Nicolas MACHIAVEL à Francesco Vettori

La lettre de décembre 1513 à Francesco Vettori présente d'abord un intérêt littéraire. On ignore souvent que Machiavel fut un grand prosateur de la langue italienne. Si, comme poète, il pèse peu face à Dante et Pétrarque, il fut un dramaturge peu prolixe mais excellent : *La Mandragore* est une pièce majeure du répertoire italien. On lira aussi pour se divertir la *Nouvelle très plaisante de l'Archidiable qui prit femme.* Au lecteur du *Prince,* cette lettre apprend dans quelles conditions fut rédigé l'illustre opuscule.

Je vis donc dans ma maison de campagne. Depuis mes dernières misères que vous savez, je n'ai pas passé, en les additionnant bien, vingt jours à Florence. Jusqu'ici j'ai piégé les grives de ma main. Je me levais avant l'aube, faisais mes gluaux, et en route, sous une telle charge de cages-attrapes qu'on eût dit l'ami Geta quand il s'en revient du port avec les livres d'Amphitryon ; j'attrapais de deux à six grives. J'ai passé ainsi tout novembre. Depuis, cette façon de tuer le temps, si piètre et singulière fût-elle, m'a bien manqué. Voici donc comment je vis. Je me lève avec le soleil, et je vais à un de mes bois que je fais couper ; j'y reste deux heures à revoir la besogne du jour écoulé et à tuer le temps avec mes bûcherons : ils ont toujours quelque querelle en cours, soit entre eux, soit avec les voisins [...].

En quittant mon bois, je m'en vais à une fontaine et de là à ma volière. J'emporte un livre sous le bras, tantôt Dante ou Pétrarque, tantôt l'un de ces poètes mineurs, comme Tibulle, Ovide et autres : je me plonge dans la lecture de leurs amours et leurs amours me rappellent les miennes ; pensées dont je me récrée un bon moment. Je gagne ensuite l'auberge sur la grand-route : je m'entretiens avec ceux qui passent, je demande des nouvelles de leurs pays, je devine pas mal de choses, j'observe la variété des goûts et la diversité des caprices des hommes. C'est ainsi qu'approche l'heure du déjeuner où, en compagnie de ma maisonnée, je me nourris des aliments que me permettent ma pauvre ferme et mon maigre patrimoine. Sitôt déjeuné, je fais retour à l'auberge : il y a là d'habitude avec l'aubergiste un boucher, un meunier, deux chaufourniers. C'est avec ces gens-là que tout l'après-midi je m'encanaille à jouer au tric-trac, à la cricca, jeu dont s'ensuivent mille contestations et des querelles à l'infini à grand renfort d'injures ; et la plupart du temps, c'est pour un enjeu d'un *quattrino,* et l'on nous entend crier rien moins que de San Casciano. C'est dans une pouillerie pareille qu'il me faut plonger pour empêcher ma cervelle de moisir tout à fait ; c'est ainsi que je me détends de la méchanceté de la Fortune envers moi, presque content qu'elle m'ait jeté si bas et curieux de voir si elle ne finira pas par en rougir. Le soir tombe, je retourne au logis. Je pénètre dans mon cabinet et, dès le seuil, je me dépouille de la défroque de tous les jours, couverte de fange et de boue, pour revêtir des habits de cour royale et pontificale ; ainsi honorablement accoutré, j'entre dans les cours antiques des hommes de l'Antiquité. Là, accueilli avec affabilité par eux, je me repais de l'aliment qui par excellence est le mien, et pour lequel je suis né. Là, nulle honte à parler avec eux, à les interroger sur les mobiles de leurs actions, et eux, en vertu de leur humanité, ils me répondent. Et, durant quatre heures de temps, je ne sens pas le moindre ennui, j'oublie tous mes tourments, je cesse de redouter la pauvreté, la mort même ne m'effraie pas. Et comme Dante dit qu'il n'est pas de science si l'on ne retient pas ce que l'on a compris, j'ai noté de ces entretiens avec eux ce que j'ai cru essentiel et composé un opuscule *De principatibus,* où je creuse de mon mieux les problèmes que pose un tel sujet : ce que c'est que la souveraineté, combien d'espèces il y en a, comment on l'acquiert, comment on la garde, comment on la perd. Et si jamais quelque élucubration de moi vous a plu, celle-ci ne devrait pas vous déplaire. Elle devrait surtout faire l'affaire d'un prince nouveau : c'est pourquoi je la dédie à Sa Magnificence Julien. Filippo Casavecchia en a eu connaissance ; il pourra vous rentre compte en partie de la chose en soi et des discussions que nous en avons faites. Tenez compte toutefois que je ne cesse de l'enrichir et de la corriger.

À propos de mon opuscule, j'ai débattu avec Bertini s'il convenait de le faire paraître ou non ; puis, dans l'affirmative, s'il convenait que je le porte moi-même ou que je l'envoie. Dans la négative, je crains que Julien ne le lise même pas et que notre Ardinghelli ne se fasse tous les honneurs de mon travail. Le besoin qui me talonne me pousse à le publier : je sens que je m'use, et cela ne peut pas durer de la sorte sans qu'à la longue la pauvreté ne fasse de moi un objet de mépris. En outre je désire vivement que ces Médicis se décident à m'employer, dussent-ils commencer par me faire rouler un rocher. Après quoi, si je n'ai pas fait en sorte de les gagner, je ne m'en prendrai qu'à moi. Quant à cet ouvrage, si seulement on le lisait, on verrait que les quinze années que j'ai vouées au soin des affaires de l'État, je ne les ai ni dormies ni jouées. Et chacun devrait avoir à cœur de se servir d'un homme plein d'une expérience qui ne leur a rien coûté. Mon loyalisme devrait être à l'abri du soupçon ; j'ai toujours respecté la fidélité, je ne vais pas apprendre maintenant à y manquer ; l'homme qui a servi fidèlement et bien quarante-trois ans – c'est ce que j'ai – ne doit pas pouvoir changer sa nature. Ma pauvreté d'ailleurs en porte témoignage.

Machiavel, *Lettre à Vettori*, 10 décembre 1513

Critique de la religion chrétienne

L'extrême sévérité avec laquelle Machiavel évoque d'une part le rôle historique joué par le christianisme, d'autre part la responsabilité des États pontificaux dans le délabrement politique de l'Italie, voilà qui suffirait à expliquer, autant que son immoralisme, son statut de penseur maudit. Machiavel fut inscrit très tôt (1559) à l'Index, liste officielle des auteurs et des livres interdits par l'Église catholique romaine. Montesquieu et Rousseau se souviendront de cette critique [1], qui annonce également les thèmes nietzschéens.

Notre religion glorifie plutôt les humbles voués à la vie contemplative que les hommes d'action. Notre religion place le bonheur suprême dans l'humilité, l'abjection, le mépris des choses humaines ; et l'autre [2], au contraire, le faisait consister dans la grandeur d'âme, la force du corps et dans toutes les qualités qui rendent les hommes redoutables. Si la nôtre exige quelque force d'âme, c'est plutôt celle qui fait supporter les maux que celle qui porte aux fortes actions.

Il me paraît donc que ces principes, en rendant les peuples plus débiles, les ont disposés à être plus facilement la proie des méchants. Ceux-ci ont vu qu'ils pouvaient tyranniser sans crainte des hommes qui, pour aller en paradis, sont plus disposés à recevoir leurs coups qu'à les rendre. Mais si ce monde est efféminé, si le ciel paraît désarmé, n'en accusons que la lâcheté de ceux qui ont interprété notre religion selon la paresse et non selon la *virtù*. S'ils avaient considéré que cette religion nous permet d'exalter et de défendre la patrie, ils auraient vu qu'elle nous ordonne d'aimer cette patrie, de l'honorer, et de nous rendre capables de la défendre.

Machiavel, *Discours sur la première décade de Tite-Live*, livre II, 2

1. Pour Montesquieu : *De l'esprit des lois*, livres XXIV à XXVI. De Rousseau, lire le célèbre chapitre VIII du *Contrat social*, livre IV : « De la religion civile ».
2. Celle des Romains.

La croyance que, sans toi, Dieu se battra pour toi, tandis que tu resteras à ne rien faire à ton prie-Dieu, a perdu plus d'un royaume et plus d'un État. Les prières sans doute sont une chose très nécessaire ; et celui-là est tout à fait insensé qui empêche le peuple de suivre ses cérémonies et de remplir ses dévotions.

Il semble en effet que ce sont elles qui font récolter concorde, ordre moral, lesquels à leur tour entraînent bonne fortune et liesse.

Mais personne ne doit avoir cervelle assez légère pour croire que si sa maison menace de crouler, c'est Dieu qui la lui sauvera sans qu'il l'étaye : il mourra bel et bien sous ses décombres.

Machiavel, *L'Âne d'or*, chant V

La fortune

Notion capitale dans la pensée politique de Machiavel. Voir **Concepts clés**, p. 128.

En effet, cette créature versatile est accoutumée le plus souvent à opposer ses plus grandes forces où elle voit que la nature en déploie davantage.

Sa puissance naturelle renverse tous les humains, et sa domination n'est jamais sans violence, à moins qu'une *virtù* supérieure ne lui tienne tête. […] La multitude lui donne le nom de Toute-Puissante, parce que quiconque reçoit la vie dans ce monde éprouve tôt ou tard son empire.

Souvent elle tient les bons abattus sous ses pieds tandis qu'elle élève les méchants, et si parfois elle fait une promesse, jamais on ne la lui voit tenir. Elle renverse de fond en comble les États et les royaumes au gré de son caprice, et elle ravit aux justes le bien qu'elle prodigue aux pervers.

Cette déesse inconstante, cette divinité mobile place souvent ceux qui en sont indignes sur un trône où ceux qui le mériteraient n'arrivent jamais.

Elle dispose du temps au gré de sa volonté ; elle nous élève, nous renverse sans pitié, sans loi et sans raison.

Elle n'aime pas se prodiguer trop longtemps à ceux qu'elle favorise, ni laisser pour toujours les victimes au plus bas de sa roue.

Personne ne sait de qui elle est fille, ni de quelle race elle est née : ce qu'il y a de certain seulement, c'est que Jupiter lui-même redoute son pouvoir.

Machiavel, *Capitolo de la Fortune*

Les hommes peuvent seconder la fortune et non s'y opposer ; ourdir les fils de sa trame et non les briser. Je ne crois pas pour cela qu'ils doivent s'abandonner eux-mêmes. Ils ignorent quel est son but ; et comme elle n'agit que par des voies obscures et détournées, il leur reste toujours l'espérance ; et dans cette espérance, ils doivent puiser la force de ne jamais s'abandonner, en quelque infortune et misère qu'ils puissent se trouver.

Machiavel, *Discours sur la première décade de Tite-Live,* livre II, 29

Accueil et postérité

Baruch SPINOZA (1676)

Spinoza doit beaucoup à Machiavel, avec qui il partage le sort de l'écrivain maudit, dont on ne peut citer le nom, et *a fortiori* les ouvrages, qu'en se rendant coupable de blasphème. C'est que, comme Machiavel, Spinoza pense la politique en athée, c'est-à-dire avant tout comme rapport de forces. Comme lui, il voit dans le régime républicain la forme politique la plus compatible avec l'épanouissement de la liberté.

De quels moyens un Prince omnipotent, dirigé par son appétit de domination, doit user pour établir et maintenir son pouvoir, le très pénétrant Machiavel l'a montré abondamment ; mais, quant à la fin qu'il a visée, elle n'apparaît pas très clairement. S'il s'en est proposé une bonne ainsi qu'il est à espérer d'un homme sage, ce semble être de montrer de quelle imprudence la masse fait preuve alors qu'elle supprime un tyran, tandis qu'elle ne peut supprimer les causes qui font qu'un Prince devient un tyran mais qu'au contraire, plus le Prince a de sujets de crainte, plus il y a de causes propres à faire de lui un tyran, ainsi qu'il arrive quand la multitude fait du Prince un exemple et glorifie un attentat contre le souverain comme un haut fait. Peut-être Machiavel a-t-il voulu montrer aussi combien la population doit se garder de s'en remettre de son salut à un seul homme qui, s'il n'est pas vain au point de se croire capable de plaire à tous, devra constamment craindre quelque embûche et par là se trouve contraint de veiller surtout à son propre salut et au contraire de tendre des pièges à la population plutôt que de veiller sur elle. Et je suis d'autant plus disposé à juger ainsi de ce très habile auteur qu'on s'accorde à le tenir pour un partisan constant de la liberté et que, sur la façon dont il faut la conserver, il a donné des avis très salutaires.

Spinoza, *Traité politique*, chap. V, § 7, trad. Charles Appuhn, Garnier-Flammarion

FRÉDÉRIC II DE PRUSSE (1740)

Frédéric II écrivit son *Anti-Machiavel* (en français) quand il n'était encore que prince héritier du royaume de Prusse. Voltaire, qui fut un temps le conseiller du monarque, a sans doute contribué à cet ouvrage, édité par ses soins en 1740. Il est piquant de noter qu'à peine monté sur le trône, Frédéric II en fit arrêter la publication. Pour une raison qui n'est pas mystérieuse, et que Hegel révèle dans l'extrait de la *Constitution de l'Allemagne* que nous donnons un peu plus loin : Frédéric fit montre, dans l'application des préceptes machiavéliens les plus orthodoxes, d'un zèle exemplaire ! On comprend que l'enthousiasme de Voltaire pour le despotisme éclairé se soit rapidement rafraîchi, et la rupture qui s'ensuivit. Diderot, dans l'*Encyclopédie*, raconte qu'« un philosophe [Voltaire] interrogé par un grand prince [Frédéric] sur une réfutation qu'il venait de publier du machiavélisme, lui avait répondu : « Sire, je pense que la première leçon que Machiavel eût donnée à son disciple, c'eût été de réfuter son ouvrage. » Frédéric II s'y emploie en vingt-six chapitres – exactement autant que *Le Prince* – détruisant point par point les thèses machiavéliennes.

Le Prince de Machiavel est en fait de morale ce qu'est l'ouvrage de Spinoza en matière de foi ; Spinoza sapait les fondements de la foi, et ne tendait pas moins qu'à renverser l'édifice de la religion ; Machiavel corrompit la politique, et entreprit de détruire les préceptes de la saine morale. Les erreurs de l'un n'étaient que des erreurs de spéculation ; celles de l'autre regardaient la pratique. Cependant il s'est trouvé que les théologiens ont sonné le tocsin et crié aux armes contre Spinoza, qu'on a réfuté son ouvrage en forme, et qu'on a constaté la Divinité contre ses attaques, tandis que Machiavel n'a été que harcelé par quelques moralistes, et qu'il s'est soutenu, malgré eux et malgré sa pernicieuse morale, sur la chaire de la politique jusqu'à nos jours.

J'ose prendre la défense de l'humanité contre ce monstre, qui veut la détruire ; j'ose opposer la raison et la justice au sophisme ; et j'ai hasardé ma réflexion sur *Le Prince* de Machiavel chapitre à chapitre, afin que l'antidote se trouve immédiatement auprès du poison.

J'ai toujours regardé *Le Prince* de Machiavel comme un des ouvrages les plus dangereux qui se soient répandus dans le monde : c'est un livre qui doit tomber naturellement entre les mains des princes et de ceux qui se sentent du goût pour la politique ; il n'est que trop facile qu'un jeune homme ambitieux, dont le cœur et le jugement ne sont pas assez formés pour distinguer le bon du mauvais, soit corrompu par des maximes qui flattent ses passions.

Mais s'il est mauvais de séduire l'innocence d'un particulier, qui n'influe que légèrement sur les affaires du monde, il l'est d'autant plus de pervertir des princes qui doivent gouverner des peuples, administrer la justice et en donner l'exemple à leurs sujets, être, par leur bonté, par leur magnanimité et leur miséricorde, les images vivantes de la divinité. [...]

L'avant-propos s'achève par une critique de l'interprétation qu'on trouvera chez Rousseau et Diderot :

Je ne dois pas finir cet avant-propos sans dire un mot à des personnes qui croient que Machiavel écrivait plutôt ce que les princes font que ce qu'ils doivent faire. Cette pensée a plu à beaucoup de monde parce qu'elle est satirique.

Ceux qui ont prononcé cet arrêt décisif contre les souverains ont été séduits sans doute par les exemples de quelques mauvais princes contemporains de Machiavel, cités par l'auteur, et par la vie de quelques tyrans qui ont été l'opprobre de l'humanité. Je prie ces censeurs de penser que, comme la séduction du trône est très puissante, il faut plus qu'une vertu commune pour y résister, et qu'ainsi il n'est point étonnant que, dans un ordre aussi nombreux que celui des princes, il s'en trouve de mauvais parmi les bons. Parmi les empereurs romains, où l'on compte des Nérons, des Caligulas, des Tibères, l'univers se ressouvient avec joie des noms consacrés par les vertus des Titus, des Trajans et des Antonins. Il y a ainsi une injustice criante d'attribuer à tout un corps ce qui ne convient qu'à quelques-uns de ses membres.

Frédéric II de Prusse, *Anti-Machiavel*, in
Œuvres philosophiques, « Corpus des œuvres
de philosophie en langue française »,
Fayard, 1985, p. 7-9

Denis DIDEROT (vers 1760)

Diderot et Rousseau tiennent pour une thèse courante à l'époque des Lumières : un Machiavel démocrate et machiavélique, qui dévoilerait le dessous des cartes, dans le but de servir les intérêts du peuple contre les manœuvres des tyrans. Interprétation finalement assez morale, quoique discutable, qui lave le secrétaire florentin de l'accusation traditionnelle de suppôt du despotisme.

Comment expliquer qu'un des plus ardents défenseurs de la monarchie soit devenu tout à coup un infâme apologiste de la tyrannie ? Le voici. Au reste, je n'expose ici mon sentiment que comme une idée qui n'est pas tout à fait destituée de vraisemblance. Lorsque Machiavel écrivit son traité du *Prince*, c'est comme s'il eût dit à ses concitoyens, *lisez bien cet ouvrage. Si vous acceptez jamais un maître, il sera tel que je vous le peins : voilà la bête féroce à laquelle vous vous abandonnerez.* Ainsi ce fut la faute de ses contemporains, s'ils méconnurent son but : ils prirent une satire pour un éloge. Bacon le chancelier ne s'y est pas trompé, lui, lorsqu'il a dit : cet homme n'apprend rien aux tyrans, ils ne savent que trop bien ce qu'ils ont à faire, mais il instruit les peuples de ce qu'ils ont à redouter.

Diderot, *Encyclopédie*, art. « Machiavélisme »

Jean-Jacques ROUSSEAU (1762)

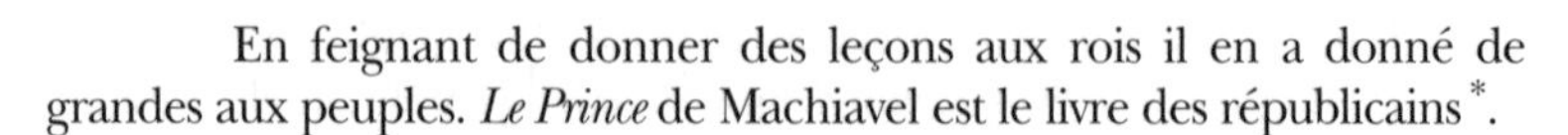

En feignant de donner des leçons aux rois il en a donné de grandes aux peuples. *Le Prince* de Machiavel est le livre des républicains*.

[* *Note de Rousseau*] Machiavel était un honnête homme et un bon citoyen ; mais, attaché à la Maison de Médicis, il était forcé, dans l'oppression de sa patrie, de déguiser son amour pour la liberté. Le choix seul de son exécrable héros (César Borgia) manifeste assez son intention secrète ; et l'opposition des maximes de son livre du *Prince* à celles de ses *Discours sur Tite-Live*, et de son *Histoire de Florence*, démontre que ce profond politique n'a eu jusqu'ici que des lecteurs superficiels ou corrompus. La cour de Rome a sévèrement défendu son livre : je le crois bien ; c'est elle qu'il dépeint le plus clairement.

Jean-Jacques Rousseau, *Du contrat social*, livre III, chap. VI

Georg Wilhelm Friedrich HEGEL (1800)

Le « cas » Machiavel offre à Hegel l'occasion de réfléchir très tôt sur un thème récurrent dans toute son œuvre : dès lors que le destin de l'histoire universelle est en jeu, on ne saurait faire droit à ce que Hegel appelle la « psychologie du maître d'école », qui se pose, au nom de la moralité subjective, en censeur des actions des grands hommes. C'est en l'État, et en l'État seul, que les conflits qui déchirent toute société peuvent trouver leur solution. Après Rousseau, Hegel répétera que la loi est la substance même de la liberté. Il n'y a donc pas à invoquer les principes d'une morale abstraite — pour condamner par exemple l'ambition du prince ou du conquérant — lorsque se met en place l'État national, réalisation concrète de la liberté. C'est exactement la situation où se trouve Machiavel.

Le but que Machiavel propose, à savoir d'élever l'Italie au rang d'État, se trouve déjà méconnu par tous les gens aveugles qui ne voient dans l'œuvre de cet auteur qu'une justification de la tyrannie et un miroir doré pour un despote ambitieux. Mais, même lorsque ce but est reconnu, alors ce sont les moyens, dit-on, qui sont détestables, et là, la morale a tout le loisir de débiter ses platitudes, par exemple, que la fin ne justifie pas les moyens, etc. Or il ne saurait être question ici de choix des moyens : on ne guérit pas des membres gangrenés avec de l'eau de lavande ; un État où le poison et l'assassinat sont devenus des armes courantes n'admet que des remèdes énergiques ; après un temps de corruption, la vie ne peut être réorganisée que par la force et la contrainte.

[...] Il fallait que l'Italie fût un État ; ce principe était déjà valable à l'époque où l'empereur était toujours considéré comme le suzerain suprême. Cette idée générale est une condition préalable pour Machiavel, c'est là son exigence, son point de départ, en face des malheurs de son pays. De ce point de vue, les procédés employés par le *Prince* apparaissent sous un jour entièrement nouveau. La contrainte, qui serait haïssable, exercée par une personne privée sur une autre ou par un État sur un autre ou sur une personne privée, devient à présent un juste châtiment.

[...] Un fait est remarquable à propos de la destinée particulière du *Prince* de Machiavel : plus tard, au milieu de l'incompréhension et de la haine suscitées par cet ouvrage et poussé par une sorte d'instinct, un monarque [1], dont toute la vie et les actions ont consisté, de façon évidente, à briser l'État allemand en États indépendants, écrivit un exercice d'école sur ce même Machiavel, lui opposant des développements moraux dont lui-même a montré la vanité tant par sa conduite qu'explicitement dans son œuvre littéraire ; par exemple, dans la préface à l'*Histoire de la première guerre de Silésie*, il conteste le caractère obligatoire des pactes entre les États, lorsqu'ils ne sont plus conformes à l'intérêt de l'un d'eux.

Reste le public plus avisé, auquel le génie de l'œuvre de Machiavel ne pouvait échapper, mais qui avait trop de morale pour consentir à ses principes. Cherchant généreusement à le sauver lui-même, malgré tout, ces gens ont résolu leur contradiction de façon honnête et assez élégante : l'œuvre de Machiavel n'aurait pas été sérieuse ; elle n'aurait été tout entière qu'un morceau d'ironie, un subtil persiflage ; ces gens qui ont décelé là de l'ironie ont droit à tous nos compliments pour leur subtilité.

La voix de Machiavel est restée sans écho.

Hegel, *La Constitution de l'Allemagne*,
trad. Michel Jacob, Éditions Champ Libre

Victor HUGO (1862)

Ce passage des *Misérables* se passe de présentation et de commentaires. La figure de Machiavel ne pouvait que fasciner Hugo, qui n'a

1. Il s'agit de Frédéric II, auteur d'un *Anti-Machiavel* (voir pp. 177-178).

jamais cessé de méditer sur les problèmes philosophiques de la violence et du droit, de la justice et de la force, de l'articulation de la morale et de la politique. Il y revient dans ses grands romans, en des pages sublimes où tout est dit. Voici ces références : *Les Misérables,* I, I, X : « L'évêque en présence d'une lumière inconnue », et V, I, V : « Quel horizon on voit du haut de la barricade » ; *Quatre-vingt-treize,* III, II, 7 : « Les deux pôles du vrai », et III, VII, 5 : « Le cachot ». Toute pensée politique et toute pensée du rapport de la morale à la politique s'y trouvent mises en perspective. Ces textes sont à lire absolument, pour leur pertinence philosophique autant que pour leur beauté. Nulle part on ne voit mieux à quel point la littérature est supérieure à la philosophie, en ce qu'elle donne à voir directement – et non à comprendre par la laborieuse médiation du concept – l'éblouissante clarté des problèmes les plus essentiels. Il y a autant, et peut-être davantage de philosophie morale à apprendre dans *Les Misérables* que dans tout ce que les philosophes ont écrit sur le devoir ou la justice.

Le droit, c'est le juste et le vrai.

Le propre du droit, c'est de rester éternellement beau et pur. Le fait, même le plus nécessaire en apparence, même le mieux accepté des contemporains, s'il n'existe que comme fait et s'il ne contient que trop peu de droit ou point du tout de droit, est destiné infailliblement à devenir, avec la durée du temps, difforme, immonde, peut-être même monstrueux. Si l'on veut constater d'un coup à quel degré de laideur le fait peut arriver, vu à la distance des siècles, qu'on regarde Machiavel. Machiavel, ce n'est point un mauvais génie, ni un démon, ni un écrivain lâche et misérable ; ce n'est rien que le fait. Et ce n'est pas seulement le fait italien, c'est le fait européen, le fait du seizième siècle. Il semble hideux, et il l'est, en présence de l'idée morale du dix-neuvième.

Cette lutte du droit et du fait dure depuis l'origine des sociétés. Terminer le duel, amalgamer l'idée pure avec la réalité humaine, faire pénétrer pacifiquement le droit dans le fait et le fait dans le droit, voilà le travail des sages.

Victor Hugo, *Les Misérables,*
Quatrième partie, livre premier, chap. I

Benito MUSSOLINI (1924)

On ne peut guère s'étonner que le fascisme mussolinien ait voulu s'emparer de Machiavel. Le Duce offrit les œuvres du secrétaire florentin à Hitler, qui le remercia en lui adressant celles de Nietzsche. Réalisme, cynisme, culte de l'État, nationalisme, mépris des règles de la morale et du droit, adoration de la force : le fascisme pouvait trouver à peu près tout ce qu'il souhaitait dans Machiavel. La question est ici posée : jusqu'à quel point doit-on tenir un auteur pour responsable de l'utilisation qu'on a faite de lui ?

Les hommes sont pour Machiavel mauvais, tenant plus aux biens matériels qu'à leur propre sang, prêts à changer de sentiments et de passions. [...]

[...] Ce qu'on a appelé utilitarisme, pragmatisme, cynisme machiavélique jaillit logiquement de cette position initiale. Par le mot Prince on doit entendre État. Dans la conception de Machiavel le Prince est l'État. Tandis que les individus tendent, poussés par leur propre égoïsme, à l'atonie sociale, l'État représente une organisation et une limitation. L'individu tend continuellement à s'évader. Il tend à désobéir aux lois, à ne pas payer les impôts, à ne pas faire la guerre. Peu nombreux sont ceux – héros ou saints – qui sacrifient leurs biens sur l'autel de l'État. Tous les autres sont en état de révolte potentielle contre l'État. Les Révolutions des XVIIe et XVIIIe siècles ont tenté de résoudre ce conflit qui est à la base de toute organisation sociale d'État en faisant surgir le pouvoir comme une émanation de la libre volonté du peuple. C'est une fiction et une illusion de plus. D'abord le peuple n'a jamais pu être défini. C'est une entité purement abstraite, comme entité politique. On ne sait exactement ni où il commence ni où il finit. L'adjectif souverain appliqué au peuple est une farce tragique. Le peuple délègue tout au plus, mais ne peut certainement exercer aucune souveraineté. Les systèmes représentatifs appartiennent plus à la mécanique qu'à la morale. Mais dans les pays où ces mécanismes sont le plus en usage depuis des siècles et des siècles, il arrive des heures solennelles où l'on ne demande plus rien au peuple, parce qu'on sent que la réponse serait fatale ; on lui arrache les couronnes de papier de la souveraineté – bonnes pour les temps normaux – et on lui ordonne sans plus de façon ou d'accepter une Révolution ou une paix, ou de marcher vers l'inconnu d'une guerre. Au peuple ne reste qu'un monosyllabe pour affirmer et obéir. Vous voyez que la souveraineté accordée gracieusement au peuple lui est soustraite dans les moments où il pourrait en sentir le besoin. Elle lui est laissée seulement quand elle est inoffensive ou réputée telle, c'est-à-dire dans les moments d'administration normale. Vous imaginez-vous une guerre proclamée par référendum ? Le référendum va très bien quand il s'agit de choisir le lieu le plus adapté pour placer la fontaine du village, mais quand les intérêts suprêmes d'un peuple sont en jeu, même les gouvernements ultra-démocratiques se gardent bien de les remettre au jugement du peuple lui-même. Il y a donc toujours, même dans les régimes qui nous ont été fabriqués par l'*Encyclopédie* – laquelle péchait à travers Rousseau par un excès incommensurable d'optimisme –, le conflit entre force organisée de l'État et fragmentarisme des individus et des groupes. Des régimes exclusivement consentis n'ont jamais existé, n'existeront probablement jamais.

Benito Mussolini, *Preludio al Machiavelli*,
in Louis de Villefosse, *Machiavel et nous*,
Éditions Bernard Grasset, 1937

Antonio GRAMSCI (vers 1930)

Antonio Gramsci, fondateur du Parti communiste italien, écrivit ses *Notes sur Machiavel, la politique et l'État moderne* dans les geôles mussoliniennes où il croupit de 1926 à sa mort sous la torture, en 1937. Gramsci affronte une difficulté essentielle du machiavélisme : peut-on en faire la théorie, et surtout en faire connaître la théorie sans en anéantir la possibilité même ? La publicité ne contredit-elle pas l'essence de la doctrine ? Pour être pleinement lui-même, c'est-à-dire efficace (l'efficacité est son essence même), le machiavélisme ne devrait-il pas rester une pratique non théorisée ? « *Le Prince* de Machiavel, écrit Alain à la même époque, est pour tous ; et qui peut le comprendre, il est juge du prince » (*Propos* du 25 mai 1935) [1]. La question est donc de savoir à qui profite la révélation des *Secrets du pouvoir* (titre d'un ouvrage d'Anders Ehnmark [2]).

Le style de Machiavel n'est pas celui d'un écrivain qui écrit un traité en forme de système, comme en connaissaient le Moyen Âge et l'Humanisme, bien au contraire. C'est le style d'un homme d'action, de quelqu'un qui veut pousser à l'action, c'est le style propre au « manifeste » d'un parti. [...] On dit souvent des lois énoncées par Machiavel, concernant l'action politique, qu'« elles s'appliquent mais ne se disent pas » ; les grands politiciens, dit-on, commencent par maudire Machiavel, en se déclarant antimachiavéliques, précisément pour pouvoir appliquer ses lois « saintement ». Est-ce que Machiavel n'aurait pas été somme toute très peu machiavélique, un de ceux qui « savent le truc » et stupidement le révèlent, alors que le machiavélisme vulgaire apprend à faire le contraire ? Quant à l'affirmation de Croce, elle est vraie dans l'abstrait : selon lui, étant donné le caractère scientifique du machiavélisme, il sert aussi bien aux réactionnaires qu'aux démocrates, de même que l'art de l'escrime sert aux gentilshommes comme

1. Ce thème est repris par Alain dans un *Propos* assez plaisant du 5 avril 1924 (« Le lieutenant-colonel Subtil, polytechnicien... »).
2. Voir bibliographie, p. 191.

aux brigands, à se défendre ou à assassiner [...]. Machiavel lui-même note que les choses qu'il écrit sont appliquées dans la réalité et ont toujours été appliquées, par les plus grands hommes de l'histoire ; il ne semble pas pourtant qu'il veuille suggérer ces choses à ceux qui les savent déjà, son style n'est pas celui d'une activité scientifique désintéressée et on ne peut penser davantage qu'il soit arrivé à ses thèses de science politique par le moyen d'une spéculation philosophique, ce qui en cette matière particulière, tiendrait du miracle à son époque, puisqu'aujourd'hui encore il rencontre tant d'hostilité et d'opposition.

On peut donc penser que Machiavel a en vue ceux « qui ne savent pas », qu'il entend faire l'éducation politique de ceux « qui ne savent pas », non pas l'éducation politique négative des hommes qui haïssent les tyrans [...] mais l'éducation positive de ceux qui doivent reconnaître comme nécessaire l'emploi de moyens déterminés, même s'ils appartiennent aux tyrans, parce qu'ils veulent des fins déterminées. Quand un prince est né dans la tradition des hommes de gouvernement, il acquiert presque automatiquement, grâce à tout le contexte de l'éducation qu'il assimile dans l'ambiance familiale, où prédominent les intérêts d'ordre dynastique ou patrimonial, les caractères du politique réaliste. Qui est-ce donc « qui ne sait pas » ? La classe révolutionnaire du temps, le « peuple » et la « nation » italienne, la démocratie des villes qui donne naissance aux Savonarole et aux Pier Soderini, et non aux Castruccio et aux Valentino. On peut considérer que Machiavel veut persuader ces forces de la nécessité d'avoir un « chef » qui sache ce qu'il veut et comment obtenir ce qu'il veut, et de la nécessité de l'accepter avec enthousiasme même si ses actions peuvent être ou paraître en opposition avec l'idéologie répandue à l'époque, la religion.

Gramsci, « Notes sur Machiavel »,
in *Gramsci dans le texte*, Éditions Sociales, p. 432-434

Maurice MERLEAU-PONTY (1949)

Comment le comprendrait-on ? Il écrit contre les bons sentiments en politique, mais il est aussi contre la violence. Il déconcerte les croyants du droit comme ceux de la raison d'État, puisqu'il a l'audace de parler de *vertu* au moment où il blesse durement la morale ordinaire. C'est qu'il décrit ce nœud de la vie collective où la morale pure peut être cruelle et où la politique pure exige quelque chose comme une morale. On s'accommoderait d'un cynique qui nie les valeurs ou d'un naïf qui sacrifie l'action. On n'aime pas ce penseur difficile et sans idole.

Maurice Merleau-Ponty, « Note sur Machiavel »,
in *Éloge de la philosophie*, Gallimard

Éric WEIL (1951)

Si Machiavel descend de nouveau sur la place publique, si de nouveau l'on discute avec lui, beaucoup plus qu'on ne le discute, c'est que la politique elle-même est maintenant en question. On ne se demande plus : quelle politique faut-il suivre ? On veut savoir ce qu'est la politique, ce « destin de l'homme moderne ». Quelle est la place de la politique ? Y a-t-il une morale qui s'oppose à la politique ? Pouvons-nous vivre en dehors de la politique ? Que peut-on, que faut-il attendre de la politique ? Une communauté humaine peut-elle sauvegarder en même temps l'ordre et ce qui, pour l'individu, rend la vie digne d'être vécue ? La politique a-t-elle ses lois à elle, comparables à celles de la nature, et, à supposer qu'il en soit ainsi, devons-nous apprendre à les connaître pour nous en servir ? À chacune de ces questions, la grande ombre de Machiavel se lève pour proposer la réponse. Seulement, elle parle comme font toutes les grandes ombres : doucement, prudemment, avec circonspection, lente à conseiller, plus lente encore à juger définitivement, se servant du langage de son temps, s'attardant à toutes les possibilités, même à celles qui n'intéressent pas ceux qui l'interrogent, écrasés par les soucis du temps présent ; et comme le questionneur est pressé, il écoute mal, il se contente du premier mot qui semble confirmer ses propres préférences et il court annoncer au monde qu'il a eu raison devant l'oracle. Rien d'étonnant si le public est troublé d'entendre tous ces évangiles divergents et qui tous se réclament de la même autorité. Il est donc utile au premier chef de chercher ce que cette autorité dit vraiment : est-il exclu de réunir les avantages de la question passionnée et sérieuse par sa passion à ceux de l'enquête patiente et sérieuse du fait de sa patience ?

Éric Weil, « Machiavel aujourd'hui », *Critique* [mars 1951],
in *Essais et conférences*, t. II : *Politique*,
chap. IX, Vrin, 1991

Glossaire

Comme on l'a dit plus haut (p. 127), Machiavel ne définit pour ainsi dire jamais les concepts qu'il utilise. Il appartient donc au lecteur de se constituer lui-même son lexique des termes machiavéliens.

amour

Amour et crainte sont les deux mobiles qui font agir les hommes. Il est très souhaitable que le prince soit aimé de ses sujets, mais il ne doit pas oublier que cet amour, fruit du libre consentement, peut venir à faire défaut. Il ne faut pas s'en remettre exclusivement à lui pour asseoir l'autorité du prince. (Voir « crainte » et chap. XVII, p. 91.)

aristocratie

Gouvernement des « grands » (voir ce mot). Comme l'avaient montré les anciens, ce type de gouvernement est très sujet à dégénérer en pouvoir de quelques tyrans.

armes, armées

Machiavel désigne par ce terme la puissance militaire ; il existe quatre sortes d'armes : **1.** propres : c'est l'armée qu'un État lève sur son propre pays ; **2.** mercenaires : payées à prix d'argent ; **3.** auxiliaires : forces d'un pays allié ; **4.** mixtes : combinent plusieurs de ces solutions. De « bonnes armes » sont des armes propres (chap. XII, p. 76).

colonie

Peuplement que le prince exporte sur le territoire conquis afin de s'en assurer le contrôle économique, politique et idéologique (chap. III, p. 42).

constitution

Texte fondamental qui régit l'exercice du pouvoir de l'État. Il n'existe pas de constitution idéale (par exemple républicaine) ; il convient d'adapter la constitution à la réalité du pays à gouverner, sans oublier qu'une constitution vieillit et se périme inéluctablement.

crainte

La crainte fortifie plus sûrement l'autorité du prince que l'amour, car il ne dépend que du prince de l'inspirer ; il en a plus aisément l'initiative. (Voir « amour » et chap. XVII, p. 91.)

cruauté

Tout en restant un mal (au point de vue moral), une cruauté peut être bien ou mal employée par le pouvoir politique. Les règles d'un bon usage politique de la cruauté sont de l'utiliser rarement, tout d'un coup, au profit des sujets (et non au bénéfice privé du prince) (chap. VIII, p. 65).

égalité

C'est un objectif social et politique que toute république « bien réglée » se doit de poursuivre. L'inégalité est l'ennemi naturel de la liberté. Les seules inégalités qu'une république doive tolérer sont les récompenses du mérite.

église

Machiavel désigne par ce terme l'État pontifical. Dans l'imbroglio politique italien, le rôle de l'Église a essentiellement consisté à diviser sans même parvenir à régner. (Voir « religion » et **Documents, Autour de l'œuvre**, p. 174.)

exemples

L'histoire offre un certain nombre d'exemples édifiants, par exemple les actions des grands hommes. Il convient non pas d'imiter ces exemples, mais de les analyser dans leur contexte, afin de comprendre en quoi ils furent particulièrement adaptés à leur situation historique concrète (chap. VI, p. 55). (Voir **Exposés de synthèse** : Politique et histoire : peut-on tirer des enseignements du passé ?, p. 143.)

faction

Groupe de personnes (en général des grands) se livrant à des activités subversives à l'intérieur de l'État, dans le but de satisfaire des intérêt privés. Les factions sont toujours nuisibles à l'intérêt public. (Voir **Concepts clés** : grands/peuple, p. 129.)

foi

Fidélité à la parole donnée. Le prince n'y est pas tenu. (Voir « ruse » et chap. XVIII, p. 94.)

force

L'une des deux armes (avec la ruse) dont dispose celui qui gouverne. Le prince doit avoir les moyens et l'audace d'utiliser la force, y compris jusqu'à la cruauté. (Voir chap. XVIII, p. 94 ; ainsi que **Exposés de synthèse** : Morale et politique : la fin justifie-t-elle les moyens ?, p. 147 et le **commentaire** du chapitre XVIII, p. 158).

fortune

Voir **Concepts clés** p. 128 ; et le **commentaire** du début dı pitre XXV, p. 166.

grands

Personnes privées qui occupent un rang social élevé (noblesse). Leur ambition égoïste fait des grands une menace perpétuelle pour le bien public ; le prince devra les contrôler étroitement, en s'appuyant sur le peuple (chap. IX, p. 68). (Voir **Concepts clés**, p. 129.)

grands hommes

Voir « exemples »

guerre

La guerre est inséparable de la politique, qui n'est que conflits et luttes. Le prince doit la faire pour accéder au pouvoir et s'y maintenir : d'où la nécessité pour lui d'avoir de « bonnes armes » et de cultiver « l'art de la guerre » (chap. XII).

inégalité

Voir « égalité »

libéralité

Disposition naturelle du prince à se montrer généreux envers ses sujets. Le prince veillera surtout à acquérir la réputation de libéral (chap. XVI, p. 89).

liberté

C'est la possibilité pour un peuple de disposer politiquement de lui-même et de se donner ses propres lois. La liberté n'est vraiment possible qu'en république. Si le risque existe toujours de voir la liberté dégénérer en anarchie, une république libre est en revanche la plus forte contre les tentatives d'annexion extérieures (chap. V, p. 53 et IX, p. 68).

loi

Avec les armes, ce sont les lois qui assurent la solidité d'un État. Il est indispensable que le pouvoir du prince soit défini par des lois (une constitution) et non au-dessus des lois (despotisme) (chap. XII, p. 76).

ministres

Choisis par le prince, ils l'aident à gouverner ; simples conseillers, les ministres ne doivent pas avoir l'initiative des décisions (chap. XXII, p. 114).

cha-

le gouvernement d'un seul, la monarchie risque la tyrannie ; elle est toutefois indispensable trop importante rend la république impossible -53).

peuple est le plus sûr soutien du pouvoir du prince. Une puis- qui s'exerce contre le peuple est à la merci de tous les périls inté-eurs et extérieurs (chap. IX, p. 68 et XIX, p. 97). (Voir **Concepts clés**, p. 129.)

prince, principauté

Voir **Concepts clés**, p. 132.

religion

Le prince doit tenir le plus grand compte des croyances religieuses de son peuple, afin d'en tirer le meilleur parti. Historiquement, la religion chrétienne porte une grande part de responsabilité dans la dégénérescence des mœurs politiques. (Voir « église » et **Documents**, **Autour de l'œuvre**, p. 174.)

république

État régi par une constitution donnant au peuple l'initiative de ses lois et de leur application. Seule la république est capable de promouvoir l'intérêt commun ; mais ce régime idéal n'est pas toujours possible (voir « monarchie »).

ruse

Le prince peut – et doit – user de cette arme sans scrupules moraux. On utilise la ruse en complément de la force ; leur dosage judicieux n'est autre que l'art de gouverner (chap. XVIII, p. 94). La ruse n'est pas l'apanage des monarques : « Ce que les princes sont obligés de faire à leurs premiers pas vers le pouvoir, les républiques sont également forcées de le pratiquer jusqu'à ce qu'elles soient devenues assez puissantes pour n'avoir besoin de recourir qu'à la force » (*Discours*, II, 13). (Voir le commentaire du chapitre XVIII, p. 158.)

vertu

Voir **Concepts clés**, p. 136 ; et le **commentaire** du début du chapitre XXV, p. 166.

Bibliographie comment

Œuvres de Machiavel

MACHIAVEL, *Œuvres complètes*, Bibliothèque de la Pléiade, Gallimard.

Les éditions Robert Laffont (collection « Bouquins ») proposent également, en un volume, un vaste choix de textes.

MACHIAVEL, *Œuvres complètes*, édition bilingue de Christian Bec, Garnier, coll. « Classiques». Pour pallier certaines lacunes du volume de la Pléiade (sur les textes politiques mineurs).

MACHIAVEL, *Toutes les lettres*, 2 volumes, Gallimard, coll. « Mémoires du passé pour servir au temps présent », 1955.

MACHIAVEL, *Le politique*, Marie-Claire Lepape (éd.), PUF, coll. « Sup ». Excellente anthologie, mais Machiavel mérite une lecture intégrale.

Ouvrages d'introduction à Machiavel

BARINCOU Edmond, *Machiavel*, Seuil, coll. « Écrivains de toujours ». La biographie la plus accessible.

DUVERNOY Jean-François, *Pour connaître la pensée de Machiavel*, Bordas. Excellente étude, intelligente et approfondie en dépit de ses dimensions modestes.

FARAKLAS Georges, *Machiavel. Le pouvoir du prince*, PUF, coll. « Philosophies ».

MOUNIN GEORGES, *Machiavel*, Seuil, coll. « Politique ». Petit ouvrage aussi riche qu'éloigné de toute sécheresse universitaire.

NAMER Émile, *Machiavel*, PUF, coll. « Les grands penseurs ».

SENNELART Michel, *Machiavélisme et raison d'État*, PUF, coll. « Philosophies ».

SENNELART Michel, *Introduction au Prince de Machiavel*, PUF (à paraître 1998).

Études philosophiques sur la pensée de Machiavel

ALTHUSSER Louis, *Machiavel et nous* (1972-1986), *Écrits philosophiques et politiques*, t. II, Stock / IMEC, 1995.

ARON Raymond, *Machiavel et Marx*, in *Études politiques*, Gallimard, 1972.

COMTE-SPONVILLE André, *Le Bon, la Brute et le Militant* (*Morale et politique*), in *Une éducation philosophique*, PUF, 1989. On pourra compléter la lecture du *Prince* par le petit recueil de *Pensées sur la politique* que le même auteur a rassemblées pour Albin Michel (coll. « Carnets de philosophie », 1998).

EHNMARK Anders, *Les Secrets du pouvoir, Essai sur Machiavel* [1986], traduit du suédois par Marc de Gouvenain et Lena Grumbach, Acte Sud, 1988. Petit

...uni d'une bibliographie commentée de références prin-

...autres écrits philosophiques et politiques de 1806 - ...ntation par Luc Ferry et Alain Renaut, Payot, 1981.

...hiavel et la conception psychologique de l'histoire, in *Les* ...sophie bourgeoise de l'histoire [1930], Petite Bibliothèque

...ude, *Le Travail de l'œuvre Machiavel*, Gallimard, 1972, réédition 1986, ...rel ». Ouvrage de référence, mais dont le style ne facilite pas la lecture. ...quatrième partie est un commentaire très minutieux du *Prince*.

POCOCK John, *Le Moment machiavélien*, PUF, coll. « Léviathan », 1997.

Sur la situation de l'Italie à l'époque de Machiavel

DELUMEAU Jean, *L'Italie de Botticelli à Bonaparte*, Armand Colin, coll. « U ».

GUICHONNET Paul, *Histoire de l'Italie*, PUF, coll. « Que sais-je ? ».

LARIVAILLE Paul, *La Pensée politique de Machiavel*, Presses Universitaires de Nancy, 1982. Ouvrage très précis, notamment sur les données lexicales, historiques et chronologiques.

LUCHAIRE Julien, *Les Démocraties italiennes*, Flammarion, 1915 ; *Les Sociétés italiennes du XIIIe au XVe siècle*, Armand Colin, 1933.

RENAUDET Augustin, *Machiavel*, Gallimard, 1942. Livre précieux par les renseignements historiques qu'il donne sur l'époque et sur les humanistes du *Quattrocento*, ainsi que sur un grand contemporain de Machiavel, Guichardin.

VILLARI Pasquale, *Niccolo Machiavelli el sol Tempi*, édité à Florence [1877-1880] chez Le Monnier. Ouvrage fondamental, non traduit en français.

Autour de Machiavel et du machiavélisme

GENTILLET Innocent, *Anti-Machiavel*, in *Les Classiques de la pensée politique*, Librairie Droz, Genève. La première grande somme anti-machiavélienne.

FRÉDÉRIC II, *L'Anti-Machiavel*, Garnier, coll. « Classiques ». Le pamphlet de Frédéric II est publié dans ce volume à la suite du *Prince*, accompagné de la préface de Voltaire.

MAUGHAM Sommerset, *La Mandragore* (titre original : *Then and Now*, auparavant traduit sous le titre : *Plus ça change*), Presses Pocket. Le secrétaire florentin affronte en même temps César Borgia et les péripéties d'une intrigue érotique où il sera finalement victime de très machiavéliques manigances !

VILLEFOSSE Louis (de), *Machiavel et nous*, Grasset, 1937. Contient en annexe une préface de Mussolini pour les œuvres de Machiavel.

Crédit photographique : Arch. Nathan.
Édition : Anne-Maty NIANG. Avec la collaboration de Christine THUBERT. *Correction* : Solange Kornberg. *Conception artistique intérieur* : Thierry MÉLÉARD. *Conception couverture* : Denis HOCH. *Fabrication* : Jacques LANNOY. *Iconographie* : Michèle VIAL.

Imprimé en France par EMD S.A.S. – 53110 Lassay-les-Châteaux
N° d'éditeur : 10159876
Dépôt légal : juillet 2009 - N° dossier : 21337